#시험대비
#핵심정복

7일 끝
중간고사
기말고사

Chunjae
Makes
Chunjae

▼

개발총괄 김은숙
편집개발 김은송, 김용하, 박준우, 박유미
제작 황성진, 조규영

발행일 2021년 3월 15일 초판 2021년 3월 15일 1쇄
발행인 (주)천재교육
주소 서울시 금천구 가산로9길 54
신고번호 제2001-000018호
고객센터 1577-0902
교재 내용문의 (02)3282-8739

※ 정답 분실 시에는 천재교육 홈페이지에서 내려받으세요.

7일 끝으로 끝내자!

고등 화학 I

BOOK 1

1학기 중간·기말 대비

이 책의 구성과 활용

일차별 시험 공부

생각 열기

공부할 내용을 그림과 퀴즈로 가볍게 살펴보며 학습을 준비해 보세요.

❶ **그림으로 개념 잡기** | 학습할 개념을 그림과 만화로 재미있게 알아보세요.

❷ **Quiz** | 공부할 내용을 그림과 관련된 퀴즈 문제로 확인해 보세요.

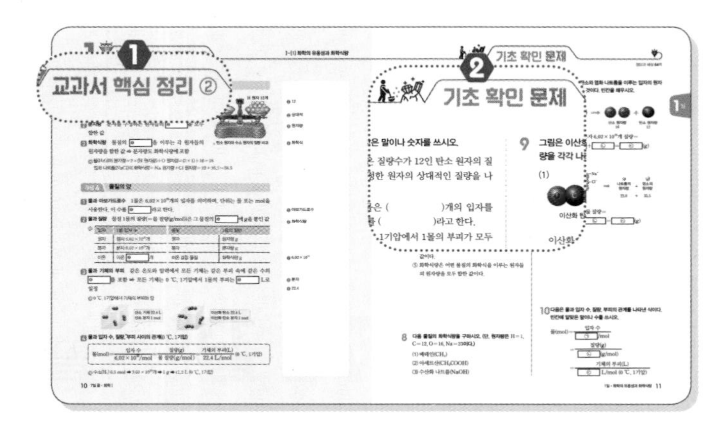

교과서 핵심 정리 + 기초 확인 문제

꼭 알아야 할 교과서 핵심 내용을 익히고 기초 확인 문제를 풀며 제대로 이해했는지 확인해 보세요.

❶ **교과서 핵심 정리** | 빈칸을 채워 보며 교과서 핵심 개념을 다시 한번 체크해 보세요.

❷ **기초 확인 문제** | 교과서 핵심 정리와 관련된 문제를 풀며 공부한 내용을 확인해 보세요.

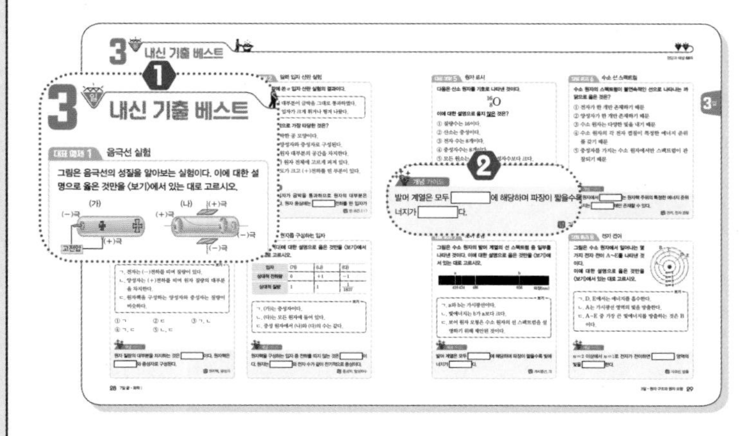

내신 기출 베스트

다양한 유형의 문제를 풀어 보며 공부한 내용을 점검해 보세요.

❶ **대표 예제** | 시험에 자주 나오는 빈출 유형 필수 문제를 풀어 보세요.

❷ **개념 가이드** | 대표 예제와 관련된 핵심 개념을 익혀 보세요.

시험 공부 마무리 테스트

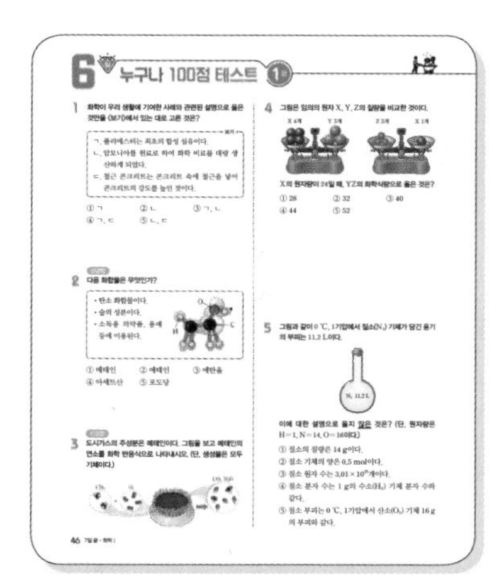

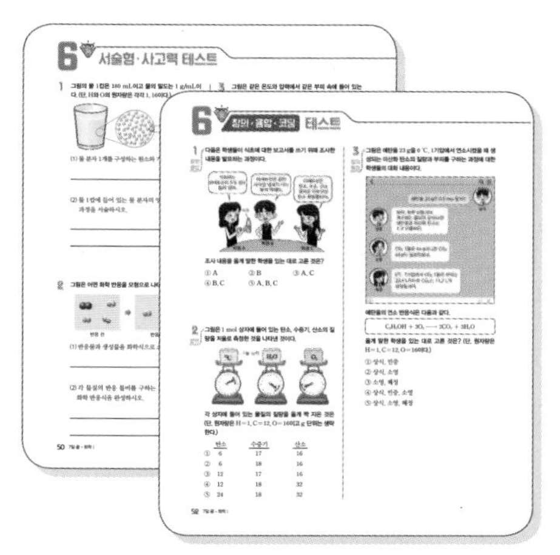

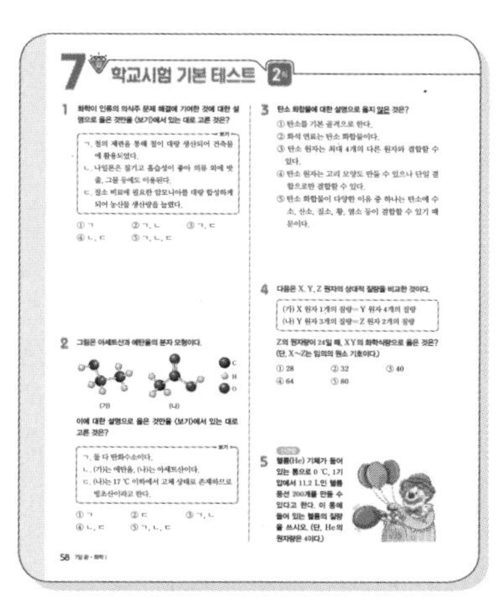

누구나 100점 테스트

5일 동안 공부한 내용을 바탕으로 기초 이해력을 점검해 보세요.

서술형 · 사고력 테스트
창의·융합·코딩 테스트

서술형 · 사고력 문제와 창의 · 융합 · 코딩 문제를 풀어 보면서 창의력과 문제 해결력을 높여 보세요.

학교시험 기본 테스트

중간 · 기말고사 예상 문제를 최종으로 풀며 실전에 대비해 보세요.

시험 직전까지 챙겨야 할 부록

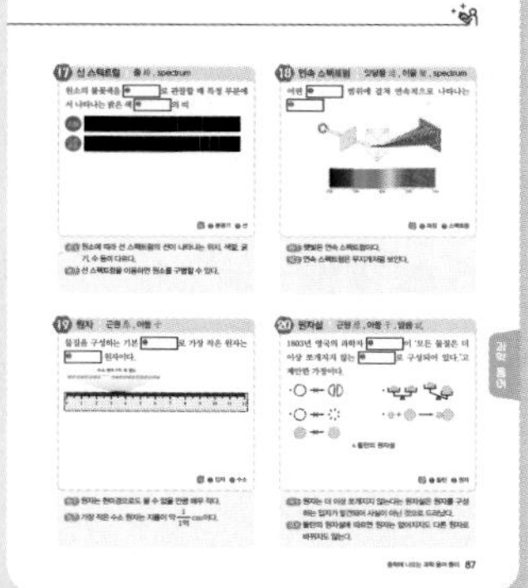

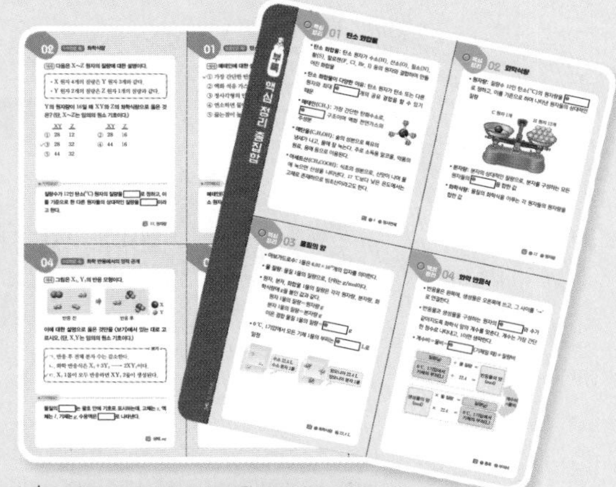

중학에 나오는 과학 용어 풀이

중학교에서 배운 과학 용어로 선수 학습을 확인할 수 있어요.

핵심 정리 총집합 카드

시험 직전이나 틈틈이 암기 카드를 휴대하여 활용해 보세요.

BOOK 1

BOOK
2

1

대단원 I. 화학의 첫걸음 ❶

화학의 유용성과 화학식량

Quiz 공기 중 질소와 수소로 ㅇㅁㄴㅇ를 합성해 질소 비료를 ㄷㄹ 생산할 수 있었다.

답 암모니아, 대량

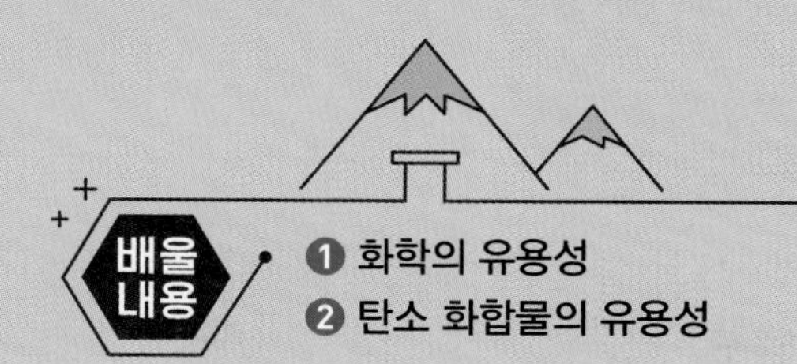

배울 내용
- ❶ 화학의 유용성
- ❷ 탄소 화합물의 유용성
- ❸ 화학식량
- ❹ 물질의 양

Quiz [ㅌ][ㅅ]는 다른 원자와 최대 4개의 결합을 형성하여 다양한 [ㅁ][ㅈ]을 만들 수 있다.

답 탄소, 물질

Quiz 6.02×10^{23}개의 입자를 1[ㅁ]이라고 하며 6.02×10^{23}을 [ㅇ][ㅂ][ㄱ][ㄷ][ㄹ][ㅅ]라고 한다.

답 몰, 아보가드로수

개념 1 화학의 유용성

1 식량 문제 해결 산업혁명 이후 폭발적 인구 증가에 따른 식량 위기 ➡ 하버가 공기 중의 질소와 수소를 반응시켜 ❶ ☐를 대량 합성하는 방법 개발 ➡ ❶ ☐를 원료로 질소 비료 대량 생산 ➡ 농업 생산량 증대 └ $N_2 + 3H_2 \longrightarrow 2NH_3$

2 의류 문제 해결 쉽게 닳고 질기지 않으며 대량 생산이 어려운 천연 섬유의 단점을 보완한 ❷ ☐ 개발

예 ❸ ☐: 최초의 합성 섬유로, 매우 질기고 유연하며 신축성이 좋아 스타킹, 운동복 등에 이용
폴리에스터: 가장 널리 사용되는 합성 섬유로, 강하고 구겨지지 않아 양복 등에 이용

3 주거 문제 해결

건축 재료 변화	흙, 나무 등 천연 재료에서 철, 시멘트, 콘크리트 등 건축 재료 변화로 대규모 건축물에 활용
화석 연료 이용	천연가스 등 연료를 ❹ ☐과 취사에 이용하면서 편안한 주거 환경 조성

예 철근에 콘크리트를 넣은 ❺ ☐는 강도가 높아 대규모 건설이 가능해짐

개념 2 탄소 화합물의 유용성

1 탄소 화합물 ❻ ☐ 원자가 수소(H), 산소(O), 질소(N), 황(S), 할로젠(F, Cl, Br, I) 등의 원자와 결합하여 만들어진 화합물

예 플라스틱, 의약품, 화장품, 비누, 합성세제

2 탄소 화합물이 다양한 이유 탄소 원자가 탄소 또는 다른 원자와 최대 ❼ ☐개의 결합을 할 수 있고, 사슬 모양, 고리 모양 등 다양한 결합을 할 수 있기 때문

예 몇 가지 탄소 화합물

메테인(CH_4)	에탄올(C_2H_5OH)	아세트산(CH_3COOH)
H, C, H, H, H	H, O, H, C, H, H, C, H, H	O, C, H, C, H, H, O, H
❽ ☐의 입체 구조로, 가장 간단한 탄화수소, 액화 천연가스(LNG)의 주성분	알코올음료 · 화학 약품의 원료, 연료에 이용되고, 소독 및 살균 작용이 있음	식초에 포함되어 있으며 물에 녹아 ❾ ☐을 띰

❶ 암모니아
❷ 합성 섬유
❸ 나일론
❹ 난방
❺ 철근 콘크리트
❻ 탄소(C)
❼ 4
❽ 정사면체
❾ 산성

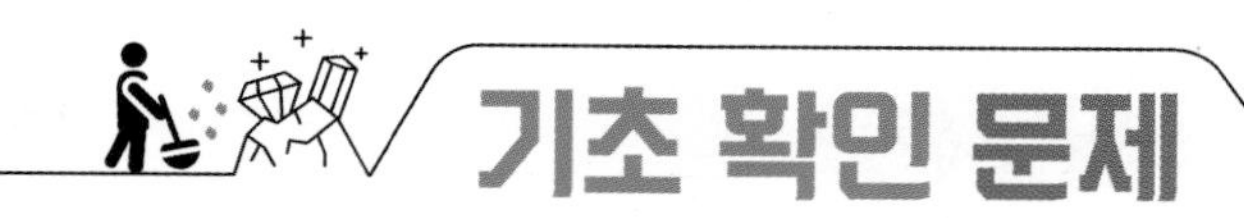

기초 확인 문제

정답과 해설 64쪽

1 **화학이 식량 문제 해결에 기여한 사례와 관련된 설명이다. 빈칸에 알맞은 말을 쓰시오.**

(1) 화학자 하버는 공기 중의 ㉠(　　　　　)와 수소를 반응시켜 ㉡(　　　　　)를 합성하였다.

(2) 암모니아로부터 만든 (　　　　　) 비료는 식량의 대량 생산에 기여하였다.

2 **다음은 화학이 일상생활의 문제 해결에 기여한 사례이다. 어떤 분야에 관한 것인가?**

- 나일론, 폴리에스터의 합성
- 인공 염료의 합성

① 식품　② 의류　③ 주거
④ 환경　⑤ 의약품

3 **다음 중 탄소 화합물이 아닌 것은?**

① 메테인　② 나일론
③ 에탄올　④ 아스피린
⑤ 스테인리스강 컵

4 **탄소 화합물에 대한 설명으로 옳지 않은 것은?**

① 에탄올은 탄소 화합물이다.
② 플라스틱은 탄소 화합물이다.
③ 탄소 화합물에는 탄소가 반드시 들어 있다.
④ 탄소는 최대 5개의 다른 원자와 결합할 수 있다.
⑤ 탄소는 탄소 원자뿐만 아니라 수소, 산소, 질소 등의 원자와도 결합을 한다.

5 **다음은 메테인을 나타낸 것이다.**

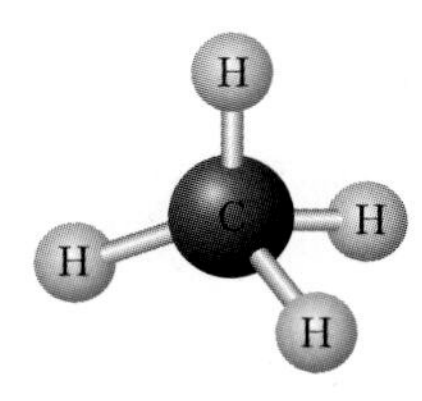

이에 대한 설명으로 옳은 것만을 〈보기〉에서 있는 대로 고른 것은?

보기
ㄱ. 정사각형 구조이다.
ㄴ. 액화 천연가스(LNG)의 주성분이다.
ㄷ. 탄소와 수소로 이루어진 탄화수소이다.

① ㄱ　② ㄴ　③ ㄱ, ㄴ
④ ㄴ, ㄷ　⑤ ㄱ, ㄴ, ㄷ

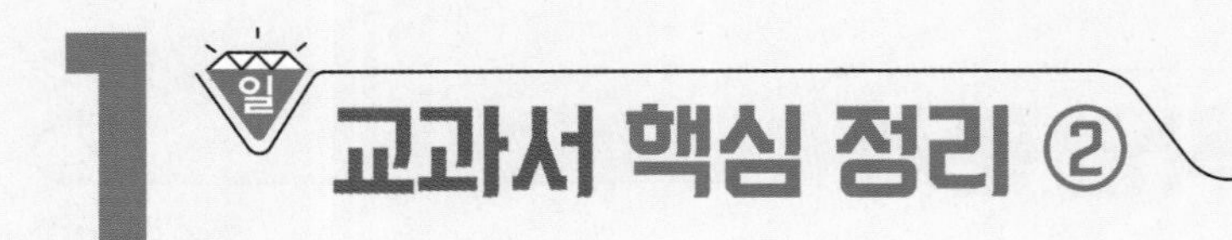

1일 교과서 핵심 정리 ②

개념 3 화학식량

▲ 탄소 원자와 수소 원자의 질량 비교

1 원자량 질량수 12인 탄소(^{12}C)의 원자량을 ❶ [　　　] 로 정하고, 이를 기준으로 하여 나타낸 원자들의 ❷ [　　　] 인 질량 - 상대적인 값이므로 단위가 없다.

2 분자량 분자를 구성하는 원자들의 ❸ [　　　] 을 모두 합한 값

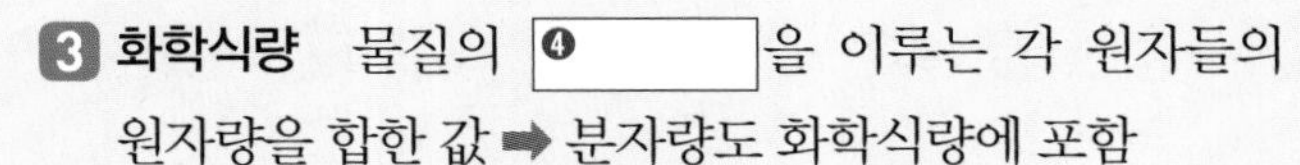

3 화학식량 물질의 ❹ [　　　] 을 이루는 각 원자들의 원자량을 합한 값 ➡ 분자량도 화학식량에 포함

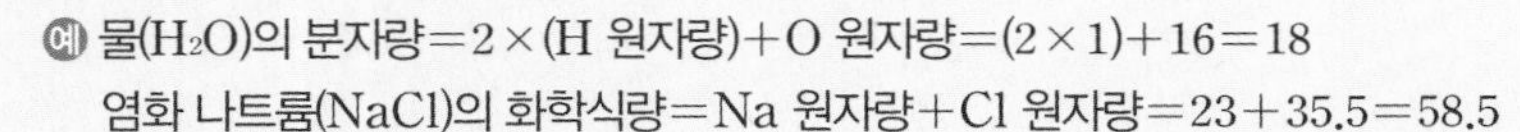

예 물(H_2O)의 분자량 $=2\times$(H 원자량)$+$O 원자량$=(2\times1)+16=18$

염화 나트륨(NaCl)의 화학식량$=$Na 원자량$+$Cl 원자량$=23+35.5=58.5$

개념 4 물질의 양

1 몰과 아보가드로수 1몰은 6.02×10^{23}개의 입자를 의미하며, 단위는 몰 또는 mol을 사용한다. 이 수를 ❺ [　　　] 라고 한다.

2 몰과 질량 물질 1몰의 질량(=몰 질량(g/mol))은 그 물질의 ❻ [　　　] 에 g을 붙인 값

예

입자	1몰 입자 수	물질	1몰의 질량
원자	원자 6.02×10^{23}개	원자	원자량 g
분자	분자 6.02×10^{23}개	분자	분자량 g
이온	이온 ❼ [　　　] 개	이온 결합 물질	화학식량 g

3 몰과 기체의 부피 같은 온도와 압력에서 모든 기체는 같은 부피 속에 같은 수의 ❽ [　　　] 를 포함 ➡ 모든 기체는 0 ℃, 1기압에서 1몰의 부피는 ❾ [　　　] L로 일정

예 0 ℃, 1기압에서 기체의 부피와 양

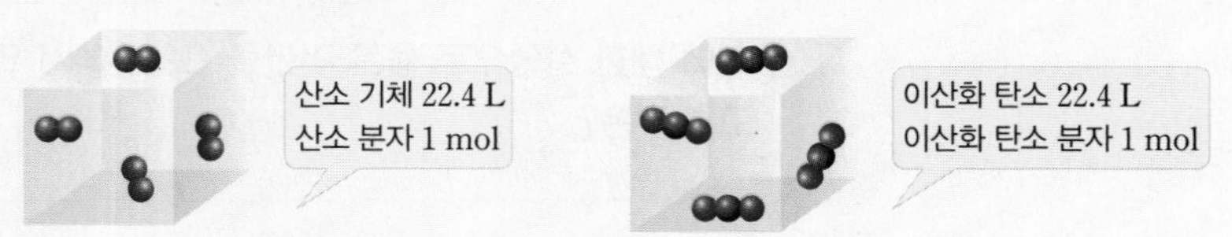

4 몰과 입자 수, 질량, 부피 사이의 관계(0 ℃, 1기압)

$$\text{몰(mol)}=\frac{\text{입자 수}}{6.02\times10^{23}/\text{mol}}=\frac{\text{질량(g)}}{\text{몰 질량(g/mol)}}=\frac{\text{기체의 부피(L)}}{22.4\ \text{L/mol}}\ (0\ ℃,\ 1\text{기압})$$

예 수소(H_2) 0.5 mol ➡ 3.01×10^{23}개 ➡ 1 g ➡ 11.2 L (0 ℃, 1기압)

❶ 12
❷ 상대적
❸ 원자량
❹ 화학식
❺ 아보가드로수
❻ 화학식량
❼ 6.02×10^{23}
❽ 분자
❾ 22.4

정답과 해설 64쪽

6 다음 ( ) 안에 알맞은 말이나 숫자를 쓰시오.

(1) ( )은 질량수가 12인 탄소 원자의 질량을 기준으로 정한 원자의 상대적인 질량을 나타낸 값이다.

(2) 원자나 분자 1몰은 ( )개의 입자를 의미하며, 이 수를 ( )라고 한다.

(3) 모든 기체는 0 ℃, 1기압에서 1몰의 부피가 모두 ( ) L이다.

7 화학식량에 대한 설명으로 옳지 않은 것은? (단, 원자량은 H=1, C=12, O=16이다.)

① 산소(O_2)의 분자량은 16이다.
② 에탄올(C_2H_5OH)의 분자량은 46이다.
③ 원자량은 상대적인 값이므로 단위가 없다.
④ 분자량은 분자를 이루는 원자들의 원자량을 합한 값이다.
⑤ 화학식량은 어떤 물질의 화학식을 이루는 원자들의 원자량을 모두 합한 값이다.

8 다음 물질의 화학식량을 구하시오. (단, 원자량은 H=1, C=12, O=16, Na=23이다.)

(1) 메테인(CH_4)
(2) 아세트산(CH_3COOH)
(3) 수산화 나트륨(NaOH)

9 그림은 이산화 탄소와 염화 나트륨을 이루는 입자의 원자량을 각각 나타낸 것이다. 빈칸을 채우시오.

(1)

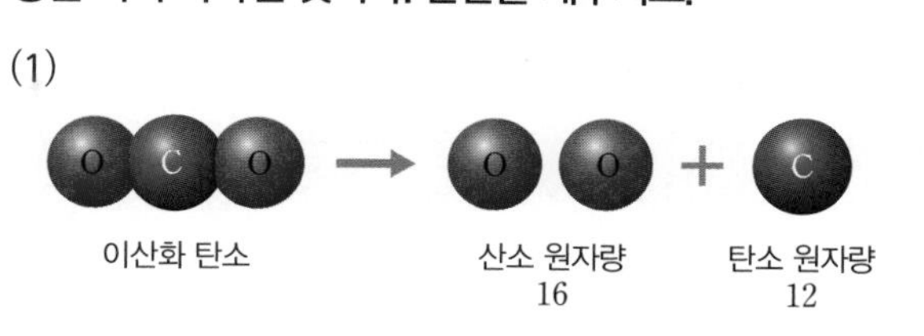

이산화 탄소 분자 6.02×10^{23}개 질량=

2× ㉠ + ㉡ = ㉢ (g)

(2)

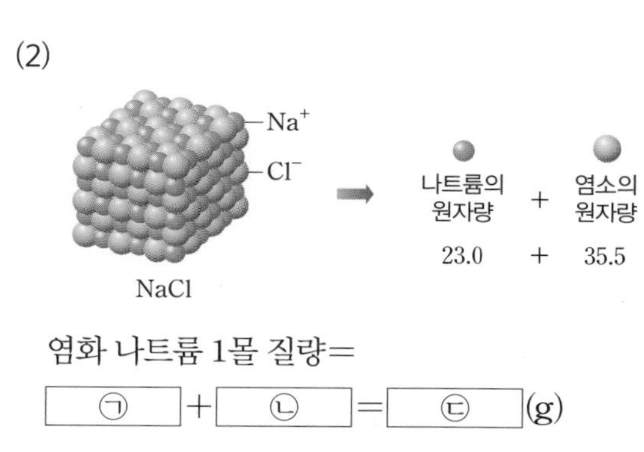

염화 나트륨 1몰 질량=

㉠ + ㉡ = ㉢ (g)

10 다음은 몰과 입자 수, 질량, 부피의 관계를 나타낸 식이다. 빈칸에 알맞은 말이나 수를 쓰시오.

$$몰(mol)=\frac{입자\ 수}{㉠\ /mol}=\frac{질량(g)}{㉡\ (g/mol)}=\frac{기체의\ 부피(L)}{㉢\ L/mol\ (0\ ℃,\ 1기압)}$$

1 내신 기출 베스트

대표 예제 1 화학의 유용성

화학이 인류의 문제를 해결한 것에 대한 설명으로 옳은 것만을 〈보기〉에서 있는 대로 고르시오.

보기

ㄱ. 암모니아의 합성으로 질소 비료를 대량 생산할 수 있게 되었다.

ㄴ. 폴리에스터는 최초의 합성 섬유로, 스타킹, 밧줄, 그물 등에 다양하게 사용된다.

ㄷ. 철의 제련 기술 개발로 철이 건축 재료로 활용되었다.

개념 가이드

최초의 합성 섬유는 [　　　]이고, 철의 제련은 [　　　]을 코크스와 함께 용광로에 넣고 가열하여 순수한 철을 대량으로 얻는 기술이다.

답 나일론, 철광석

대표 예제 2 탄소 화합물의 유용성

탄소 화합물에 대한 설명으로 옳지 않은 것은?

① 에탄올, 아세트산은 탄소 화합물이다.

② 탄소와 수소로만 이루어진 화합물이다.

③ 동물과 식물은 대부분 탄소 화합물로 이루어져 있다.

④ 탄소 원자 1개는 최대 4개의 다른 원자와 결합할 수 있다.

⑤ 탄소는 다양한 방식으로 결합할 수 있으므로 탄소 화합물은 종류가 매우 많다.

개념 가이드

[　　　]은 탄소(C) 원자가 탄소뿐만 아니라 수소(H), 산소(O), 질소(N), 황(S) 등의 원자와 결합하여 만들어진 화합물이다. 탄소와 수소로만 이루어진 탄소 화합물은 [　　　]라고 한다.

답 탄소 화합물, 탄화수소

대표 예제 3 여러 가지 탄소 화합물

그림은 두 탄소 화합물의 구조를 나타낸 것이다.

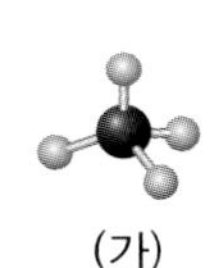
(가)

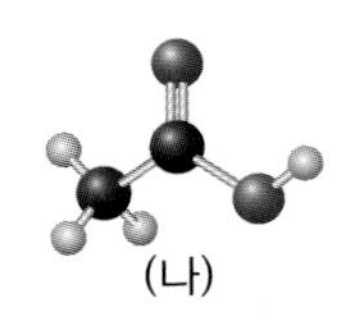
(나)

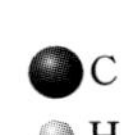

이에 대한 설명으로 옳지 않은 것은?

① (가)는 메테인이다.

② (가)는 정사면체 구조이다.

③ (가)는 가장 간단한 탄화수소이다.

④ (나)는 물에 녹아 산성을 나타낸다.

⑤ (나)는 에탄올로 손 소독제로 사용된다.

개념 가이드

(나)는 [　　　]이다. (가)는 탄소와 [　　　]로만 이루어진 가장 간단한 탄화수소이다.

답 아세트산, 수소

대표 예제 4 화학식량

화학식량에 대한 설명으로 옳지 않은 것은?

① 분자량은 원자량의 합으로 나타낸다.

② 염화 나트륨의 화학식량은 염소와 나트륨 원소의 원자량의 합이다.

③ 물(H_2O)의 분자량은 수소 원자 2개와 산소 원자 1개의 원자량의 합이다.

④ O 원자 3개의 질량은 C 원자 4개와 같으므로 O의 원자량은 32이다.

⑤ 현재 원자량은 ^{12}C의 원자량 12.00을 기준으로 다른 원자들의 상대적인 질량을 구하여 사용한다.

개념 가이드

탄소 원자 4개와 산소 원자 3개의 질량이 같으므로 $4\times$[　　　]$=3\times x$에서 산소 원자량은 [　　　]이다.

답 12, 16

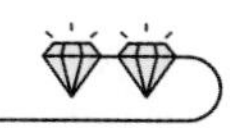

정답과 해설 64쪽

대표 예제 5 몰과 아보가드로수

몰에 대한 설명으로 옳지 않은 것은?

① 물 분자 1몰에는 총 3몰의 원자가 포함되어 있다.
② 원자와 같이 매우 많은 수를 나타내는 묶음 단위이다.
③ NaCl 1몰에는 아보가드로수만큼의 Na^+이 들어 있다.
④ 0 ℃, 1기압에서 수소 기체 0.5몰의 부피는 11.2 L이다.
⑤ 질소 기체 1몰에는 질소 원자 6.02×10^{23}개가 들어 있다.

개념 가이드

1몰은 입자 6.02×10^{23}개로 이 수를 ☐라고 한다. 질소 기체 1몰에는 질소 원자가 ☐몰 들어 있다.

답 아보가드로수, 2

대표 예제 6 몰과 입자 수

입자 수가 가장 많은 것은? (단, 원자량은 H=1, C=12, O=16, Na=23이다.)

① 수소(H_2) 1몰에 포함된 원자 수
② 물(H_2O) 18 g에 들어 있는 원자 수
③ 나트륨(Na) 23 g에 들어 있는 총 원자 수
④ 포도당($C_6H_{12}O_6$) 180 g에 들어 있는 분자 수
⑤ 0 ℃, 1 기압에서 11.2 L의 암모니아(NH_3) 분자 수

개념 가이드

물(H_2O) 분자 1몰은 수소 원자 ☐몰과 산소 원자 ☐몰로 이루어져 있다.

답 2, 1

대표 예제 7 물질의 양

표는 0 ℃, 1기압에서 기체의 부피를 나타낸 것이다.

기체	H_2	CH_4	CO_2
부피(L)	22.4	11.2	11.2

이 기체들에 대한 설명으로 옳지 않은 것은?

① CO_2는 0.5몰이다.
② CH_4은 1몰이다.
③ H_2 분자 수는 6.02×10^{23}개이다.
④ CO_2 분자 수는 3.01×10^{23}개이다.
⑤ CH_4 11.2 L에는 탄소 0.5몰이 들어 있다.

개념 가이드

0 ℃, 1기압에서 ☐ 기체 1몰의 부피는 ☐이다.

답 모든, 22.4 L

대표 예제 8 물질의 양

0 ℃, 1기압에서 44.8 L의 산소 기체에 대한 설명으로 옳은 것은? (단, 원자량은 H=1, C=12, O=16, 아보가드로수는 6.02×10^{23}이다.)

① 질량은 32 g이다.
② 2몰에 해당하는 부피이다.
③ 분자 수는 3.01×10^{23}개이다.
④ 원자 수는 12.04×10^{23}개이다.
⑤ 0 ℃, 1기압에서 같은 부피 속에 메테인은 1몰이 들어 있다.

개념 가이드

0 ℃, 1기압에서 기체 1몰의 부피는 22.4 L이므로 44.8 L의 산소는 ☐ mol이다. 온도와 압력이 같을 때 같은 부피 속에 들어 있는 기체의 ☐는 같다.

답 2, 분자 수

2 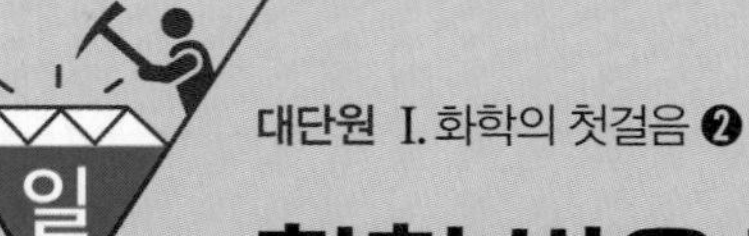

대단원 I. 화학의 첫걸음 ❷

화학 반응식과 용액의 농도

공부할 핵심 개념이 무엇인지 퀴즈를 통해 알아보자.

Quiz 반응 전후 원자의 종류와 ㄱ ㅅ 가 같아지도록 계수를 맞춘다. 이때 계수는 가장 간단한 ㅈ ㅅ 로 나타내고, 계수가 1이면 생략한다.

답 개수, 정수

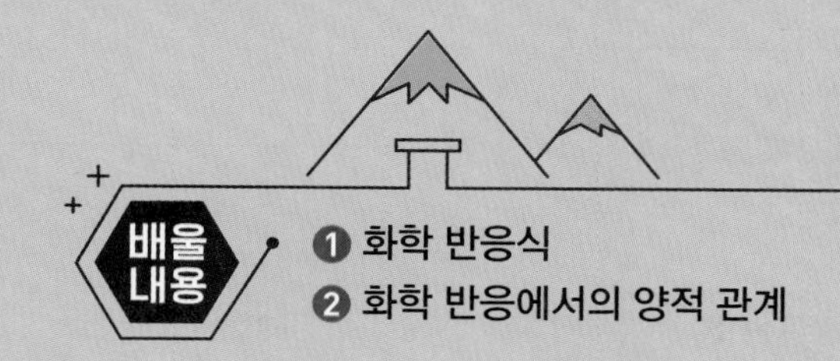

❶ 화학 반응식
❷ 화학 반응에서의 양적 관계
❸ 용액의 농도
❹ 몰 농도

Quiz 화학 반응식에서 ㄱ ㅅ 비는 각 물질들 사이의 몰비를 뜻하며, 몰과 입자 수, 질량, 부피는 서로 환산이 가능하다.

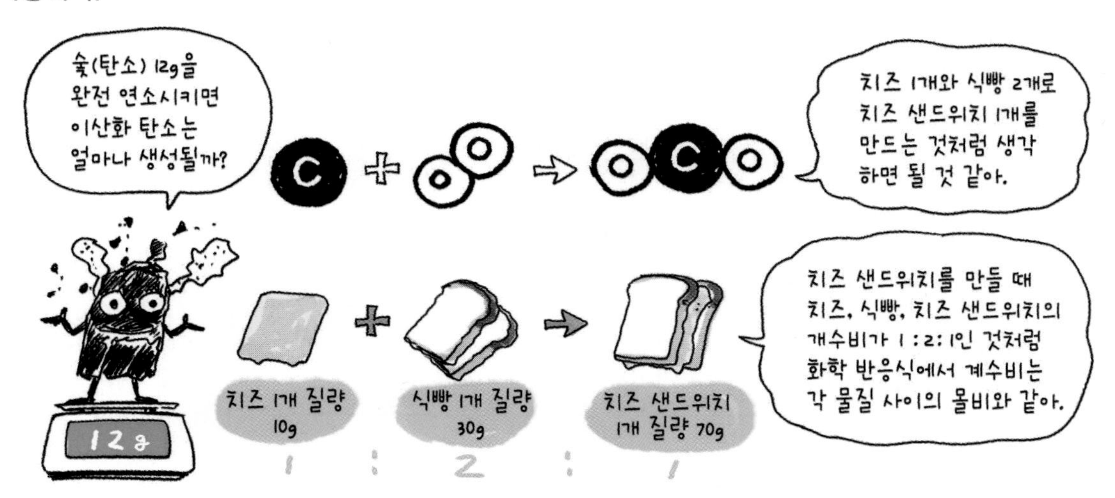

답 계수

Quiz 몰 농도는 ㅇ ㅇ 1 L 속에 녹아 있는 용질의 양(mol)이다.

답 용액

2일 교과서 핵심 정리 ①

개념 1 화학 반응식

1 화학 반응식 화학 반응을 ❶ ( ) 과 기호를 이용하여 나타낸 식

1단계	반응물과 생성물을 화학식으로 표현한다. 예 반응물: 수소 H_2, 산소 O_2, 생성물: 물 H_2O
2단계	❷ ( ) 은 왼쪽에, ❸ ( ) 은 오른쪽에 쓰고, 그 사이를 '⟶'로 연결한다. 반응물이나 생성물이 2가지 이상이면 각 물질을 '+'로 연결한다. 예 $H_2 + O_2 \longrightarrow H_2O$
3단계	반응 전후는 ❹ ( ) 의 종류와 수가 같도록 화학식 앞의 계수를 맞춘다. 이때 계수는 가장 간단한 정수로 나타내고, 1은 ❺ ( ) 한다. 예 $2H_2 + O_2 \longrightarrow 2H_2O$
4단계	물질의 상태는 괄호 안에 기호로 표시한다. 예 $2H_2(g) + O_2(g) \longrightarrow 2H_2O(l)$ (고체: s, 액체: l, 기체: g, 수용액: aq)

2 화학 반응식의 의미 화학 반응식을 완성하면 반응물과 생성물의 종류뿐만 아니라, 몰, 질량, 부피 등 물질 사이의 양적 관계를 알 수 있다.

계수비 = 몰비 = ❻ ( ) (기체일 때) ≠ 질량비

예

화학 반응식	$2H_2(g)$	+	$O_2(g)$	⟶	$2H_2O(g)$
계수비	2	:	1	:	2
몰비	2	:	1	:	2
분자 수비	$2 \times 6.02 \times 10^{23}$	:	6.02×10^{23}	:	$2 \times 6.02 \times 10^{23}$
부피비(0 ℃, 1기압)	2 × 22.4 L	:	❼ ( ) L	:	2 × 22.4 L
질량비	4(=2 × 2) g	:	32 g	:	36(=2 × 18) g

❶ 화학식
❷ 반응물
❸ 생성물
❹ 원자
❺ 생략
❻ 부피비
❼ 22.4

개념 2 화학 반응에서의 양적 관계

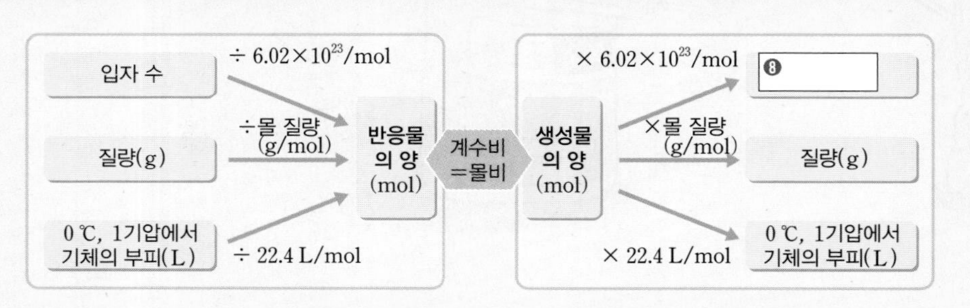

❽ 입자 수

예 $N_2(g) + 3H_2(g) \longrightarrow 2NH_3(g)$에서 N_2 14 g이 모두 반응하면 NH_3 17 g이 생성된다.

기초 확인 문제

정답과 해설 65쪽

1 화학 반응식에 대한 설명으로 옳은 것은?

① 화학 반응식에서 반응 전후 분자 수는 같다.
② 반응물은 오른쪽에, 생성물은 왼쪽에 나타낸다.
③ 화학식 앞의 계수는 가장 간단한 정수로 나타내고 1이면 생략한다.
④ 화학 반응식에서 물질의 상태는 고체, 액체, 기체 세 가지로만 나타낸다.
⑤ 수소와 산소가 반응해서 물이 생성되는 반응은 $H_2(g) + O_2(g) \longrightarrow H_2O(l)$이다.

2 다음은 암모니아 합성을 나타낸 화학 반응식이다.

$$3H_2(g) + N_2(g) \longrightarrow 2NH_3(g)$$

위 화학 반응식에서 각 물질의 계수비와 같은 것을 〈보기〉에서 있는 대로 고른 것은?

보기

ㄱ. 몰비　　　　ㄴ. 부피비
ㄷ. 질량비　　　ㄹ. 분자 수비
ㅁ. 원자 수비

① ㄱ, ㄴ, ㄹ　　② ㄱ, ㄷ, ㄹ
③ ㄴ, ㄷ, ㄹ　　④ ㄴ, ㄹ, ㅁ
⑤ ㄷ, ㄹ, ㅁ

3 다음에서 일어나는 화학 변화를 화학 반응식으로 바르게 나타낸 것은?

상처 소독에 사용되는 과산화 수소(H_2O_2)가 물(H_2O)과 산소(O_2)로 분해된다.

① $H_2O_2 \longrightarrow H_2O + O$
② $H_2O_2 \longrightarrow H_2O + O_2$
③ $2H_2O_2 \longrightarrow H_2O + 2O_2$
④ $2H_2O_2 \longrightarrow 2H_2O + O_2$
⑤ $H_2O_2 \longrightarrow 2H_2O + 2O_2$

4 다음은 액화 천연가스(LNG)의 주성분인 메테인(CH_4) 2 L를 완전 연소시키기 위해 필요한 산소의 최소 부피를 구하는 과정을 나타낸 것이다. (단, 온도와 압력은 일정하다.)

1단계: 화학 반응식을 완성한다.
$CH_4(g) + \boxed{①}O_2(g) \longrightarrow CO_2(g) + \boxed{②}H_2O(l)$
2단계: 기체의 부피비를 구한다.
부피비 = 계수비
→ $CH_4 : O_2 = \boxed{③} : 2$
3단계: 메테인 2 L를 완전 연소시키기 위해 필요한 산소의 부피를 비례식으로 구한다.
$CH_4 : O_2 = \boxed{④} : 2 = 2\text{ L} : \boxed{⑤}\text{ L}$

①~⑤의 값이 옳지 않은 것은?

① 2　　② 2　　③ 1
④ 1　　⑤ 2

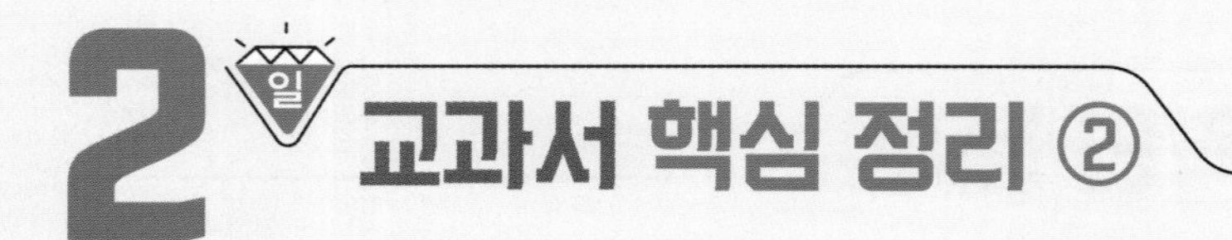

2일 교과서 핵심 정리 ②

개념 3 용액의 농도

1 용해와 용액

용해	두 종류 이상의 물질이 ❶ ☐ 하게 섞이는 현상
용액	용매와 ❷ ☐ 이 균일하게 섞인 혼합물

2 질량 퍼센트 농도 용액 100 g 속에 녹아 있는 용질의 질량을 ❸ ☐ 로 나타낸 것

$$\text{질량 퍼센트 농도(\%)}=\frac{\text{용질의 질량(g)}}{\text{용액의 질량(g)}}\times 100$$

3 온도나 압력이 변해도 ❹ ☐ 은 변하지 않으므로 퍼센트 농도는 변하지 않는다.

예 퍼센트 농도가 같아도 용질의 종류가 다르면 용질의 화학식량이 다르기 때문에 입자 수는 다르다.

❶ 균일
❷ 용질
❸ 백분율
❹ 질량

개념 4 몰 농도

1 몰 농도 ❺ ☐ 1 L 속에 녹아 있는 용질의 양(mol)(단위: M 또는 mol/L)

$$\text{몰 농도(M)}=\frac{\text{용질의 양(mol)}}{\text{용액의 ❻ ☐ (L)}}$$

2 수용액 반응에서의 양적 관계 몰 농도는 용질의 질량이 아니라 용질의 양(mol)을 사용하므로 화학 반응에서의 양적 관계를 파악하는 데 유용하다.

3 몰 농도를 이용하면 용액 속에 녹아 있는 용질의 양(mol)을 구할 수 있다.

> **용질의 양**(mol)=**몰 농도**(mol/L)×**용액의 부피**(L)

4 몰 농도가 같으면 용질의 종류가 달라도 용질의 입자 수는 같다.

예 1 M 포도당 수용액 만들기(포도당 분자량=180)

① 포도당 0.1몰인 ❼ ☐ g을 정확하게 측정하여 비커에 넣는다.

② 증류수를 부어 녹인 후, 1000 mL ❽ ☐ 에 넣는다. 이때 증류수로 비커를 여러 번 헹구어 부피 플라스크에 넣는다.

③ ❾ ☐ 의 표시선까지 증류수를 채운 후 플라스크의 뚜껑을 닫고 여러 번 흔들어 잘 섞어준다.
(마지막에는 스포이트를 사용하여 증류수를 표시선까지 정확하게 채운다.)

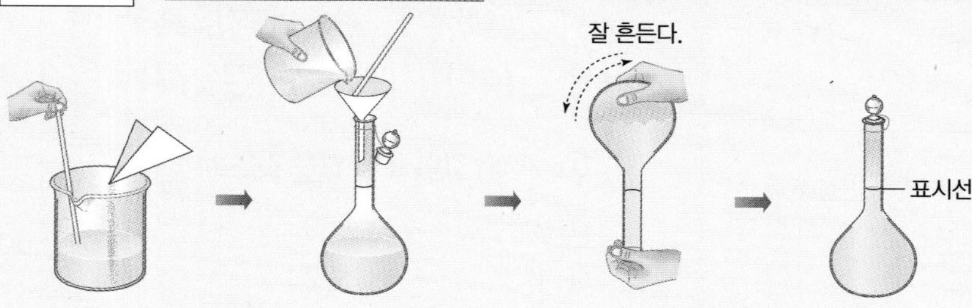

❺ 용액
❻ 부피
❼ 18
❽ 부피 플라스크
❾ 부피 플라스크

2일

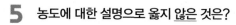

5 **농도에 대한 설명으로 옳지 않은 것은?**

① 온도가 변하면 퍼센트 농도는 달라진다.
② 몰 농도의 단위는 M 또는 mol/L를 사용한다.
③ 용액 1 L에 들어 있는 용질의 양(mol)이 몰 농도이다.
④ 몰 농도가 같으면 용질의 종류가 달라도 용질의 입자 수는 같다.
⑤ 퍼센트 농도는 용액 100 g 속에 녹아 있는 용질의 질량을 나타낸다.

6 **다음은 수산화 나트륨(NaOH) 4.0 g을 물에 녹여 만든 NaOH 수용액 100 mL의 몰 농도(M)를 구하는 과정이다. 과정 (가)~(마)에서 잘못된 부분은?**

(가) NaOH 4.0 g의 양(mol)을 구한다.
(나) NaOH의 양(mol)

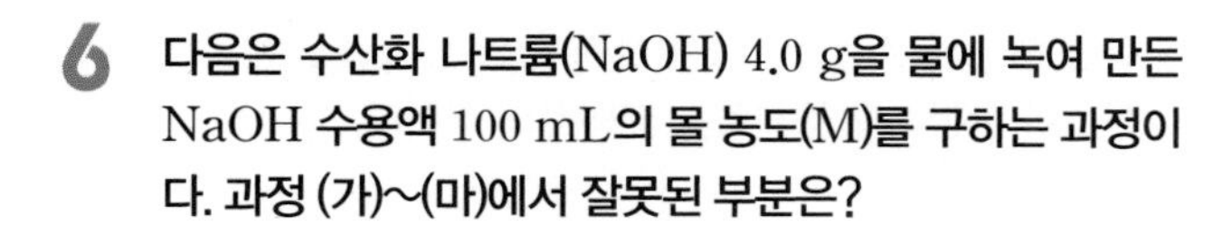

$$=\frac{\text{질량(g)}}{\text{몰 질량(g/mol)}}=\frac{4.0\ \text{g}}{40\ \text{g/mol}}=0.1\ \text{mol}$$

(다) 용액의 부피와 용질의 양(mol)을 이용하여 몰 농도를 구한다.
(라) 몰 농도 $=\frac{\text{용질의 양}}{\text{용매의 부피}}$을 이용한다.
(마) 계산식은 $\frac{0.1\ \text{mol}}{0.1\ \text{L}}=1\ \text{M}$이다.

① (가) ② (나) ③ (다)
④ (라) ⑤ (마)

7 **그림은 1 M의 포도당 수용액 500 mL를 나타낸 것이다. 이에 대한 설명으로 알맞은 것을 고르시오. (단, 포도당의 화학식량은 180이다.)**

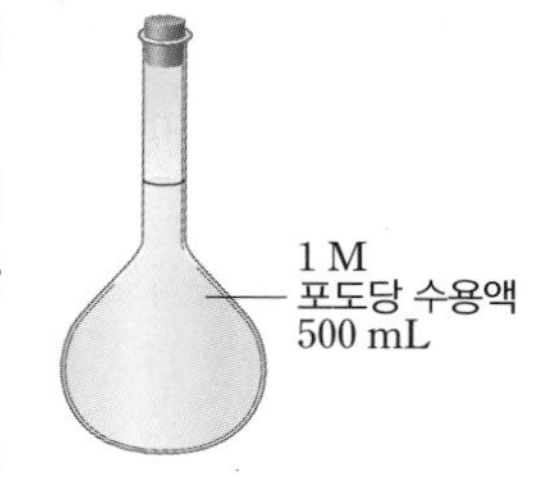

(1) 포도당은 (0.5몰 , 0.1몰)이 들어 있다.
(2) 포도당 (18 g , 90 g)이 들어 있다.
(3) 위 용기는 (부피 플라스크 , 둥근바닥 플라스크)이다.

8 **다음은 0.1 M 수산화 나트륨(NaOH) 수용액 500 mL를 만드는 실험 과정을 나타낸 것이다. (단, NaOH의 화학식량은 40이다.) 빈칸에 알맞은 말을 쓰시오.**

(가) 수산화 나트륨 (㉠) g을 정확히 측정하여 50 mL 정도의 증류수가 들어 있는 비커에 넣어 완전히 녹인다.
(나) (가)의 수용액을 500 mL (㉡)에 넣고 비커를 씻은 용액도 넣는다.
(다) (나)의 수용액이 잘 섞이도록 흔들어 준 후 표시선까지 증류수를 가한다.

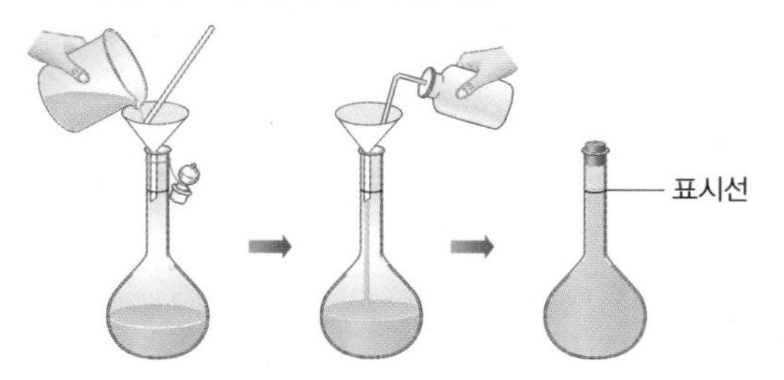

2일 내신 기출 베스트

대표 예제 1 화학 반응식

다음은 암모니아 생성 반응이다.

$$N_2(g) + 3H_2(g) \longrightarrow 2NH_3(g)$$

이 화학 반응식으로 알 수 있는 것으로 옳지 않은 것은? (단, 원자량은 H=1, N=14이다.)

	N_2	H_2	NH_3
① 몰비	1	3	2
② 부피비	1	3	2
③ 질량비	14	3	17
④ 원자 수비	14	3	17
⑤ 분자 수비	1	3	2

개념 가이드

계수비는 몰비, 기체의 [ ], 분자 수비와 같으나 질량비와는 같지 않다. 원자 수비는 $N_2 : H_2 : NH_3$= [ ]이다.

답 부피비, 1 : 3 : 4

대표 예제 2 화학 반응식

그림은 X와 Y_2가 반응하여 XY_2를 생성하는 반응을 모형으로 나타낸 것이다. 이에 대한 설명으로 옳은 것은?

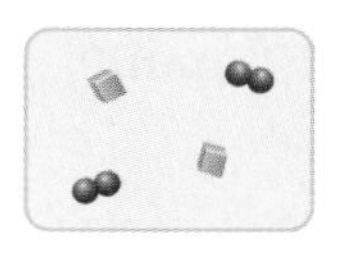
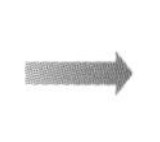
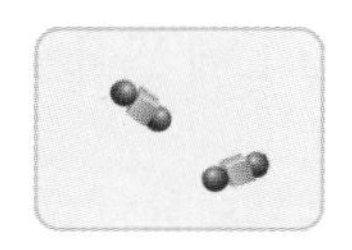

① 화학 반응식에서 반응물의 계수의 총합은 4이다.
② X와 Y_2는 1 : 1의 몰비로 반응한다.
③ 화학 반응식은 $2X + 2Y_2 \longrightarrow 2XY_2$이다.
④ 반응이 일어나면 전체 분자 수는 증가한다.
⑤ 반응물의 원자 수가 생성물의 원자 수보다 많다.

개념 가이드

화학 반응식에서 계수는 가장 간단한 [ ]로 나타내며 1은 [ ]한다.

답 정수, 생략

대표 예제 3 화학 반응식에서의 양적 관계

다음 반응에 대한 설명으로 옳은 것만을 〈보기〉에서 있는 대로 고르시오. (단, 원자량은 H=1, C=12, O=16이다.)

$$CH_4(g) + 2O_2(g) \longrightarrow CO_2(g) + 2H_2O(g)$$

보기

ㄱ. 메테인과 산소는 1 : 2의 부피비로 반응한다.
ㄴ. 메테인 8 g이 완전 연소하면 이산화 탄소 1몰이 생성된다.
ㄷ. 메테인 1몰이 완전 연소하기 위해 필요한 산소의 최소 질량은 32 g이다.

개념 가이드

부피비는 화학 반응식에서 [ ]와 같다. 메테인의 분자량은 16이므로 8 g은 [ ] mol이다.

답 계수비, 0.5

대표 예제 4 화학 반응식에서의 양적 관계

다음은 0 ℃, 1기압에서 일산화 탄소 28 g을 충분한 양의 산소와 완전히 반응시켰을 때의 반응식이다.

$$2CO(g) + O_2(g) \longrightarrow 2CO_2(g)$$

이에 대한 설명으로 옳은 것만을 〈보기〉에서 있는 대로 고르시오. (단, C, O의 원자량은 각각 12, 16이다.)

보기

ㄱ. 반응한 CO의 양은 2몰이다.
ㄴ. 반응한 O_2의 부피는 11.2 L이다.
ㄷ. 생성된 CO_2의 질량은 88 g이다.

개념 가이드

CO의 분자량은 28이므로 28 g은 [ ] mol이다. 반응하는 기체의 부피비는 [ ]와 같다.

답 1, 계수비

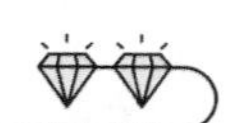

정답과 해설 66쪽

2일

대표 예제 5 용액의 농도

그림에 대한 설명으로 옳은 것만을 〈보기〉에서 있는 대로 고르시오. (단, 설탕과 포도당의 분자량은 각각 342, 180이다.)

보기

ㄱ. 몰 농도가 같다.

ㄴ. 퍼센트 농도가 같다.

ㄷ. 용액 속 입자 수는 포도당 수용액 > 설탕 수용액이다.

개념 가이드

용질의 질량과 용액의 질량이 같은 두 용액은 퍼센트 농도가 (　　)다. 두 물질의 질량이 같은 경우 분자량이 큰 물질의 몰수가 (　　)다.

답 같, 작

대표 예제 6 몰 농도

2 M 수산화 나트륨 수용액을 만드는 방법으로 옳은 것만을 〈보기〉에서 있는 대로 고르시오. (단, 수산화 나트륨의 화학식량은 40이다.)

보기

ㄱ. 수산화 나트륨 20 g을 물 500 g에 녹인다.

ㄴ. 수산화 나트륨 40 g을 물에 녹여 500 mL의 용액을 만든다.

ㄷ. 수산화 나트륨 0.5 mol을 물에 녹여 500 mL의 용액을 만든다.

개념 가이드

수산화 나트륨 40 g은 (　　) mol이고 몰 농도는 (　　) 1 L 속에 들어 있는 용질의 양(mol)이다.

답 1, 용액

대표 예제 7 몰 농도 용액 만들기

다음은 0.2 M 염화 나트륨(NaCl) 수용액 500 mL를 만들기 위한 실험 과정이다. (가)~(마) 중 옳지 않은 것은? (단, 원자량은 Na=23, Cl=35.5이다.)

(가) 염화 나트륨 11.7 g을 측정한다.

(나) 500 mL 부피 플라스크를 준비한다.

(다) (가)의 염화 나트륨을 물 50 mL가 담긴 비커에 넣고 녹인다.

(라) (나)에 (다) 용액을 넣고 증류수를 표시선까지 채운다.

(마) 마개를 막고 부피 플라스크의 용액을 섞는다.

개념 가이드

염화 나트륨의 화학식량은 Na와 Cl의 (　　)을 합한 (　　)이다.

답 원자량, 58.5

대표 예제 8 몰 농도

그림과 같이 500 mL 부피 플라스크에 NaOH 20 g을 넣은 후, 표시선까지 증류수를 채웠다.

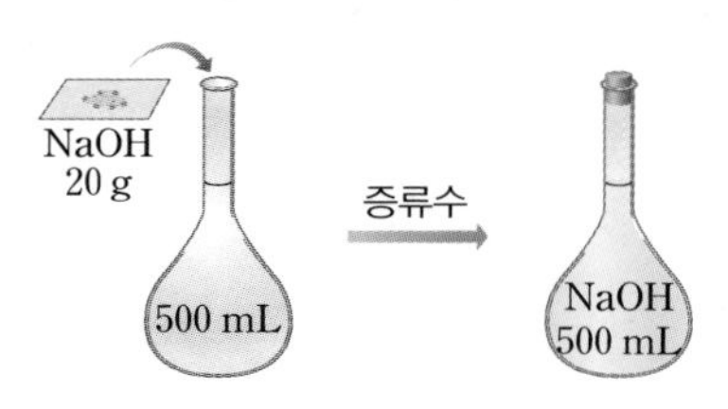

NaOH 수용액의 몰 농도는? (단, NaOH의 화학식량은 40이고, 온도는 일정하다.)

① 0.1 M　② 0.25 M　③ 0.5 M　④ 0.8 M　⑤ 1 M

개념 가이드

질량을 (　　)으로 나누면 물질의 양(mol)을 구할 수 있다. NaOH 20 g은 (　　)몰이다.

답 몰 질량, 0.5

3일

대단원 II. 원자의 세계 ❶

원자 구조와 원자 모형

Quiz 러더퍼드는 알파 입자 산란 실험을 통해 원자의 중심에 밀도가 매우 크고 (+)전하를 띠는 ㅇㅈㅎ이 있음을 알아냈다.

답 원자핵

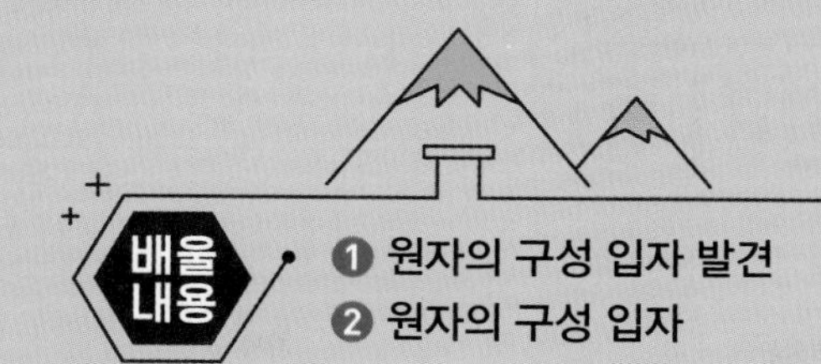

배울 내용

❶ 원자의 구성 입자 발견
❷ 원자의 구성 입자
❸ 원자 표시와 동위 원소
❹ 보어 원자 모형

Quiz 양성자수는 같지만 중성자수가 다른 원소를 ㄷ ㅇ ㅇ ㅅ 라고 한다.

답 동위 원소

Quiz 보어 원자 모형에서 전자가 다른 궤도로 이동할 때는 두 궤도의 에너지 준위 차이만큼 에너지를 ㅎ ㅅ 하거나 ㅂ ㅊ 한다.

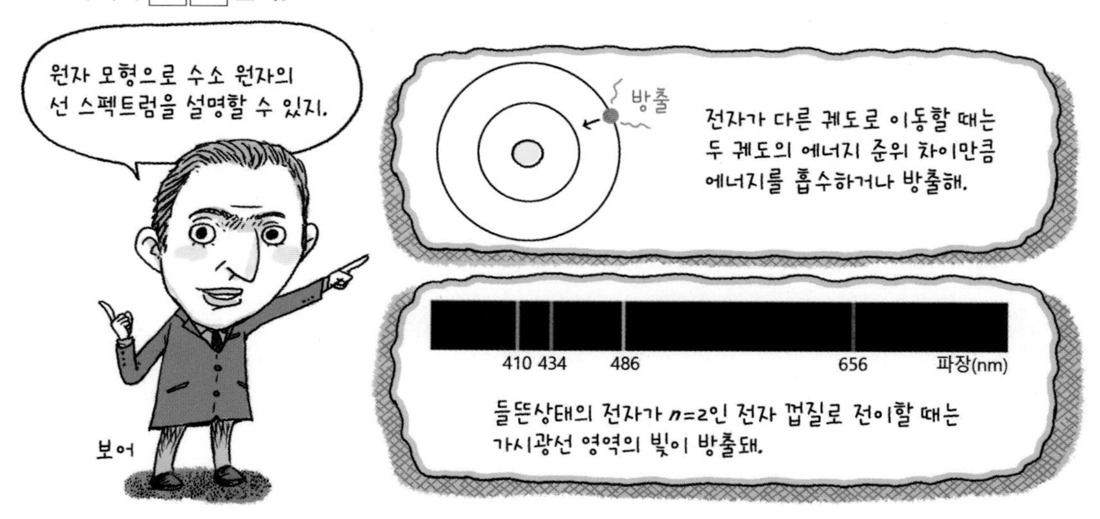

답 흡수, 방출

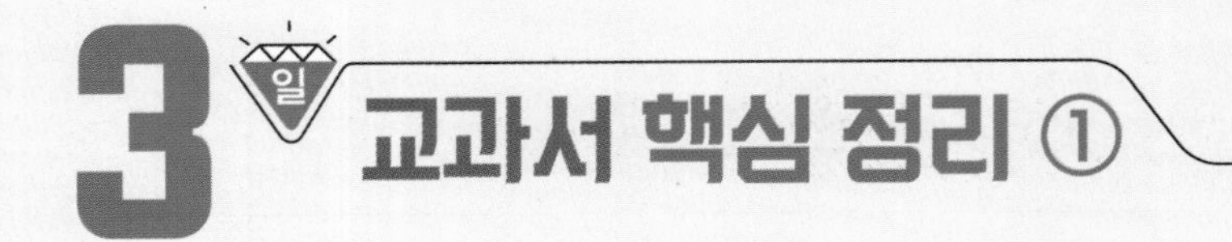

개념 1 원자의 구성 입자 발견

1 전자 발견 (톰슨, 1897년)

음극선 실험	• 음극선은 전기장에서 (+)극 쪽으로 휘므로 ❶ [ ] 전하를 띤다. • 음극선이 지나는 길에 물체를 두면 그림자가 생긴다. ➡ 직진성 • 음극선이 지나는 길에 둔 바람개비가 회전한다. ➡ ❷ [ ] 을 가진 입자
결론	음극선은 (−)전하를 띠며 질량이 있는 입자의 흐름으로, 이 입자는 원자를 구성하는 ❸ [ ] 이다.

예 톰슨은 (+)전하를 띤 공 모양의 물질에 (−)전하를 띤 전자가 박혀 있는 원자 모형을 제안했다.

2 원자핵 발견 (러더퍼드, 1911년)

알파(α) 입자 산란 실험	❹ [ ] 입자를 얇은 금박에 통과시켰을 때, 대부분의 입자는 경로가 휘지 않았으나 일부 입자는 경로가 크게 휘어지거나 튕겨 나왔다.
결론	원자는 대부분 빈 공간이며, 원자 중심에 ❺ [ ] 이 크고 (+)전하를 띠는 입자가 존재한다.

예 러더퍼드는 원자 중심에 (+)전하를 띠는 ❻ [ ] 이 존재하고, 주변에 전자가 운동하는 원자 모형을 제안했다.

3 양성자, 중성자 발견

양성자 발견	질소 기체 등 다양한 원소의 원자핵에 α 입자를 충돌시켰을 때 공통적으로 나오는 (+)전하를 띤 입자를 발견하였다. – 원자핵이 (+)전하를 띠는 까닭은 원자핵 속에 양성자가 들어 있기 때문이다.
중성자 발견	베릴륨에 α 입자를 충돌시켰을 때 ❼ [ ] 를 띠지 않는 입자가 나오는 것을 1932년에 채드윅이 발견하였다.

예 중성자 발견으로 원자를 이루는 전자, 양성자, 중성자의 존재가 모두 밝혀졌다.

개념 2 원자의 구성 입자

1 원자의 구조 ❽ [ ] 와 중성자로 이루어진 원자핵이 중심에 존재하고, 전자가 원자핵 주위를 운동한다. – 원자의 대부분은 빈 공간이고, 원자핵은 원자 크기에 비해 매우 작으므로 원자핵의 밀도는 매우 크다.

2 원자의 구성 입자 원자는 양성자와 전자의 개수가 같으므로 전기적으로 중성이다.

예

입자	양성자	중성자	전자
상대적 질량	1	❾ [ ]	$\frac{1}{1837}$
상대적 전하량	❿ [ ]	0	−1

❶ (−)
❷ 질량
❸ 전자
❹ 알파(α)
❺ 질량
❻ 원자핵
❼ 전하
❽ 양성자
❾ 1
❿ +1

기초 확인 문제

정답과 해설 67쪽

1 그림은 두 가지 음극선 실험을 나타낸 것이다. 이에 대한 설명으로 옳지 않은 것은?

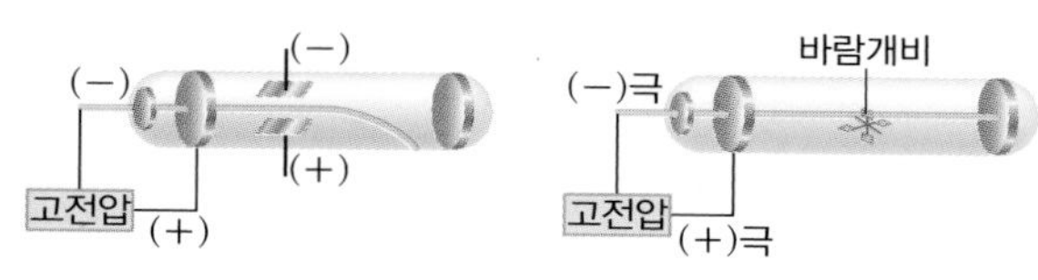

① 톰슨은 이 실험으로 전자를 발견했다.
② 음극선은 (−)전하를 띤 입자의 흐름이다.
③ 음극선은 전기장에서 (+)극 방향으로 휜다.
④ 음극선의 진행 경로에 둔 바람개비가 도는 것은 음극선이 직진하기 때문이다.
⑤ 톰슨은 이 실험으로 (+)전하를 띤 공에 (−)전하를 띤 전자가 박힌 원자 모형을 제시했다.

2 다음 원자 모형과 관련 있는 과학자를 〈보기〉에서 골라 쓰시오.

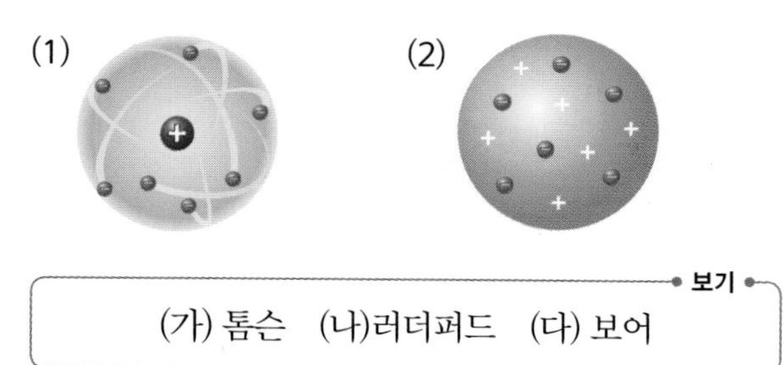

보기

(가) 톰슨 (나)러더퍼드 (다) 보어

3 그림은 원자를 구성하는 입자를 나타낸 것이다. ㉠~㉣에 알맞은 말을 쓰시오.

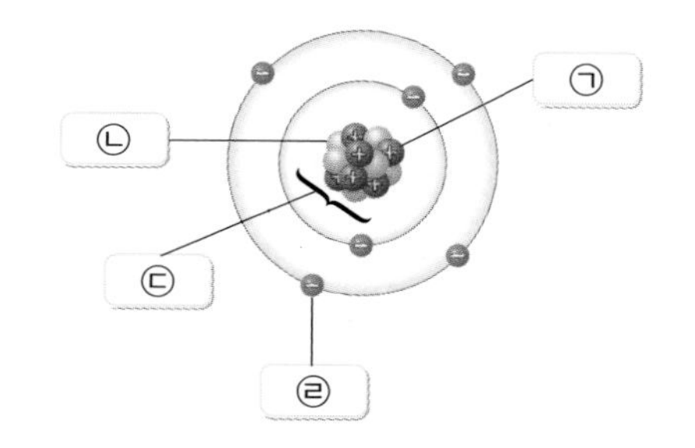

4 그림은 러더퍼드의 알파(α) 입자 산란 실험과 결과를 나타낸 것이다.

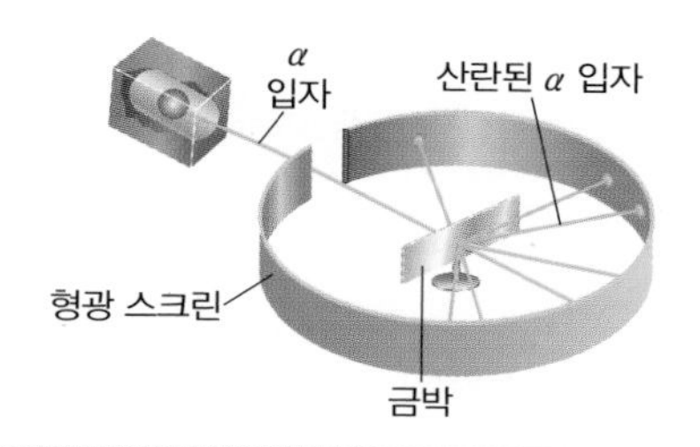

실험 결과
대부분의 알파 입자는 휘어지지 않고 금박을 통과했다. 일부 알파 입자는 크게 휘어지거나 튕겨 나왔다.

이에 대한 설명으로 알맞은 말을 빈칸에 넣으시오.

(1) 대부분의 알파 입자가 금박을 통과했으므로 원자의 대부분은 (   )이다.
(2) 원자의 중심에는 질량이 크고 부피가 매우 작은 (   )전하를 띤 입자가 존재한다.
(3) 러더퍼드는 이 실험을 통해 (   )을(를) 발견하였다.

5 원자를 구성하는 입자에 대한 설명이다. 빈칸에 알맞은 말을 고르시오.

(1) (양성자 , 중성자)는 전하를 띠지 않으며 (전자 , 중성자)는 원자를 구성하는 입자 중 상대적 질량이 매우 작다.
(2) 채드윅은 베릴륨 원자핵에 알파 입자를 충돌시킬 때 전하를 띠지 않는 입자가 방출되는 것을 발견하고 (양성자 , 중성자)라고 하였다.
(3) 원자를 구성하는 양성자수와 전자 수가 같으므로 원자는 전기적으로 (중성자 , 중성)이다.

3일 교과서 핵심 정리 ②

개념 3 원자 표시와 동위 원소

1 원자의 표시 방법

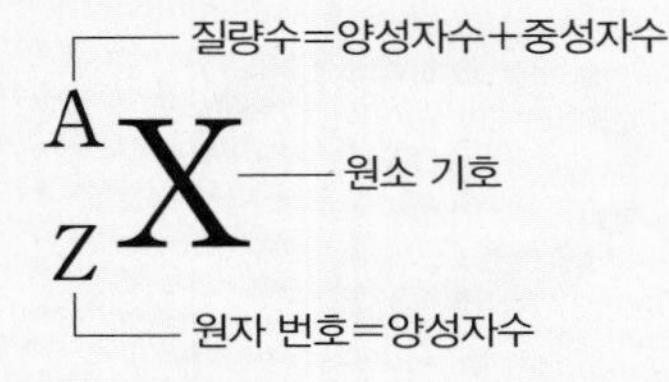

- 질량수= ❶ [ ] +중성자수
- 원자 번호= ❷ [ ] =원자의 전자 수
- 질량수−원자 번호=중성자수

2 동위 원소 양성자수(원자 번호)는 같지만 중성자수가 달라 ❸ [ ] 가 다른 원소로, 화학적 성질은 같으나 질량 등 물리적 성질이 다르다.

㉮ 수소의 동위 원소: 수소($^1_1$H), 중수소($^2_1$H), 3중 수소($^3_1$H) — 양성자수는 모두 1로 같다.

3 평균 원자량 ❹ [ ] 원소의 존재 비율을 고려해 계산한 원자량 ㉮ 염소의 평균 원자량 35.5

개념 4 보어 원자 모형

1 보어 원자 모형 원자핵 주위의 전자가 특정한 에너지 준위를 가진 몇 개의 원형 궤도(전자 껍질)를 따라 빠르게 원운동한다. ➡ ❺ [ ] 원자의 선 스펙트럼을 설명할 수 있다.

각 전자 껍질의 사이에는 전자가 존재하지 않는다.
n=4
n=3
n=2
n=1
원자핵
전자
원자핵에서 멀수록 전자 껍질의 에너지 준위가 높다.

- 원자핵에 가까운 전자 껍질부터 K, L, M ⋯ 등으로 나타낸다.
- 원자핵에 가까운 전자 껍질부터 $n=1, 2, 3 \cdots$일 때 전자 껍질의 에너지 준위

$$E_n = -\frac{1312}{n^2}\text{kJ/mol}(n=1, 2, 3 \cdots)$$ ➡ 전자의 에너지가 ❻ [ ] 이다.

2 전자 전이와 에너지 출입 전자가 다른 전자 껍질로 이동하면 두 전자 껍질의 에너지 차이만큼 에너지를 흡수하거나 방출한다.

바닥상태	원자가 가장 ❼ [ ] 에너지를 가지는 안정한 상태
들뜬상태	전자가 에너지를 흡수하여 높은 에너지 준위로 전이한 상태

3 보어 원자 모형의 한계 다전자 원자의 선 스펙트럼을 설명할 수 없다.

㉮ 수소 원자의 선 스펙트럼

스펙트럼 계열	라이먼 계열	발머 계열	파셴 계열
스펙트럼 영역	자외선	❽ [ ]	적외선
전자 전이	$n\geq2 \rightarrow n=1$	$n\geq3 \rightarrow n=2$	$n\geq4 \rightarrow n=3$

❶ 양성자수
❷ 양성자수
❸ 질량수
❹ 동위
❺ 수소
❻ 불연속적
❼ 낮은
❽ 가시광선

기초 확인 문제

정답과 해설 67쪽

6 다음은 $^{11}_{5}B$에 대한 설명이다. 알맞은 숫자를 쓰시오.

(1) 원자 번호는 (　　　　　)이다.
(2) 전자 수는 (　　　　　)이다.
(3) 중성자수는 (　　　　　)이다.

7 표는 원자 A~C를 구성하는 양성자수, 중성자수, 질량수를 나타낸 것이다.

원자	A	B	C
양성자수	6		7
중성자수		8	7
질량수	13	14	

다음 물음에 해당하는 것을 A~C 중에서 골라 쓰시오. (단, A~C는 임의의 원소 기호이다.)

(1) 질량수가 가장 작은 것은?
(2) 원자핵의 전하량이 가장 큰 것은?
(3) 동위 원소의 관계에 있는 것은?

8 그림은 세 가지 수소를 나타낸 것이다.

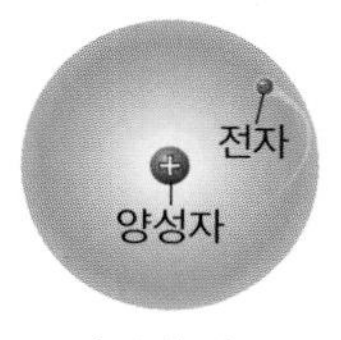

수소(^{1}H)

중수소(^{2}H)

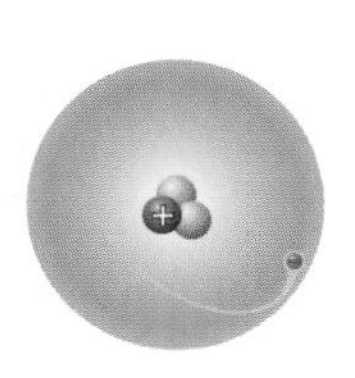
3중 수소(^{3}H)

이에 대한 설명으로 옳지 않은 것은?

① 수소의 동위 원소이다.
② 원자 번호는 모두 같다.
③ 화학적 성질이 다르다.
④ 질량수는 3중 수소가 가장 크다.
⑤ 질량수가 달라 물리적 성질이 다르다.

9 다음은 보어 원자 모형을 나타낸 것이다.

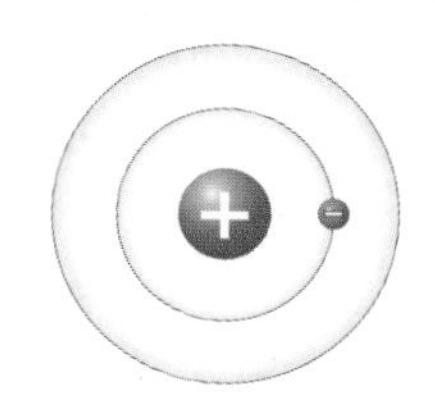

이에 대한 설명으로 옳지 않은 것은?

① 전자 껍질의 에너지는 연속적이다.
② 원자핵에서 먼 전자 껍질일수록 에너지가 높다.
③ 원자핵에서 가장 가까운 전자 껍질은 K 전자 껍질이다.
④ 수소 원자의 선 스펙트럼을 설명하기 위해 제시되었다.
⑤ 전자가 원자핵 주위의 특정한 에너지 준위를 가진 궤도를 따라 원운동한다.

10 그림은 보어 원자 모형과 각 전자 껍질을 표시한 것이다.

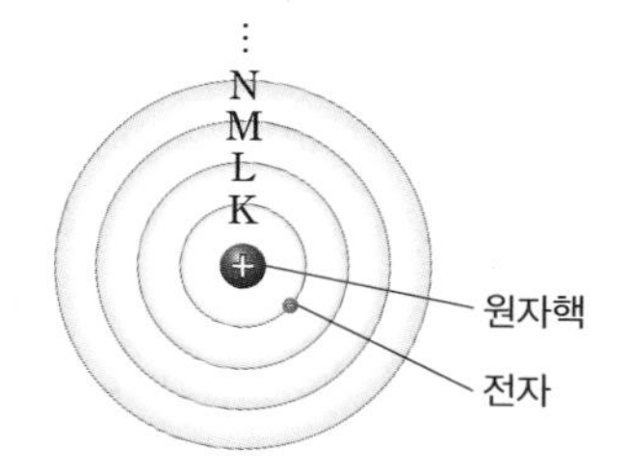

전자 전이에 대한 설명으로 알맞은 말을 고르시오.

(1) 수소 원자는 전자가 $n=1$ 전자 껍질에 있을 때가 (바닥상태 , 들뜬상태)이다.
(2) K 껍질에서 L 껍질로 전자가 전이할 때 에너지를 (흡수 , 방출)한다.
(3) 수소 원자에서 $n=2$ 이상인 전자 껍질에서 $n=1$인 전자 껍질로 전자가 전이할 때 (자외선 , 가시광선) 영역의 빛이 방출된다.

3일 내신 기출 베스트

대표 예제 1 음극선 실험

그림은 음극선의 성질을 알아보는 실험이다. 이에 대한 설명으로 옳은 것만을 〈보기〉에서 있는 대로 고르시오.

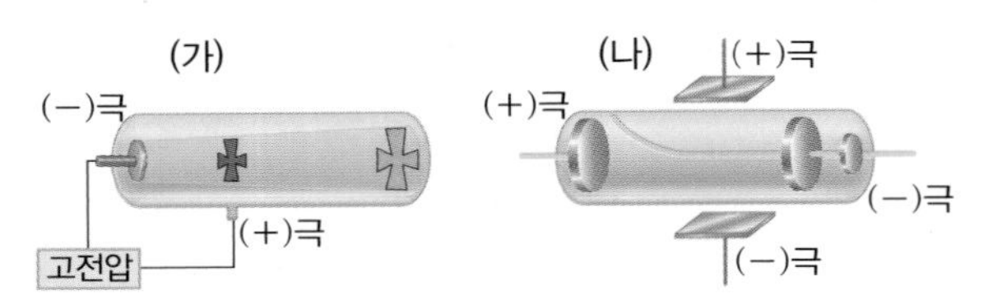

보기

ㄱ. (가)를 통해 음극선이 직진함을 알 수 있다.
ㄴ. (나)를 통해 (−)전하를 띰을 알 수 있다.
ㄷ. 실험을 통해 발견한 입자는 원자핵을 이룬다.

개념 가이드

음극선 실험을 통해 발견한 입자는 ☐이고, 원자핵은 ☐와 중성자로 구성된다.

답 전자, 양성자

대표 예제 2 알파 입자 산란 실험

다음은 금박에 쏜 α 입자 산란 실험의 결과이다.

- α 입자의 대부분이 금박을 그대로 통과하였다.
- 일부의 α 입자가 크게 휘거나 튕겨 나왔다.

이에 대한 해석으로 가장 타당한 것은?

① 원자는 딱딱한 공 모양이다.
② 원자핵은 양성자와 중성자로 구성된다.
③ 원자핵이 원자 대부분의 공간을 차지한다.
④ (+)전하가 원자 전체에 고르게 퍼져 있다.
⑤ 원자에 밀도가 크고 (+)전하를 띤 부분이 있다.

개념 가이드

대부분의 α 입자가 금박을 통과하므로 원자의 대부분은 ☐이다. 원자 중심에는 ☐전하를 띤 입자가 밀집되어 있다.

답 빈 공간, (+)

대표 예제 3 원자를 구성하는 입자

원자를 구성하는 입자에 대한 설명으로 옳은 것을 〈보기〉에서 있는 대로 고른 것은?

보기

ㄱ. 전자는 (−)전하를 띠며 질량이 있다.
ㄴ. 양성자는 (+)전하를 띠며 원자 질량의 대부분을 차지한다.
ㄷ. 원자핵을 구성하는 양성자와 중성자는 질량이 비슷하다.

① ㄱ ② ㄷ ③ ㄱ, ㄴ
④ ㄱ, ㄷ ⑤ ㄴ, ㄷ

개념 가이드

원자 질량의 대부분을 차지하는 것은 ☐이다. 원자핵은 ☐와 중성자로 구성된다.

답 원자핵, 양성자

대표 예제 4 원자를 구성하는 입자

표의 (가)~(다)에 대한 설명으로 옳은 것만을 〈보기〉에서 있는 대로 고르시오.

입자	(가)	(나)	(다)
상대적 전하량	0	+1	−1
상대적 질량	1	1	$\frac{1}{1837}$

보기

ㄱ. (가)는 중성자이다.
ㄴ. (다)는 모든 원자에 들어 있다.
ㄷ. 중성 원자에서 (나)와 (다)의 수는 같다.

개념 가이드

원자핵을 구성하는 입자 중 전하를 띠지 않는 것은 ☐이다. 원자는 ☐와 전자 수가 같아 전기적으로 중성이다.

답 중성자, 양성자수

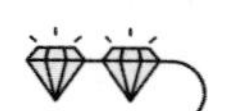

정답과 해설 68쪽

3일

대표 예제 5 원자 표시

다음은 산소 원자를 기호로 나타낸 것이다.

$$^{16}_{8}\mathrm{O}$$

이에 대한 설명으로 옳지 않은 것은?

① 질량수는 16이다.
② 산소는 중성이다.
③ 전자 수는 8개이다.
④ 중성자수는 8개이다.
⑤ 모든 원소는 질량수가 양성자수보다 크다.

개념 가이드

원자 번호는 원소 기호 왼쪽 [　　　]에 쓰며 [　　　]와 같다.

답 아래, 양성자수

대표 예제 6 수소 선 스펙트럼

수소 원자의 스펙트럼이 불연속적인 선으로 나타나는 까닭으로 옳은 것은?

① 전자가 한 개만 존재하기 때문
② 양성자가 한 개만 존재하기 때문
③ 수소 원자는 다양한 빛을 내기 때문
④ 수소 원자의 각 전자 껍질이 특정한 에너지 준위를 갖기 때문
⑤ 중성자를 가지는 수소 원자에서만 스펙트럼이 관찰되기 때문

개념 가이드

수소 원자에서 [　　　]는 원자핵 주위의 특정한 에너지 준위를 가지는 [　　　]에만 존재할 수 있다.

답 전자, 전자 껍질

대표 예제 7 보어 모형

그림은 수소 원자의 발머 계열의 선 스펙트럼 중 일부를 나타낸 것이다. 이에 대한 설명으로 옳은 것만을 〈보기〉에서 있는 대로 고르시오.

보기

ㄱ. a와 b는 가시광선이다.
ㄴ. 빛에너지는 b가 a보다 크다.
ㄷ. 보어 원자 모형은 수소 원자의 선 스펙트럼을 설명하기 위해 제안된 것이다.

개념 가이드

발머 계열은 모두 [　　　]에 해당하며 파장이 짧을수록 빛에너지가 [　　　]다.

답 가시광선, 크

대표 예제 8 전자 전이

그림은 수소 원자에서 일어나는 몇 가지 전자 전이 A~E를 나타낸 것이다.
이에 대한 설명으로 옳은 것만을 〈보기〉에서 있는 대로 고르시오.

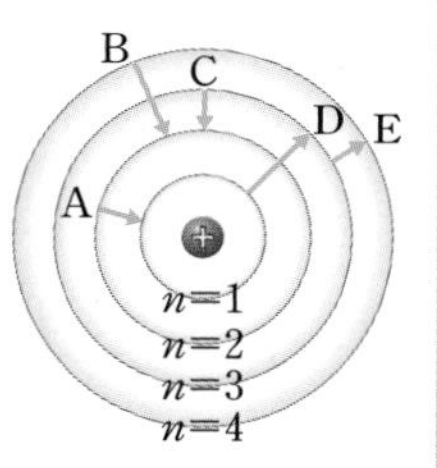

보기

ㄱ. D, E에서는 에너지를 흡수한다.
ㄴ. A는 가시광선 영역의 빛을 방출한다.
ㄷ. A~E 중 가장 큰 빛에너지를 방출하는 것은 B이다.

개념 가이드

$n=2$ 이상에서 $n=1$로 전자가 전이하면 [　　　] 영역의 빛을 [　　　]한다.

답 자외선, 방출

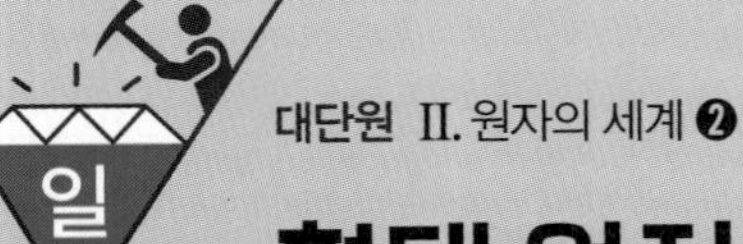

4 일

대단원 Ⅱ. 원자의 세계 ❷

현대 원자 모형과 전자 배치

Quiz 전자가 존재할 수 있는 공간을 확률 분포로 나타낸 것을 ㅇ ㅂ ㅌ 이라고 한다.

전자는 어디에 있어요?
현대 원자 모형에서는 전자가 존재할 수 있는 공간을 확률 분포로 나타내는데, 이것을 오비탈이라고 하지.
현대의 원자 모형

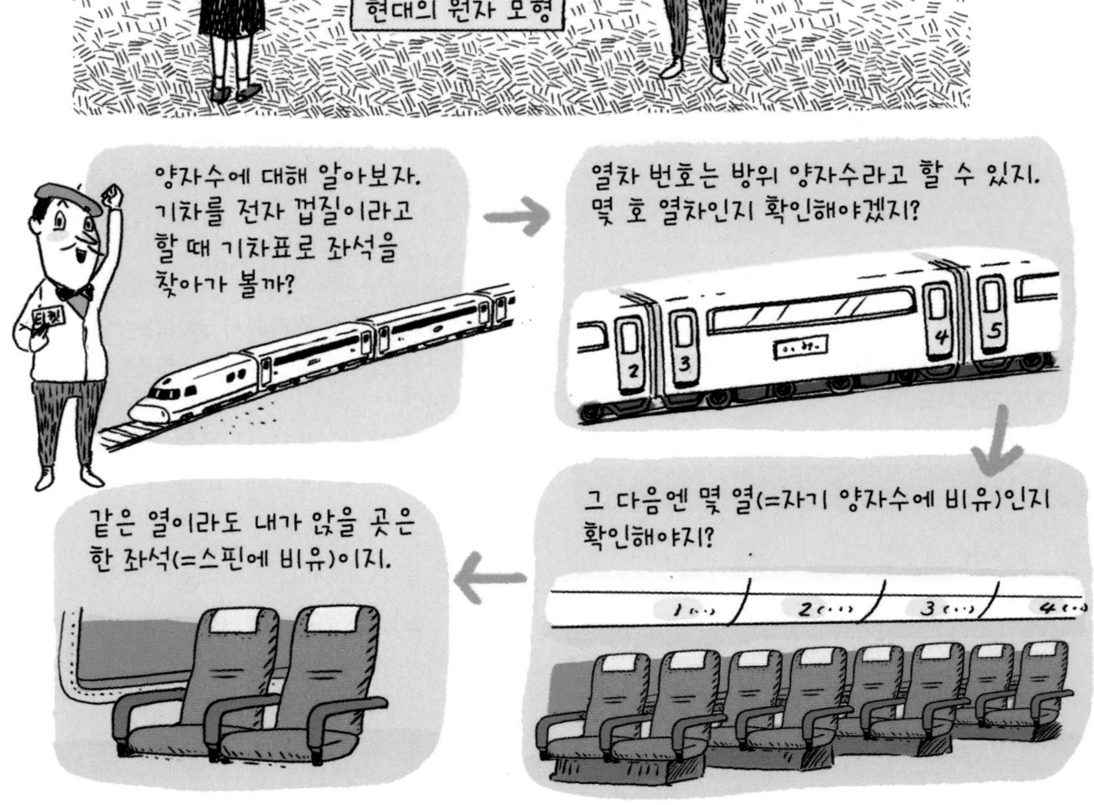

양자수에 대해 알아보자. 기차를 전자 껍질이라고 할 때 기차표로 좌석을 찾아가 볼까?
티켓
열차 번호는 방위 양자수라고 할 수 있지. 몇 호 열차인지 확인해야겠지?
2
3
4
5
그 다음엔 몇 열(=자기 양자수에 비유)인지 확인해야지?
같은 열이라도 내가 앉을 곳은 한 좌석(=스핀에 비유)이지.

답 오비탈

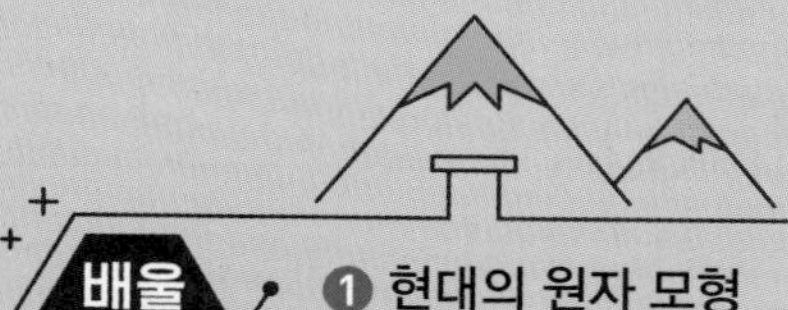

배울 내용

❶ 현대의 원자 모형
❷ 양자수
❸ 오비탈의 에너지 준위
❹ 오비탈의 전자 배치
❺ 전자 배치의 원리

Quiz ㅍ ㅇ ㄹ ㅂ ㅌ ㅇ ㄹ 에 따르면 1개의 오비탈에는 전자가 최대 2개까지 들어가며 이때 두 전자의 스핀 방향은 반대여야 한다.

답 파울리 배타 원리

Quiz 에너지 준위가 같은 오비탈에 전자가 배치될 때 가능하면 쌍을 이루지 않게 배치될 때 더 ㅇ ㅈ 하다.

답 안정

4일 교과서 핵심 정리 ①

개념 1 현대의 원자 모형

1 **현대의 원자 모형** 전자가 원자핵 주위에 존재할 수 있는 ❶ [　　] 로 나타낸 모형

2 **오비탈** 전자가 존재할 수 있는 공간을 확률 분포로 나타낸 것

3 **오비탈의 종류** $s, p, d, f \cdots$ 등의 오비탈이 있다. ❷ [　　] 오비탈은 구형으로 방향성이 없고, p 오비탈은 아령 모양으로 방향성이 있다.

예

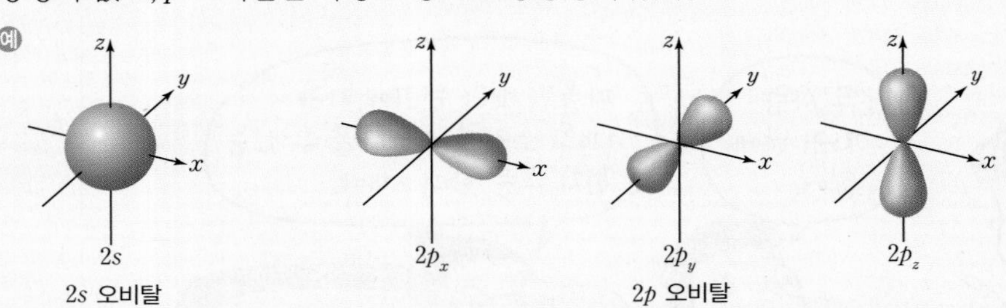

개념 2 양자수

1 **양자수** 원자 내에서 ❸ [　　] 의 상태를 구분할 때 사용하는 수 - 4종류가 있다.

2 **주 양자수(n)** 오비탈의 크기와 ❹ [　　] 준위를 결정하는 양자수로, 주 양자수가 클수록 오비탈이 크다. - 보어의 원자 모형에서 전자 껍질을 나타낸다.

3 **방위 양자수(l)** 오비탈의 ❺ [　　] 을 결정하는 양자수로, 0, 1, 2⋯, $(n-1)$까지의 정수이다. 예 $l=0$이면 s, $l=1$이면 p, $l=2$일 때에는 d로 나타낸다.

4 **자기 양자수(m_l)** 오비탈의 공간적인 방향을 결정하는 양자수로, 방위 양자수가 l인 오비탈은 자기 양자수가 $-l$에서 $+l$까지 $(2l+1)$개 있다.
예 $l=1$이면 자기 양자수는 $-1, 0, +1$이다.

5 **스핀 자기 양자수(m_s)** 전자의 ❻ [　　] 방향에 따라 결정되는 양자수로, $+\frac{1}{2}$과 $-\frac{1}{2}$ 중 하나이다. 예 전자의 스핀 방향은 서로 반대 방향을 가리키는 화살표(↑, ↓)로 표시한다.

개념 3 오비탈의 에너지 준위

수소 원자	다전자 원자
주 양자수(n)가 같을 때 오비탈의 모양과 방향에 관계없이 에너지 준위가 ❼ [　　]. 예 $1s<2s=2p<3s=3p=3d<\cdots$	주 양자수(n), 오비탈의 모양에 따라 에너지 준위가 ❽ [　　]. 예 $1s<2s<2p<3s<3p<4s<3d\cdots$

❶ 확률
❷ s
❸ 전자
❹ 에너지
❺ 모양
❻ 운동
❼ 같다
❽ 달라진다

기초 확인 문제

정답과 해설 69쪽

1 **다음은 오비탈에 대한 설명이다. s 오비탈에 대한 내용이면 s, p 오비탈에 대한 내용이면 p라고 쓰시오.**

(1) 구형으로 방향성이 없다. (　　　　)

(2) 주 양자수가 $n=2$인 전자 껍질부터 존재한다. (　　　　)

(3) 주 양자수가 같은 3개의 오비탈이 존재한다. (　　　　)

2 **다음은 현대의 원자 모형에서 오비탈을 나타내기 위해 사용하는 양자수에 대한 설명이다. 빈칸에 알맞은 말을 〈보기〉에서 골라 쓰시오.**

(1) 오비탈의 모양은 (　　　　)가 결정한다.

(2) 오비탈의 방향은 (　　　　)가 결정한다.

(3) 오비탈의 크기와 에너지 준위는 (　　　　)가 결정한다.

보기

주 양자수　　방위 양자수　　자기 양자수

3 **다음은 오비탈의 주 양자수, 방위 양자수를 나타낸 것이다. ㉠~㉢을 각각 쓰시오.**

오비탈	주 양자수	방위 양자수
$2s$	2	㉠
$2p$	㉡	1
㉢	3	2

4 **오비탈에 대한 설명으로 옳은 것은?**

① 수소 원자에서 $1s$의 에너지 준위는 $2s$와 같다.

② p 오비탈은 경우에 따라 구형 또는 아령 모양이다.

③ 주 양자수(n)가 2일 때 가질 수 있는 방위 양자수(l)는 0, 1이다.

④ 모든 원자에서 $2p$ 오비탈의 에너지 준위는 $2s$ 오비탈보다 높다.

⑤ 현대의 원자 모형에서 오비탈은 보어 원자 모형의 전자 껍질과 같다.

5 **그림은 어떤 오비탈을 모형으로 나타낸 것이다.**

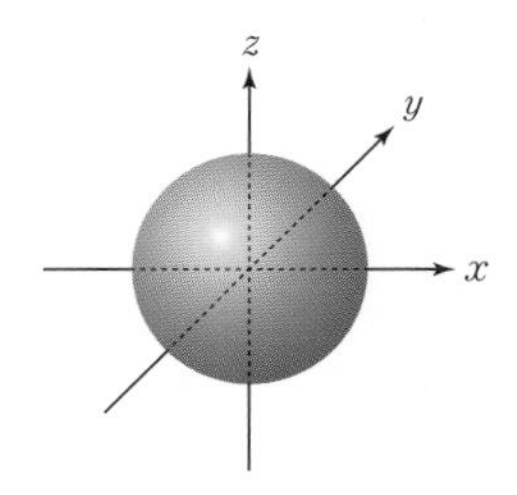

빈칸에 알맞은 말을 쓰시오.

(1) (　　　　)이 없는 공 모양이다.

(2) 원자핵으로부터 거리가 같으면 방향에 관계없이 (　　　　)의 발견 확률은 같다.

(3) 주 양자수가 클수록 오비탈의 크기와 에너지가 (　　　　)진다.

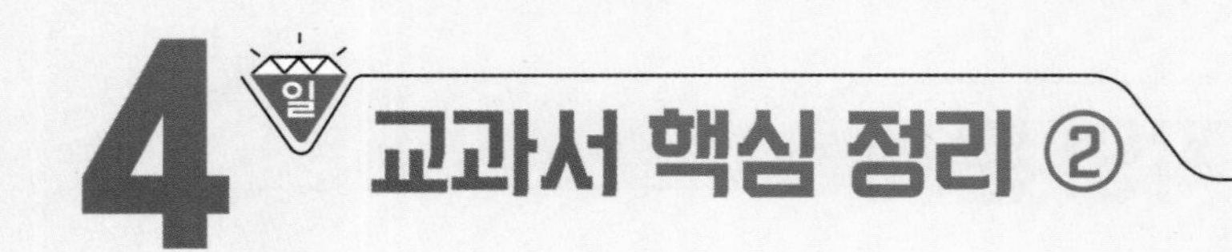

교과서 핵심 정리 ②

개념 4 오비탈의 전자 배치

1 전자 배치 표시 방법

오비탈 기호 표현	오비탈 기호의 오른쪽 위에 채워진 ❶ ( ) 를 표시	오비탈의 종류, 주 양자수, $2p_x^2$, 오비탈에 채워진 전자 수, 오비탈의 방향 예 $_2He$: $1s^2$, $_5B$: $1s^2 2s^2 2p^1$
오비탈 상자 표현	오비탈을 상자로 표현하여, 전자를 점 또는 서로 반대 방향을 가리키는 ❷ ( ) 로 나타낸다.	예 $_5B$: 1s [↑↓] 2s [↑↓] 2p [↑][ ][ ]

2 홀전자와 전자쌍

한 오비탈에 배치된 쌍을 이룬 전자들을 ❸ ( ) 이라 하고, 오비탈에서 쌍을 이루지 않은 전자를 ❹ ( ) 라고 한다.

개념 5 전자 배치의 원리

1 쌓음 원리

바닥상태의 원자는 에너지 준위가 가장 ❺ ( ) 오비탈부터 전자가 배치된다. 예 $1s \rightarrow 2s \rightarrow 2p \rightarrow 3s \rightarrow 3p \rightarrow 4s \rightarrow 3d \rightarrow 4p \cdots$

2 파울리 배타 원리

하나의 오비탈에는 전자가 최대 ❻ ( ) 개까지 채워지며, 이때 두 전자의 스핀 방향은 달라야 한다. – 파울리 배타 원리를 만족하지 않는 전자 배치는 존재할 수 없다.

예 [↑] (O) [↑↓] (O) [↑↑] (×) [↑↓↑] (×)

3 훈트 규칙

같은 에너지 준위의 오비탈에 전자 여러 개가 들어갈 때 ❼ ( ) 수가 많을수록 안정하다.

예 $_7N$: 1s [↑↓] 2s [↑↓] 2p [↑↓][↑][ ] 불안정 $_7N$: 1s [↑↓] 2s [↑↓] 2p [↑][↑][↑] 안정

4 이온의 전자 배치

- 원자가 이온으로 될 때 ❽ ( ) 기체와 같이 가장 바깥 전자 껍질에 전자 ❾ ( ) 개(단, He은 2개)인 전자 배치를 하려고 한다.
- 화학 결합에 관여하는 가장 바깥 전자 껍질의 전자를 ❿ ( ) 라고 한다.
- 원자가 양이온이 될 때는 에너지 준위가 가장 높은 오비탈의 전자를 잃고, 음이온이 될 때에는 전자가 채워지지 않은 오비탈 중 에너지 준위가 가장 낮은 오비탈에 전자가 들어간다.

예 $_{11}Na$: $1s^2 2s^2 2p^6 3s^1$ ➡ $_{11}Na^+$: $1s^2 2s^2 2p^6$

$_8O$: $1s^2 2s^2 2p_x^2 2p_y^1 2p_z^1$ ➡ $_8O^{2-}$: $1s^2 2s^2 2p^6$

❶ 전자 수
❷ 화살표
❸ 전자쌍
❹ 홀전자
❺ 낮은
❻ 2
❼ 홀전자
❽ 비활성
❾ 8
❿ 원자가 전자

기초 확인 문제

정답과 해설 69쪽

6 **다음 설명에 해당하는 것을 〈보기〉에서 찾아 쓰시오.**

(1) 에너지 준위가 같은 오비탈에는 가능한 한 홀전자 수가 많게 배치한다.

(2) 1개의 오비탈에는 전자가 최대 2개까지 배치될 수 있으며, 두 전자의 스핀 방향은 달라야 한다.

(3) 전자는 에너지 준위가 낮은 오비탈부터 차례로 채워진다.

보기

ㄱ. 쌓음 원리　　　ㄴ. 훈트 규칙

ㄷ. 파울리 배타 원리

7 **다음은 황(S) 원자의 바닥상태의 전자 배치를 나타낸 것이다. 물음에 답하시오.**

$1s^2\ 2s^2\ 2p^6\ 3s^2\ 3p^4$

(1) 전자 껍질 수는 몇 개인가?

(2) 홀전자 수는 몇 개인가?

8 **다음 원자의 바닥상태 전자 배치를 화살표(↑ 또는 ↓)로 나타내시오.**

	$1s$	$2s$	$2p$		
$_5$B					
$_8$O					
$_9$F					

9 **질소($_7$N) 원자의 바닥상태 전자 배치를 옳게 나타낸 것은?**

	$1s$	$2s$	$2p$		
①	↑↓	↑↓	↑↓	↑	
②	↑	↑	↑↓	↑↓	↑
③	↑↓	↑↓	↑	↑	↑
④	↑	↑	↑↑	↑↑	↑
⑤	↑↑	↑↑	↑	↑	↑

10 **다음은 전자 배치에 대한 설명이다. 옳지 않은 것은?**

① p 오비탈에 배치될 수 있는 최대 전자 수는 6개이다.

② 헬륨 원자에서는 2개의 전자가 모두 $1s$ 오비탈에 채워진다.

③ 원자가 이온이 될 때에는 비활성 기체와 같은 전자 배치를 가지려고 한다.

④ 음이온은 오비탈 중 에너지 준위가 가장 높은 오비탈에 전자가 채워진다.

⑤ 에너지 준위가 같은 d 오비탈에 전자가 배치될 때는 홀전자 수가 많을수록 안정하다.

4일 내신 기출 베스트

대표 예제 1 현대의 원자 모형

다음 중 현대의 원자 모형에 대한 설명으로 옳은 것은?

① p 오비탈은 구형이다.
② 원자의 경계가 뚜렷하다.
③ s 오비탈은 아령 모양이다.
④ 보어 원자 모형과 연관된 양자수는 방위 양자수이다.
⑤ 전자가 존재할 수 있는 공간을 확률 분포로 나타낸 모형이다.

개념 가이드

전자가 존재할 수 있는 공간을 확률 분포로 나타낸 것을 [ ]이라고 하며, p 오비탈은 [ ] 모양이다.

답 오비탈, 아령

대표 예제 2 오비탈

오비탈에 대한 설명으로 옳지 않은 것은?

① $2p_x$, $2p_y$, $2p_z$ 오비탈의 에너지 준위는 같다.
② 주 양자수가 클수록 오비탈의 수가 많아진다.
③ s 오비탈은 모든 전자 껍질에 1개씩 존재한다.
④ $3p$ 오비탈에는 최대 6개의 전자가 채워질 수 있다.
⑤ s 오비탈은 방향에 따라 전자의 존재 확률이 달라진다.

개념 가이드

s 오비탈은 방향성이 [ ]다. $3p$ 오비탈에는 방향에 따라 [ ]개의 오비탈이 존재한다.

답 없, 3

대표 예제 3 오비탈

그림은 주 양자수가 2인 오비탈 모형이다. 이에 대한 설명으로 옳은 것만을 〈보기〉에서 있는 대로 고르시오.

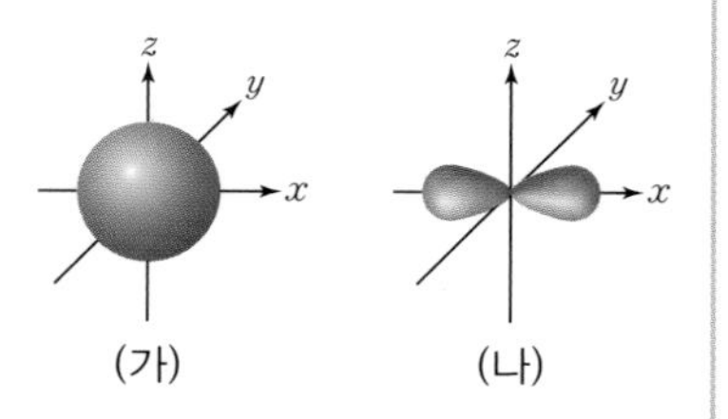

보기

ㄱ. (나)는 $2p$ 오비탈이다.
ㄴ. 수소 원자에서 에너지 준위는 (가)=(나)이다.
ㄷ. (가)는 원자핵으로부터 거리가 같으면 방향에 관계없이 전자가 발견될 확률이 같다.

개념 가이드

수소 원자에서 오비탈의 [ ] 준위는 [ ]에 따라서만 달라진다.

답 에너지, 주 양자수

대표 예제 4 에너지 준위

다전자 원자에서 오비탈의 에너지 준위에 대한 설명으로 옳은 것만을 〈보기〉에서 있는 대로 고르시오.

보기

ㄱ. 다전자 원자에서 $3p$ 오비탈의 에너지 준위는 $4s$ 오비탈보다 높다.
ㄴ. 모든 원자에서 $2p$ 오비탈의 에너지 준위는 $2s$ 오비탈보다 높다.
ㄷ. 수소 원자에서 오비탈의 에너지 준위는 주 양자수에 의해서만 달라진다.

개념 가이드

다전자 원자에서는 [ ]뿐만 아니라 오비탈의 [ ]에 따라서도 에너지 준위가 달라진다.

답 주 양자수, 종류

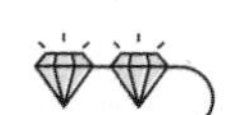

정답과 해설 70쪽

4일

대표 예제 5 전자 배치 표현

그림은 어떤 중성 원자의 바닥상태의 전자 배치이다.

$1s$	$2s$	$2p$		
↑↓	↑↓	↑↓	↑	↑

이에 대한 설명으로 옳은 것만을 〈보기〉에서 있는 대로 고르시오.

보기

ㄱ. 홀전자 수가 2개이다.
ㄴ. 원자가 전자 수는 4개이다.
ㄷ. 이 원자는 원자 번호 8번인 산소(O)이다.

개념 가이드

원자가 전자는 가장 [ ] 전자 껍질의 전자 수이다. 오비탈에서 쌍을 이루지 않은 전자를 [ ]라고 한다.

답 바깥, 홀전자

대표 예제 6 전자 배치 원리

그림은 원자 X의 전자 배치를 나타낸 것이다. 이에 대한 설명으로 옳은 것만을 〈보기〉에서 있는 대로 고르시오.

	$1s$	$2s$	$2p$		
(가)	↑↓	↑↓	↑↓	↑	
(나)	↑↓	↑↓	↑	↑	↑

보기

ㄱ. (가)는 들뜬상태이다.
ㄴ. (나)는 훈트 규칙을 만족한다.
ㄷ. (가)는 파울리 배타 원리에 위배된다.

개념 가이드

들뜬상태의 전자 배치는 [ ] 원리를 따르지만 훈트 규칙이나 [ ] 원리에 어긋나는 배치이다.

답 파울리의 배타, 쌓음

대표 예제 7 원자의 전자 배치

다음은 임의의 원자 X의 바닥상태의 전자 배치이다.

$1s^2 2s^2 2p^6 3s^2 3p^5$

X에 대한 설명으로 옳은 것만을 〈보기〉에서 있는 대로 고르시오.

보기

ㄱ. 전자 껍질 수는 2개이다.
ㄴ. 쌓음 원리를 만족한다.
ㄷ. 안정한 이온의 전자 배치는 $1s^2 2s^2 2p^6 3s^2 3p^6$가 된다.

개념 가이드

바닥상태의 전자 배치는 [ ] 원리, 파울리 배타 원리, [ ] 규칙을 모두 만족한다.

답 쌓음, 훈트

대표 예제 8 원자의 전자 배치

다음은 임의의 원자 A~D의 바닥상태의 전자 배치이다.

A: $1s^2 2s^2 2p^1$　　B: $1s^2 2s^2 2p^3$
C: $1s^2 2s^2 2p^6 3s^2$　　D: $1s^2 2s^2 2p^6 3s^2 3p^4$

이에 대한 설명으로 옳은 것만을 〈보기〉에서 있는 대로 고르시오.

보기

ㄱ. A와 B는 전자 껍질 수가 같다.
ㄴ. 홀전자 수가 가장 많은 원자는 B이다.
ㄷ. D가 안정한 이온이 되면 C의 전자 배치가 된다.

개념 가이드

가장 바깥 [ ]의 주 양자수가 같으면 [ ] 수가 같다.

답 오비탈, 전자 껍질

대단원 II. 원자의 세계 ❸

원소의 주기적 성질

공부할 핵심 개념이 무엇인지 퀴즈를 통해 알아보자.

Quiz 모즐리는 원소를 ㅇ ㅈ ㅂ ㅎ 순서대로 배열하는 현대 주기율표의 체계를 정립하였다.

난 원자량이 증가하는 순서로 원소를 배열하면 성질이 비슷한 원소가 여덟 번째마다 반복되는 걸 발견했어.

뉴랜즈

원소들을 카드처럼 원자량 순서로 정리해볼까?

멘델레예프

멘델레예프는 당시 발견된 60여 종 원소의 이름과 원자량, 성질을 빈 카드에 적은 다음, 성질이 비슷한 원소들을 원자량 순서대로 반복하여 최초의 주기율표를 만들었다.

난 원소를 원자 번호 순서대로 배열하여 현대 주기율표를 완성했지.
주기율표
수헬리베 붕탄질산~
모즐리

답 원자 번호

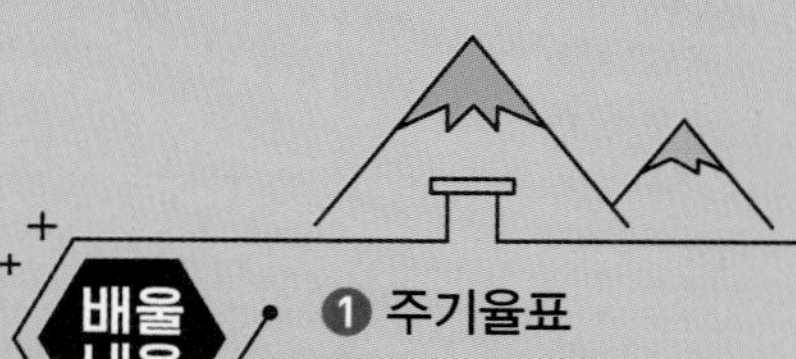

배울 내용

❶ 주기율표
❷ 원소의 분류
❸ 유효 핵전하의 주기성
❹ 원자 반지름의 주기성
❺ 이온화 에너지의 주기성

Quiz 같은 족에 속한 원소들을 [ㄷ][ㅈ] [ㅇ][ㅅ]라고 하는데, 이들은 [ㅎ][ㅎ][ㅈ] 성질이 비슷하다.

답 동족 원소, 화학적

Quiz 같은 족에서는 원자 번호가 커질수록 전자 껍질 수가 많아져 [ㅇ][ㅈ][ㅎ]과 전자 사이의 인력이 약해지므로 이온화 에너지가 [ㄱ][ㅅ]한다.

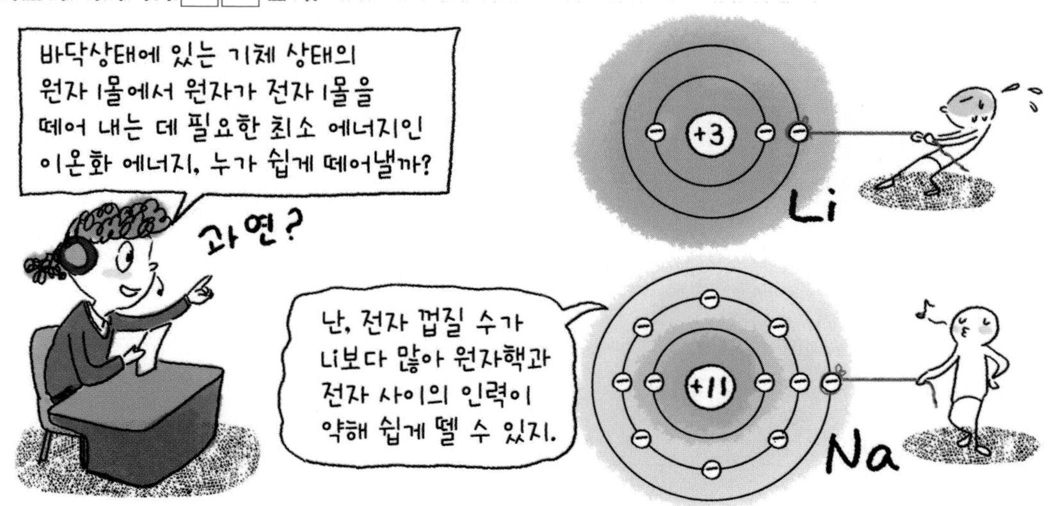

답 원자핵, 감소

5일 교과서 핵심 정리 ①

개념 1 주기율표

1 주기율의 발견

멘델레예프	원소들을 ❶ [　　] 순서로 배열했을 때 성질이 비슷한 원소가 주기적으로 나타나는 것을 발견하고 최초의 주기율표를 작성하였다.
모즐리	원소들을 ❷ [　　] 순으로 배열하여 현대 주기율표의 틀을 만들었다.

예 원소를 원자 번호 순으로 배열할 때 성질이 비슷한 원소들이 주기적으로 나타나는 것을 ❸ [　　]이라고 한다.

2 주기율표 주기율에 따라 원소를 배열한 표

족 (1~18족)	주기율표의 세로줄 ➡ 같은 족 원소들은 원자가 전자 수가 같아 ❹ [　　] 성질이 비슷하다.
주기 (1~7주기)	주기율표의 가로줄 ➡ 같은 주기 원소들은 바닥상태에서 전자가 들어 있는 ❺ [　　]가 같다.
주기율 생성 이유	원자 번호가 증가함에 따라 ❻ [　　]가 주기적으로 변하기 때문

❶ 원자량
❷ 원자 번호
❸ 주기율
❹ 화학적
❺ 전자 껍질 수
❻ 원자가 전자 수

개념 2 원소의 분류

1 금속 원소와 비금속 원소

구분	금속 원소	비금속 원소
주기율표에서 위치	주로 ❼ [　　]쪽에 위치	주로 오른쪽(H는 왼쪽)에 위치
상온에서의 상태	고체(단, Hg은 액체)	❽ [　　], 고체(단, Br_2은 액체)
열, 전기 전도성	열과 전기를 잘 통한다.	열과 전기를 잘 통하지 않는다.
이온 형성	전자를 잃고 ❾ [　　]이 되기 쉽다.	전자를 얻어 음이온이 되기 쉽다.(단, 18족 제외)

예 Na, Mg, K, Cu, Fe 등은 금속 원소, H, N, O, F, Cl 등은 비금속 원소이다. 또 붕소(B), 규소(Si), 저마늄(Ge), 비소(As) 등은 준금속 원소로 주기율표에서 금속과 비금속의 경계에 위치한다.

2 동족 원소 같은 ❿ [　　]에 속한 원소로 화학적 성질이 비슷하다.

예

알칼리 금속(1족)	할로젠 원소(17족)	비활성 기체(18족)
+1가의 양이온이 되기 쉽다. (수소 제외)	−1가의 음이온이 되기 쉽다.	반응성이 거의 없고 실온에서 기체 상태이다.

❼ 왼
❽ 기체
❾ 양이온
❿ 족

기초 확인 문제

정답과 해설 71쪽

1 다음은 주기율표에 대한 설명이다. 옳지 않은 것은?

① 같은 족 원소는 화학적 성질이 비슷하다.
② 같은 주기 원소들은 원자가 전자 수가 같다.
③ 주기율표의 가로줄을 주기라고 하며, 1주기부터 7주기까지 있다.
④ 멘델레예프는 원자량 순서대로 원소를 배열하여 최초의 주기율표를 만들었다.
⑤ 모즐리는 원자 번호 순으로 원소를 배열하여 현대 주기율표의 체계를 정립하였다.

2 다음은 주기율표에 대한 설명이다. 빈칸에 알맞은 말을 쓰시오.

(1) 주기율표에서 (   ) 원소는 주로 왼쪽에, (   ) 원소는 주로 오른쪽에 위치한다.
(2) 같은 족 원소들은 (   ) 수가 같아 화학적 성질이 비슷하다.
(3) 같은 주기 원소들은 전자가 채워져 있는 (   ) 수가 같다.

3 다음은 몇 가지 동족 원소에 대한 설명이다. 알맞은 말을 고르시오.

(1) 알칼리 금속 원소는 전자를 잃고 (+1 , −1)가의 양이온이 되기 쉽다.
(2) 할로젠 원소들은 17족 원소로 (화학적 , 물리적) 성질이 비슷하다.
(3) (수소 기체 , 헬륨 기체)는 18족 원소로 반응성이 거의 없다.

4 원소의 분류와 관련된 설명으로 옳지 않은 것은?

① 비금속 원소는 모두 기체나 고체로 존재한다.
② 금속 원소는 전자를 잃고 양이온이 되기 쉽다.
③ 금속 원소는 대부분 열과 전기 전도성이 크다.
④ 비활성 기체는 다른 원소들과 거의 반응하지 않는다.
⑤ 수은을 제외한 모든 금속은 상온에서 고체 상태로 존재한다.

5 그림은 주기율표의 일부를 나타낸 것이다.

주기 \ 족	1	2	13	14	15	16	17	18
1	A							B
2	C				D		E	
3							F	

이에 대한 설명으로 옳은 것만을 〈보기〉에서 있는 대로 고른 것은?

보기
ㄱ. A와 B는 같은 주기 원소이다.
ㄴ. C, D, E는 화학적 성질이 비슷하다.
ㄷ. E, F는 금속과 반응하여 −1가의 음이온이 되기 쉽다.

① ㄱ ② ㄷ ③ ㄱ, ㄴ
④ ㄱ, ㄷ ⑤ ㄴ, ㄷ

5일 교과서 핵심 정리 ②

개념 3 유효 핵전하의 주기성

1 유효 핵전하 가려막기 효과를 고려하여 ❶ ______ 에 실제로 작용하는 핵전하

(가려막기 효과: 다전자 원자에서 전자 사이의 반발력이 전자에 작용하는 원자핵의 인력을 약하게 만드는 현상)

2 유효 핵전하의 주기성 같은 주기에서 원자 번호가 커질수록 원자가 전자에 작용하는 유효 핵전하는 ❷ ______ 한다. 주기가 바뀔 때는 유효 핵전하가 크게 감소한다.

예 리튬(Li)은 헬륨(He)보다 전자가 1개 많지만 안쪽 껍질의 전자들이 핵전하를 크게 가리므로 유효 핵전하는 헬륨보다 더 감소한다.

개념 4 원자 반지름의 주기성

1 원자 반지름 일반적으로 같은 종류의 두 원자가 결합하고 있을 때 두 원자핵 간 거리의 ❸ ______ 으로 정의한다.

같은 주기 (전자 껍질 수가 같다.)	원자 번호가 커질수록 양성자수가 증가하여 원자가 전자에 작용하는 ❹ ______ 가 증가하므로 원자 반지름이 감소한다.
같은 족	원자 번호가 커질수록 ❺ ______ 수가 증가하므로 원자 반지름이 증가한다.

2 이온 반지름

- 양이온이 될 때: ❻ ______ 가 감소하므로 원자 반지름보다 감소 예 $Na > Na^+$
- 음이온이 될 때: 전자 수가 증가하여 전자 사이의 ❼ ______ 이 증가하므로 유효 핵전하가 감소하여 원자 반지름보다 증가 예 $Cl < Cl^-$
- 등전자 이온: 원자 번호가 클수록 유효 핵전하 증가로 반지름 감소 예 $O^{2-} > F^- > Na^+$

개념 5 이온화 에너지의 주기성

1 이온화 에너지 기체 상태의 중성 원자 ❽ ______ 몰에서 전자 1몰을 떼어 내는 데 필요한 에너지 예 $M(g) + E \longrightarrow M^+(g) + e^-$ (E: 이온화 에너지)

2 이온화 에너지의 주기성 2족과 13족 사이, 15족과 16족 사이는 주기성 예외

같은 주기	원자 번호가 커질수록 원자핵과 전자 사이의 ❾ ______ 이 증가하므로 이온화 에너지는 대체로 증가한다.
같은 족	원자 번호가 커질수록 전자 껍질 수가 증가하여 원자핵과 전자 사이의 인력이 감소하므로 이온화 에너지는 감소한다.

3 순차 이온화 에너지 기체 상태의 원자에서 전자를 1몰씩 차례로 떼어 내는 데 필요한 에너지(E_n)로, 순차가 진행될수록 이온화 에너지가 ❿ ______ 한다.

❶ 전자
❷ 증가
❸ 반
❹ 유효 핵전하
❺ 전자 껍질
❻ 전자 껍질 수
❼ 반발력
❽ 1
❾ 인력
❿ 증가

정답과 해설 71쪽

6 그림은 Li의 원자 모형을 나타낸 것이다. Li의 유효 핵전하에 대한 설명에 맞게 ( )에 들어갈 알맞은 말을 고르시오.

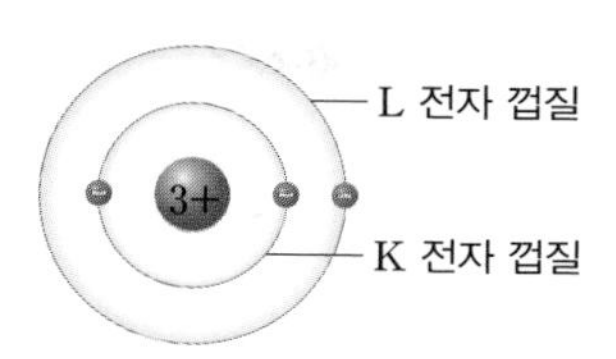

(1) 원자가 전자에 실제로 작용하는 핵전하는 (+3 이다 , +3 보다 작다).

(2) K 전자 껍질에 있는 전자는 핵전하를 (가린다 , 가리지 않는다).

(3) Li과 같은 주기의 원소인 Be은 Li보다 유효 핵전하가 (크다 , 작다).

7 다음은 원자 반지름에 대한 설명이다. 빈칸에 알맞은 말을 쓰시오.

(1) 원자 반지름은 일반적으로 같은 종류의 두 원자가 결합하고 있을 때 두 (   ) 사이의 거리의 반으로 정의한다.

(2) 같은 주기에서는 원자 번호가 커질수록 원자 반지름이 (   )진다.

(3) 같은 족에서는 원자 번호가 증가할수록 (   ) 수가 많아지므로 원자 반지름이 커진다.

8 다음 원자나 이온의 반지름 크기를 비교하시오.

(1) Li, Na　(2) S, S^{2-}　(3) Na, Mg
(4) K, K^{+}　(5) F^{-}, O^{2-}

9 이온화 에너지에 대한 설명으로 옳은 것은?

① 이온화 에너지가 클수록 양이온이 되기 쉽다.
② 질소(N)의 이온화 에너지는 산소(O)의 이온화 에너지보다 작다.
③ 같은 족에서 원자 번호가 클수록 이온화 에너지는 대체로 커진다.
④ 같은 주기에서 원자 번호가 클수록 이온화 에너지는 대체로 커진다.
⑤ 이온화 에너지는 바닥상태의 고체 원자 1몰에서 원자가 전자 1몰을 떼어 내는 데 필요한 최소 에너지이다.

10 그림은 2주기와 3주기 원소의 족에 따른 이온화 에너지를 나타낸 것이다.

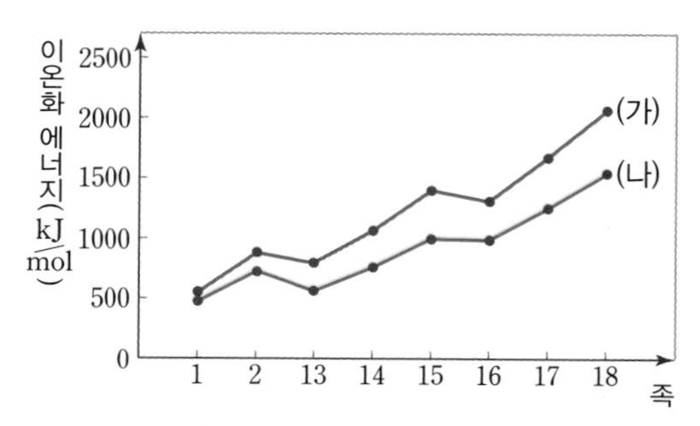

(1) (가)와 (나)는 각각 몇 주기 원소인지 쓰시오.

(2) 같은 족 원소에서 주기가 클수록 이온화 에너지는 증가하는가, 감소하는가?

내신 기출 베스트

대표 예제 1 현대의 주기율표

현대의 주기율표에 대한 설명으로 옳은 것은?

① 2주기에는 총 8개의 원소가 존재한다.
② 같은 족 원소는 물리적 성질이 비슷하다.
③ 원소를 원자량 크기 순으로 배열한 것이다.
④ 비금속 원소는 주로 주기율표의 왼쪽에 위치한다.
⑤ 준금속은 금속과 비금속의 중간으로 B, Al 등이 해당된다.

개념 가이드

현대의 주기율표는 원소들을 [　　　] 순으로 배열할 때 비슷한 [　　　] 성질을 갖는 원소가 같은 세로줄에 오도록 배열한 표이다.

답 원자 번호, 화학적

대표 예제 2 원소의 분류

다음은 몇 가지 원소를 나타낸 것이다.

Li　　Na　　K

이에 대한 설명으로 옳은 것만을 〈보기〉에서 있는 대로 고르시오.

보기

ㄱ. 같은 족 원소로 원자가 전자 수가 같다.
ㄴ. 물과 반응하면 수소(H_2) 기체가 발생한다.
ㄷ. 알칼리 금속으로 $+1$의 양이온이 되기 쉽다.

개념 가이드

알칼리 금속은 [　　　]를 제외한 1족 원소로, [　　　]이 매우 커서 산소나 물과 반응하기 쉽다.

답 수소, 반응성

대표 예제 3 주기율표

주기율표의 1~3주기 원소들을 나타낸 것이다. 원소 A~G에 대한 설명으로 옳지 않은 것은? (단, A~G는 임의의 원소 기호이다.)

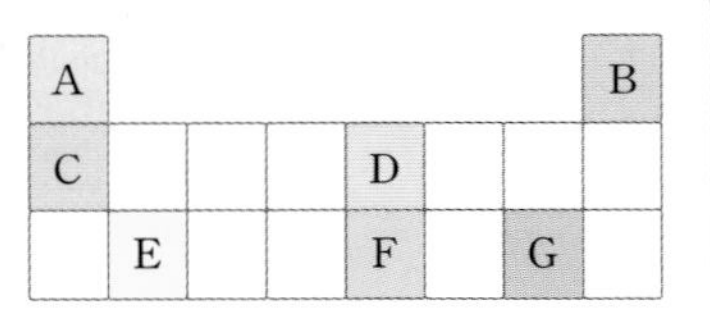

A							B
C				D			
	E			F		G	

① B와 G는 비금속 원소이다.
② A와 B는 같은 주기 원소이다.
③ D와 F는 원자가 전자 수가 같다.
④ G는 다른 원소와 거의 반응하지 않는다.
⑤ C와 E는 전자를 잃고 양이온이 되기 쉽다.

개념 가이드

같은 족 원소는 [　　　] 수가 같다. 할로젠 원소는 금속과 반응하여 [　　　]의 음이온이 되기 쉽다.

답 원자가 전자, -1

대표 예제 4 유효 핵전하

유효 핵전하에 대한 설명으로 옳은 것은?

① Li의 유효 핵전하는 F보다 크다.
② 유효 핵전하는 실제 핵전하보다 크다.
③ 원자핵과 가까운 안쪽 전자 껍질에 있는 전자일수록 유효 핵전하가 크다.
④ 다전자 원자에서 가려막기 효과로 전자에 실제로 작용하는 핵전하의 크기는 커진다.
⑤ 같은 주기에서 원자 번호가 클수록 전자 수가 많아지므로 유효 핵전하는 감소한다.

개념 가이드

같은 주기에서 원자 번호가 클수록 [　　　] 효과의 증가보다 양성자수 증가에 의한 핵전하의 증가가 더 크므로 유효 핵전하는 [　　　]한다.

답 가려막기, 증가

5일

대표 예제 5 이온화 에너지

이온화 에너지에 대한 설명으로 옳지 않은 것은?

① 같은 족에서 원자 번호가 커질수록 감소한다.
② 순차 이온화 에너지는 순차가 커질수록 커진다.
③ 같은 주기에서 원자 번호가 커질수록 항상 증가한다.
④ 기체 상태의 원자 1몰에서 원자가 전자 1몰을 떼어 내는 데 필요한 에너지이다.
⑤ 원자가 양이온이 될 때 안쪽 껍질의 전자보다 원자가 전자가 먼저 떨어져 나간다.

개념 가이드

같은 족에서는 원자 번호가 클수록 전자 껍질의 수가 많아져 원자핵과 전자 사이의 [　　　]이 작아져 이온화 에너지가 [　　　]한다.

답 인력, 감소

대표 예제 6 원소의 주기적 성질

원소의 주기적 성질에 대한 설명으로 옳은 것만을 〈보기〉에서 있는 대로 고르시오.

보기

ㄱ. Na은 Li보다 전자 껍질 수가 많아 원자 반지름이 크다.
ㄴ. 비활성 기체 중에서 He의 이온화 에너지가 가장 크다.
ㄷ. 같은 주기에서 알칼리 금속이 할로젠보다 이온화 에너지가 크다.

개념 가이드

같은 주기에서 알칼리 금속은 다른 족 원소에 비해 [　　　]가 작아 전자를 잃고 [　　　]이 되기 쉽다.

답 이온화 에너지, 양이온

대표 예제 7 원자와 이온 반지름

나트륨(Na)이 나트륨 이온(Na^+)이 될 때에 대한 설명으로 옳은 것만을 〈보기〉에서 있는 대로 고른 것은?

보기

ㄱ. 반지름은 $Na > Na^+$이다.
ㄴ. Na^+이 되면서 전자 껍질 수가 감소한다.
ㄷ. 염소(Cl)가 염화 이온(Cl^-)이 될 때는 전자 껍질 수가 증가하여 반지름이 커진다.

① ㄱ ② ㄴ ③ ㄱ, ㄴ
④ ㄱ, ㄷ ⑤ ㄴ, ㄷ

개념 가이드

원자가 안정한 음이온이 되면 전자 사이의 [　　　]이 증가하여 이온 반지름이 [　　　]진다.

답 반발력, 커

대표 예제 8 주기적 성질

수소(H), 베릴륨(Be), 산소(O), 나트륨(Na), 황(S)에 대한 설명으로 옳은 것만을 〈보기〉에서 있는 대로 고른 것은?

보기

ㄱ. H의 원자 반지름은 Na보다 작다.
ㄴ. S은 Na보다 이온화 에너지가 크다.
ㄷ. Be과 O는 전자 껍질 수가 같다.

① ㄱ ② ㄱ, ㄴ ③ ㄱ, ㄷ
④ ㄴ, ㄷ ⑤ ㄱ, ㄴ, ㄷ

개념 가이드

같은 주기 원소는 [　　　] 수가 같고 Na은 [　　　]주기 원소이다.

답 전자 껍질, 3

누구나 100점 테스트 1회

1 화학이 우리 생활에 기여한 사례와 관련된 설명으로 옳은 것만을 〈보기〉에서 있는 대로 고른 것은?

보기

ㄱ. 폴리에스터는 최초의 합성 섬유이다.
ㄴ. 암모니아를 원료로 하여 화학 비료를 대량 생산하게 되었다.
ㄷ. 철근 콘크리트는 콘크리트 속에 철근을 넣어 콘크리트의 강도를 높인 것이다.

① ㄱ ② ㄴ ③ ㄱ, ㄴ
④ ㄱ, ㄷ ⑤ ㄴ, ㄷ

신경향

2 다음 화합물은 무엇인가?

- 탄소 화합물이다.
- 술의 성분이다.
- 소독용 의약품, 용매 등에 이용된다.

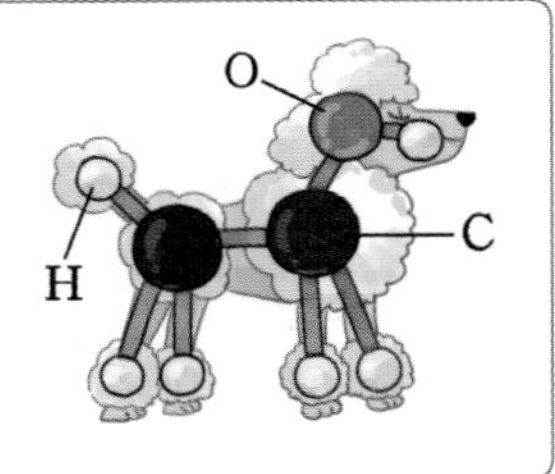

① 메테인 ② 에테인 ③ 에탄올
④ 아세트산 ⑤ 포도당

신경향

3 도시가스의 주성분은 메테인이다. 그림을 보고 메테인의 연소를 화학 반응식으로 나타내시오. (단, 생성물은 모두 기체이다.)

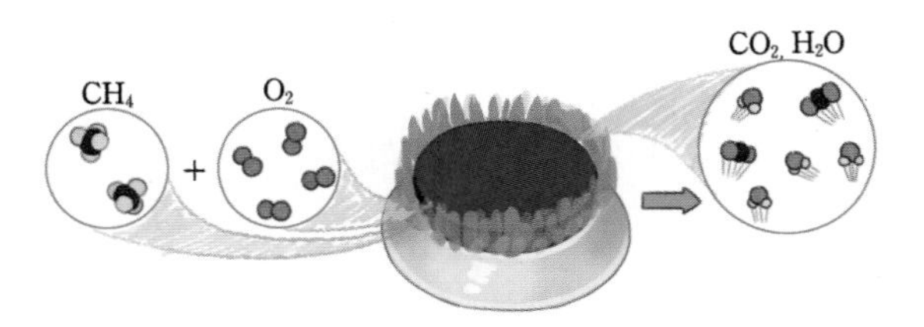

4 그림은 임의의 원자 X, Y, Z의 질량을 비교한 것이다.

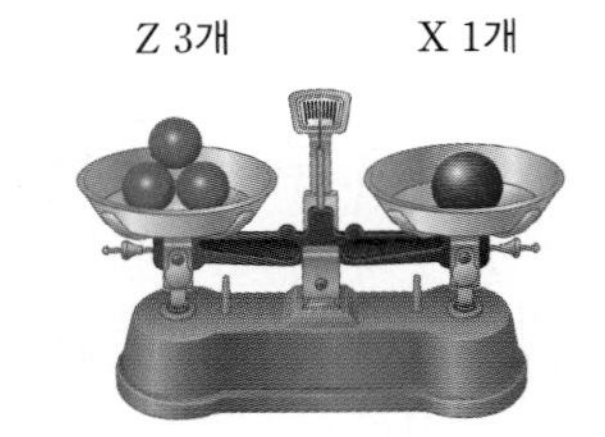

X의 원자량이 24일 때, YZ의 화학식량으로 옳은 것은?

① 28 ② 32 ③ 40
④ 44 ⑤ 52

5 그림과 같이 0 ℃, 1기압에서 질소(N_2) 기체가 담긴 용기의 부피는 11.2 L이다.

이에 대한 설명으로 옳지 않은 것은? (단, 원자량은 H=1, N=14, O=16이다.)

① 질소의 질량은 14 g이다.
② 질소 기체의 양은 0.5 mol이다.
③ 질소 원자 수는 3.01×10^{23}개이다.
④ 질소 분자 수는 1 g의 수소(H_2) 기체 분자 수와 같다.
⑤ 질소 부피는 0 ℃, 1기압에서 산소(O_2) 기체 16 g의 부피와 같다.

정답과 해설 73쪽

6 **다음은 탄산 칼슘($CaCO_3$)과 묽은 염산($HCl(aq)$)의 반응을 화학 반응식으로 나타낸 것이다.**

$$CaCO_3(s) + 2HCl(aq) \longrightarrow CaCl_2(aq) + CO_2(g) + H_2O(l)$$

이에 대한 설명으로 옳은 것만을 〈보기〉에서 있는 대로 고르시오. (단, $CaCO_3$의 화학식량은 100이다.)

보기

ㄱ. 탄산 칼슘과 묽은 염산은 1 : 2의 몰비로 반응한다.

ㄴ. $CaCO_3$ 100 g이 완전히 반응하면 이산화 탄소 44 g이 생성된다.

ㄷ. $CaCO_3$ 10 g을 완전히 반응시키기 위해 필요한 1 M $HCl(aq)$의 최소 부피는 100 mL이다.

① ㄱ ② ㄴ ③ ㄱ, ㄴ
④ ㄱ, ㄷ ⑤ ㄴ, ㄷ

7 **그림에 대한 설명으로 옳지 않은 것은?**

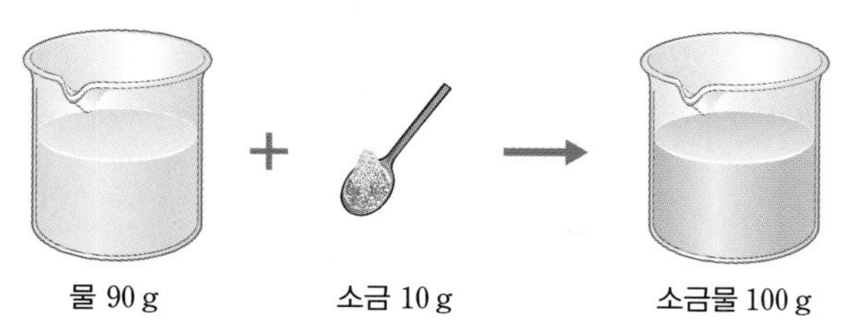

① 물은 용매이다.
② 소금은 용질이다.
③ 10 % 소금물이다.
④ 퍼센트 농도$=\frac{10}{90}\times 100$으로 구한다.
⑤ 온도를 올려도 퍼센트 농도는 달라지지 않는다.

8 **0.5 M의 포도당 수용액을 만드는 방법으로 옳은 것은? (단, 포도당의 화학식량은 180이다.)**

① 물 1 L에 포도당 90 g을 녹인다.
② 물 500 mL에 포도당 180 g을 녹인다.
③ 포도당 180 g을 물에 녹여 1 L를 만든다.
④ 포도당 0.5 mol을 물에 녹여 1 L를 만든다.
⑤ 포도당 90 g을 물에 녹여 500 mL를 만든다.

9 **원자를 구성하는 입자 발견과 관련된 설명으로 옳은 것은?**

① 톰슨은 음극선 실험으로 전자를 발견하였다.
② 음극선은 전기장에서 (—)극 방향으로 휜다.
③ 톰슨은 원자핵 주위를 전자가 운동하는 원자 모형을 제안하였다.
④ 채드윅은 베릴륨에 알파 입자를 충돌시키는 실험으로 양성자를 발견하였다.
⑤ 음극선의 진행 경로에 둔 바람개비가 도는 것은 음극선이 직진하기 때문이다.

10 **그림은 리튬 원자를 러더퍼드 원자 모형으로 나타낸 것이다. 원자의 구성 입자를 ㉠~㉣에 각각 쓰시오.**

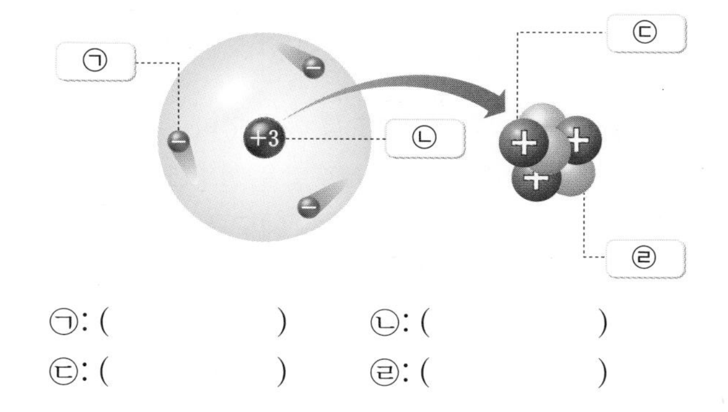

㉠: ( ) ㉡: ( )
㉢: ( ) ㉣: ( )

6일 누구나 100점 테스트 2회

1 표는 어떤 원소 X의 동위 원소 자료이다.

동위 원소	질량수	존재 비율(%)
(가)	35	75
(나)	37	25

이에 대한 설명으로 옳은 것만을 〈보기〉에서 있는 대로 고른 것은? (단, (가), (나)의 원자량은 질량수와 같다고 가정한다.)

보기
ㄱ. X의 평균 원자량은 36이다.
ㄴ. 중성자수는 (나)가 (가)보다 많다.
ㄷ. (가)와 (나)는 화학적 성질이 같다.

① ㄱ ② ㄴ ③ ㄱ, ㄴ
④ ㄴ, ㄷ ⑤ ㄱ, ㄴ, ㄷ

신경향

2 선생님이 칠판에 나타낸 원자 모형에 대한 설명으로 옳지 않은 것은?

① 보어 원자 모형이다.
② 전자는 일정한 궤도를 돌고 있다.
③ 수소 원자의 선 스펙트럼을 설명할 수 있다.
④ 전자가 존재할 수 있는 궤도를 전자 껍질이라고 한다.
⑤ 원자핵 가까이에 있는 전자 껍질일수록 에너지가 높다.

3 현대의 원자 모형에 대한 설명으로 옳은 것은?

① s 오비탈은 원통 모양이다.
② p 오비탈은 비대칭형이다.
③ 전자가 발견될 확률 분포로 설명하는 모형이다.
④ 주 양자수가 결정되면 스핀 자기 양자수의 수도 결정된다.
⑤ 보어 원자 모형과 연관된 양자수는 방위 양자수이다.

4 오비탈의 에너지 준위에 대한 설명으로 옳은 것만을 〈보기〉에서 있는 대로 고른 것은?

보기
ㄱ. d 오비탈의 에너지 준위는 p 오비탈보다 항상 높다.
ㄴ. 다전자 원자에서 $2p$ 오비탈의 에너지 준위는 $p_x=p_y=p_z$이다.
ㄷ. 수소 원자에서 오비탈의 에너지 준위는 주 양자수와 방위 양자수가 커질수록 크다.

① ㄱ ② ㄴ ③ ㄷ
④ ㄱ, ㄴ ⑤ ㄱ, ㄷ

5 보어 원자 모형에서 전자가 전이할 때 가시광선에 해당하는 빛에너지를 방출하는 경우는?

① K 껍질 → L 껍질
② L 껍질 → N 껍질
③ N 껍질 → K 껍질
④ M 껍질 → L 껍질
⑤ M 껍질 → N 껍질

정답과 해설 74쪽

6 음이온 A^{2-}의 전자 배치가 $1s^22s^22p^6$일 때 중성 원자 A에 대한 설명으로 옳은 것만을 <보기>에서 있는 대로 고르시오. (단, A는 임의의 원소 기호이다.)

보기
ㄱ. 전자 수가 8개이다.
ㄴ. 바닥상태에서 홀전자 수는 2개이다.
ㄷ. 바닥상태의 전자 배치는 $1s^22s^22p^63s^2$이다.

7 그림은 플루오린(F)의 전자 배치를 나타낸 것이다. 이에 대한 설명으로 옳은 것은?

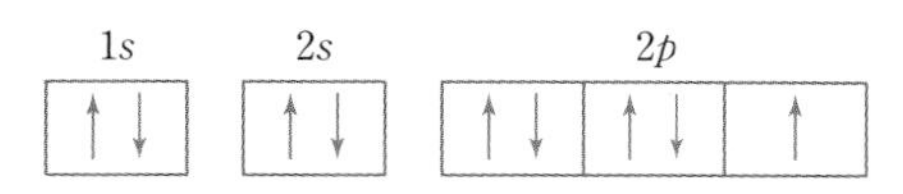

① 홀전자 수가 1개이다.
② 훈트 규칙에 어긋난다.
③ 원자가 전자 수가 5개이다.
④ 들뜬상태의 전자 배치이다.
⑤ 파울리 배타 원리에 어긋난다.

신경향

8 그림에서 말하는 원자가 속하는 족에 대한 설명으로 옳은 것은?

① 17족 원소이다.
② Li, Na, K 등이 해당된다.
③ +1가의 양이온이 되기 쉽다.
④ −1가의 음이온이 되기 쉽다.
⑤ 다른 원소와 거의 반응하지 않는다.

9 그림은 원자 번호가 연속인 2, 3주기 원소의 이온화 에너지를 나타낸 것이다. 이에 대한 설명으로 옳은 것만을 <보기>에서 있는 대로 고른 것은?

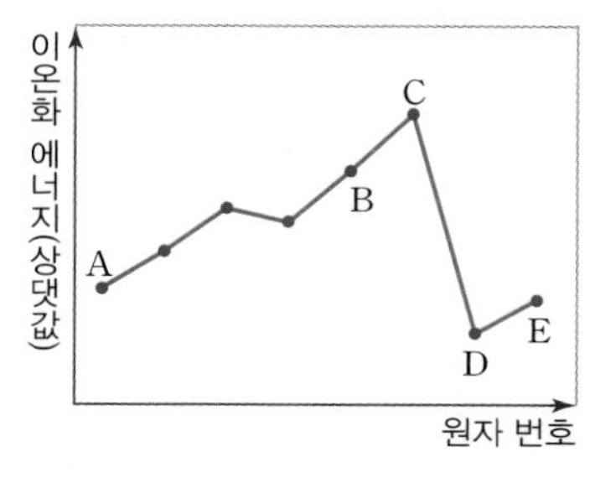

보기
ㄱ. A와 E는 같은 족 원소이다.
ㄴ. D는 원자 반지름이 가장 크다.
ㄷ. B는 이온 반지름이 원자 반지름보다 크다.

① ㄴ ② ㄷ ③ ㄱ, ㄴ
④ ㄱ, ㄷ ⑤ ㄴ, ㄷ

10 표는 3주기 원소 A~C의 순차적 이온화 에너지(E_n)를 나타낸 것이다.

원소	순차적 이온화 에너지(kJ/mol)			
	E_1	E_2	E_3	E_4
A	496	4562	6912	9643
B	578	1817	2745	11577
C	738	1451	7733	10540

이에 대한 설명으로 옳지 않은 것은? (단, A~C는 임의의 원소 기호이다.)

① A는 금속 원소이다.
② B는 13족 원소이다.
③ C는 마그네슘이다.
④ 원자 반지름은 A가 C보다 크다.
⑤ B가 안정한 이온이 되는 데 필요한 최소 에너지는 578 kJ/mol이다.

6일 서술형·사고력 테스트

1 **그림의 물 1컵은 180 mL이고 물의 밀도는 1 g/mL이다. (단, H와 O의 원자량은 각각 1, 16이다.)**

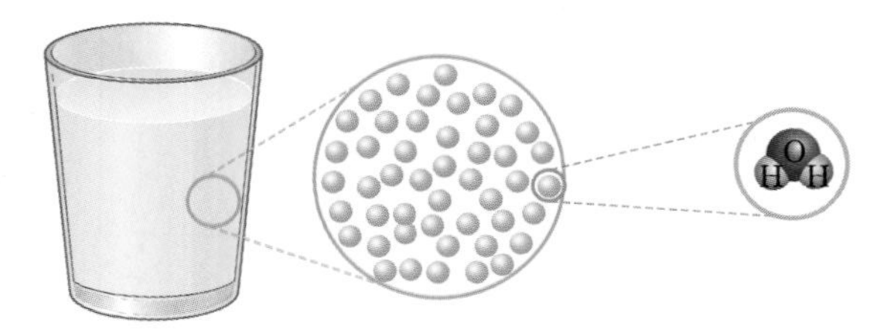

(1) 물 분자 1개를 구성하는 원소와 개수비를 쓰시오.

(2) 물 1컵에 들어 있는 물 분자의 양(mol)을 구하는 과정을 서술하시오.

2 **그림은 어떤 화학 반응을 모형으로 나타낸 것이다.**

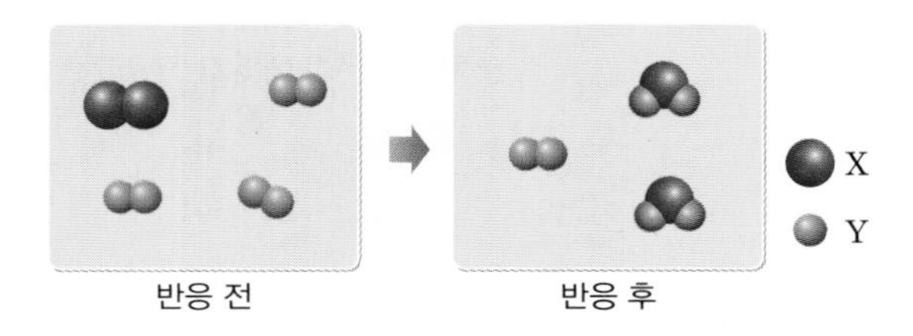

(1) 반응물과 생성물을 화학식으로 쓰시오.

(2) 각 물질의 반응 몰비를 구하는 과정을 서술하고 화학 반응식을 완성하시오.

3 **그림은 같은 온도와 압력에서 같은 부피 속에 들어 있는 산소(O_2), 메테인(CH_4), 암모니아(NH_3) 분자 모형이다. (단, H, C, N, O의 원자량은 각각 1, 12, 14, 16이다.)**

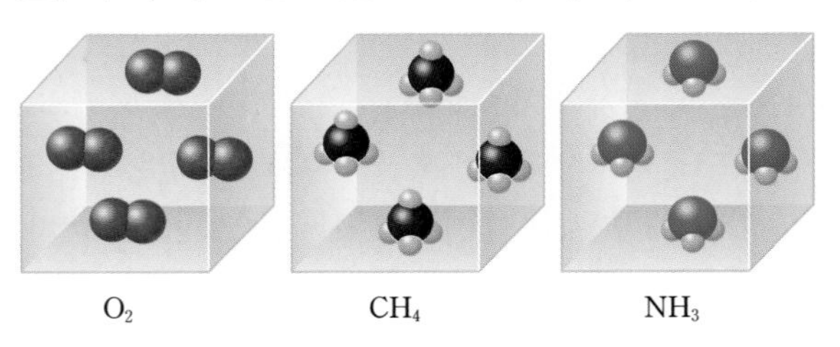

(1) 같은 부피 속에 들어 있는 산소, 메테인, 암모니아 분자 수의 크기를 비교하시오.

(2) 같은 부피 속에 들어 있는 질량을 비교하고 그 이유를 서술하시오.

4 **그림과 같이 0.2 M 포도당 500 mL 수용액을 만들려고 한다.**

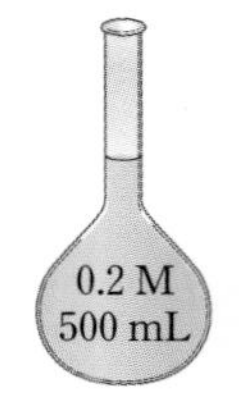

(1) 포도당 몇 그램을 녹여야 하는가? (단, 포도당의 분자량은 180이다.)

(2) 0.2 M 포도당 500 mL 수용액을 제조하는 방법을 서술하시오.

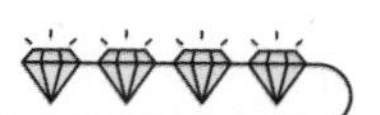

정답과 해설 75쪽

5 그림은 러더퍼드의 α 입자 산란 실험을 나타낸 것이다.

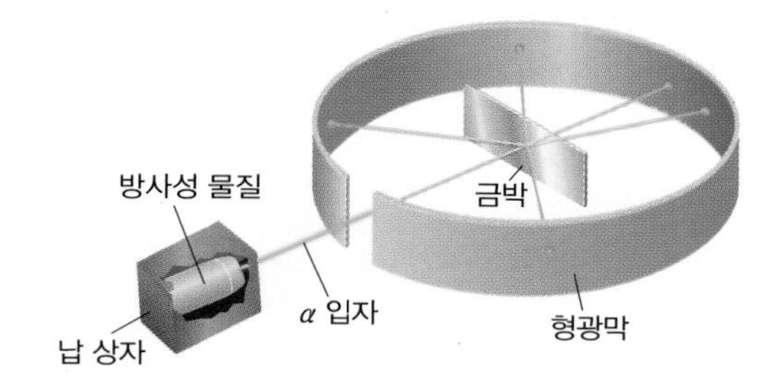

실험 결과는 다음과 같다.

> (가) 얇은 금박에 α 입자를 충돌시키면 대부분의 α 입자는 금박을 통과한다.
> (나) 일부의 α 입자는 약간 휘고, 극소수의 α 입자는 크게 휘거나 튕겨 나온다.

(1) (가)의 결과 알 수 있는 것은 무엇인가?

(2) (나)의 결과 알 수 있는 것은 무엇인가?

(3) 러더퍼드가 제시한 원자 모형을 서술하시오.

6 탄소의 전자 배치를 다음과 같이 표시할 경우 어떤 규칙에 위배되는지 서술하시오.

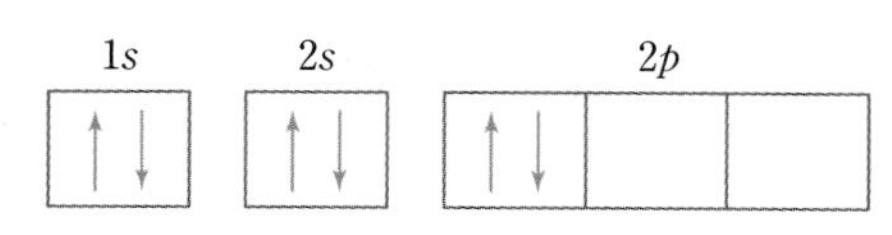

7 그림은 2, 3주기 몇 가지 원소의 유효 핵전하와 원자 반지름을 나타낸 것이다.

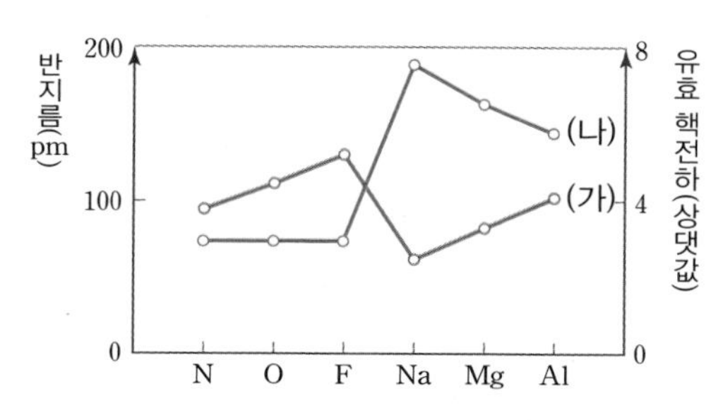

(1) (가)와 (나)는 각각 무엇을 나타내는가?

(2) 같은 주기에서 원자 번호가 커질수록 유효 핵전하와 원자 반지름은 각각 어떻게 변하는가?

(3) 같은 족에서 원자 반지름이 어떻게 변하는지 다음 용어를 사용하여 설명하시오.

> 원자 번호, 전자 껍질 수, 원자핵, 원자가 전자

6일 창의·융합·코딩 테스트

1 창의 융합 다음은 학생들이 식초에 대한 보고서를 쓰기 위해 조사한 내용을 발표하는 과정이다.

조사 내용을 옳게 말한 학생을 있는 대로 고른 것은?

① A ② B ③ A, C
④ B, C ⑤ A, B, C

2 창의 그림은 1 mol 상자에 들어 있는 탄소, 수증기, 산소의 질량을 저울로 측정한 것을 나타낸 것이다.

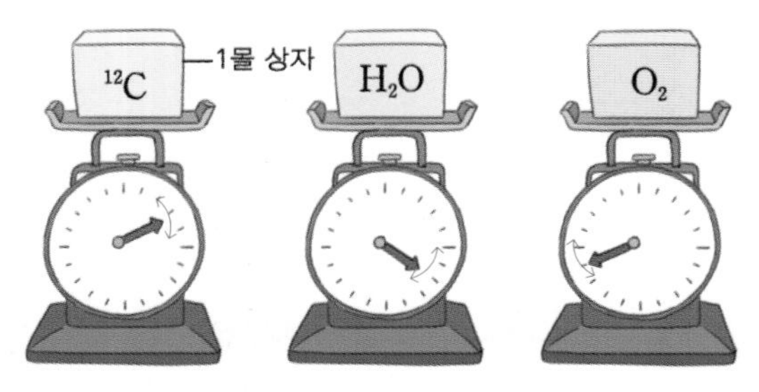

각 상자에 들어 있는 물질의 질량을 옳게 짝 지은 것은 (단, 원자량은 H=1, C=12, O=16이고 g 단위는 생략한다.)

	탄소	수증기	산소
①	6	17	16
②	6	18	16
③	12	17	16
④	12	18	32
⑤	24	18	32

3 창의 융합 그림은 에탄올 23 g을 0 ℃, 1기압에서 연소시켰을 때 생성되는 이산화 탄소의 질량과 부피를 구하는 과정에 대한 학생들의 대화 내용이다.

에탄올의 연소 반응식은 다음과 같다.

$$C_2H_5OH + 3O_2 \longrightarrow 2CO_2 + 3H_2O$$

옳게 말한 학생을 있는 대로 고른 것은? (단, 원자량은 H=1, C=12, O=16이다.)

① 상식, 민중
② 상식, 소영
③ 소영, 혜정
④ 상식, 민중, 소영
⑤ 상식, 소영, 혜정

정답과 해설 77쪽

4 창의 융합

다음 원소에 대해 학생들이 이야기를 하고 있다.

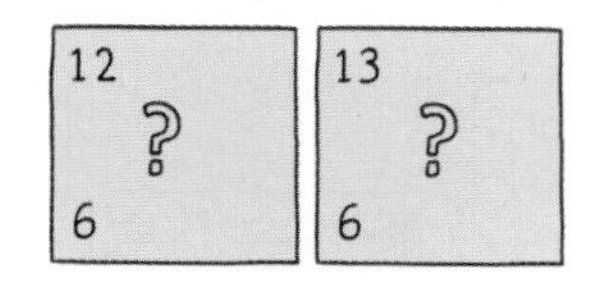

대화 중 옳은 설명을 한 학생을 있는 대로 고른 것은?

같은 원소인데 질량수가 달라.
수진
질량수가 13인 원소는 원자 번호가 13인 알루미늄이야.
지수
원자 번호가 둘 다 6번이므로 탄소야.
가희

① 수진 ② 가희 ③ 지수
④ 수진, 지수 ⑤ 수진, 가희

5 창의 융합

모둠원 A~E가 그림과 같이 각각 $1s$, $2s$, $2p_x$, $2p_y$, $2p_z$ 오비탈 역할을 맡는다. 모둠원 중 한 명이 원자 번호 1~10번의 원자 이름을 외치면 모든 모둠원이 그 원자의 바닥상태의 전자 배치에 맞춰 손가락을 든다. 엄지손가락 1개를 들면 전자 1개, 2개를 들면 전자 2개를 배치하는 것이 된다.

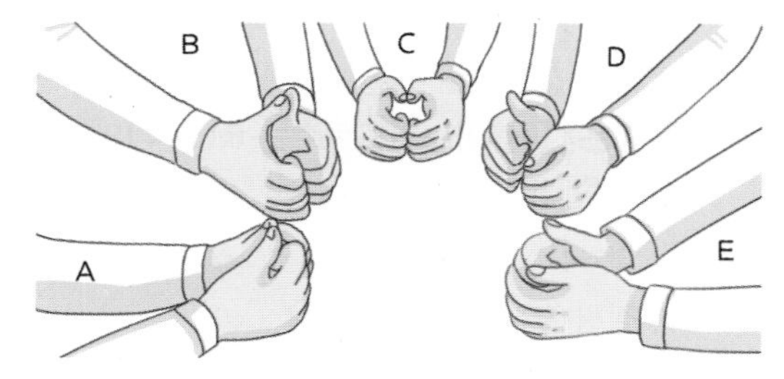

질소 원자를 외칠 경우 엄지손가락 1개만 든 학생을 있는 대로 고른 것은?

① C ② D ③ C, D
④ D, E ⑤ C, D, E

6 창의 융합 코딩

다음 6개의 원소를 아래 규칙에 따라 주어진 그림에 배치하려고 한다.

Li C O F Na Ar

규칙
(가) 같은 족 원소는 바로 옆에 있다.
(나) 원자 반지름이 가장 큰 원소는 비활성 기체의 맞은편에 있다.
(다) 음이온이 되기 쉬운 두 원소는 각각 비활성 기체 바로 옆에 있다.
(라) 할로젠 원소는 다이아몬드 성분 원소와 비활성 기체 사이에 있다.

C의 맞은편에 있는 원소는?

① Li ② O ③ F
④ Na ⑤ Ar

7 창의 융합 코딩

그림은 원소의 주기성 관련 순서도이다. 이에 따라 분류할 때 A~C에 해당하는 것을 각각 쓰시오.

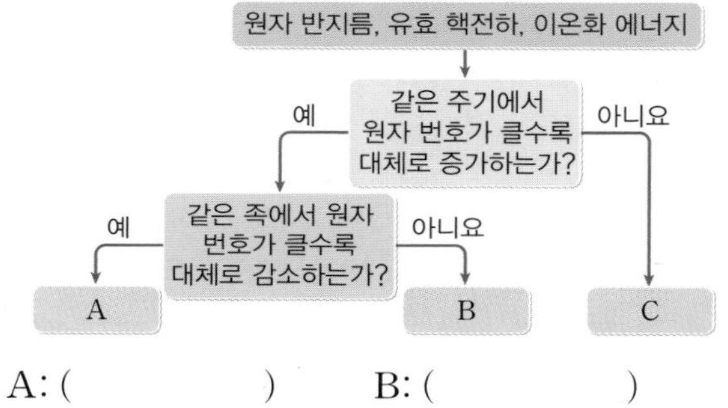

A: (   ) B: (   )
C: (   )

7일 학교시험 기본 테스트 1회

1 암모니아와 관련된 설명으로 옳지 않은 것은?

① 하버가 암모니아 합성법을 개발했다.
② 암모니아는 질소 비료의 원료가 된다.
③ 암모니아는 수소 기체와 질소 기체를 합성하여 만든다.
④ 공기 중의 질소는 불안정하여 매우 쉽게 암모니아를 합성할 수 있다.
⑤ 암모니아를 대량으로 합성할 수 있게 되면서 비료 생산이 증가해 인류의 식량 문제가 개선되었다.

2 메테인(CH_4)에 대한 설명으로 옳은 것만을 <보기>에서 있는 대로 고른 것은?

보기
ㄱ. 정사각형 구조이다.
ㄴ. 액화 석유가스(LPG)의 주성분이다.
ㄷ. 완전 연소 시 이산화 탄소와 물이 생성된다.

① ㄱ ② ㄷ ③ ㄱ, ㄴ
④ ㄴ, ㄷ ⑤ ㄱ, ㄴ, ㄷ

3 다음 화학 변화를 화학 반응식으로 나타내시오.

숯(C)을 공기 중에서 연소시키면 이산화 탄소(CO_2)가 생성된다.

신경향

4 학생의 질문에 대한 형의 답으로 옳은 것만을 고른 것은?

① 첫째 ② 둘째 ③ 셋째
④ 첫째, 둘째 ⑤ 둘째, 셋째

5 표는 분자 (가)~(다)에 대한 자료이다.

	분자식	질량(g)	분자의 양(mol)	분자 수(개)
(가)	NH_3		2	
(나)	H_2O	18		
(다)	C_2H_5OH			3.01×10^{23}

이에 대한 설명으로 옳은 것만을 <보기>에서 있는 대로 고른 것은? (단, 아보가드로수는 6.02×10^{23}이고, H, C, N, O의 원자량은 각각 1, 12, 14, 16이다.)

보기
ㄱ. 질량은 (가)가 가장 크다.
ㄴ. H 원자 수는 (다)가 가장 크다.
ㄷ. 분자의 양(mol)은 (나)가 가장 작다.

① ㄱ ② ㄷ ③ ㄱ, ㄷ
④ ㄴ, ㄷ ⑤ ㄱ, ㄴ, ㄷ

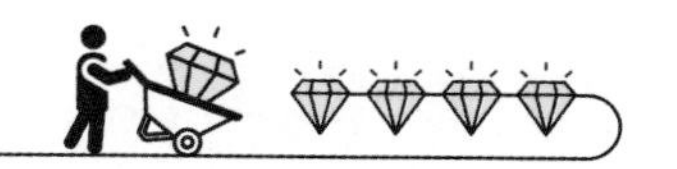

정답과 해설 77쪽

신경향

6 **그림을 보고 필요한 자료만을 〈보기〉에서 있는 대로 고른 것은?**

난, 순수한 금으로 된 반지야. 내 안에 든 금 원자의 개수를 알고 싶어!

보기

ㄱ. 금의 밀도　　ㄴ. 금의 원자량
ㄷ. 반지의 질량　　ㄹ. 아보가드로수

① ㄱ, ㄴ　② ㄴ, ㄷ　③ ㄷ, ㄹ
④ ㄱ, ㄴ, ㄷ　⑤ ㄴ, ㄷ, ㄹ

7 **다음 중 입자 수가 가장 많은 것은? (단, 원자량은 H=1, C=12, N=14, O=16, Fe=56이다.)**

① 질소(N_2) 1몰에 포함된 원자 수
② 철(Fe) 56 g에 들어 있는 원자 수
③ 물(H_2O) 36 g에 들어 있는 분자 수
④ 메테인(CH_4) 16 g에 들어 있는 수소 원자 수
⑤ 0 ℃, 1기압에서 부피 11.2 L의 암모니아(NH_3) 분자 수

8 **그림과 같이** NaOH(s) 6 g**과** 0.5 M NaOH(aq) 200 mL**를** 500 mL **부피 플라스크에 넣은 후, 표시선까지 증류수를 채웠다. 이때의 몰 농도는? (단,** NaOH**의 화학식량은** 40**이다.)**

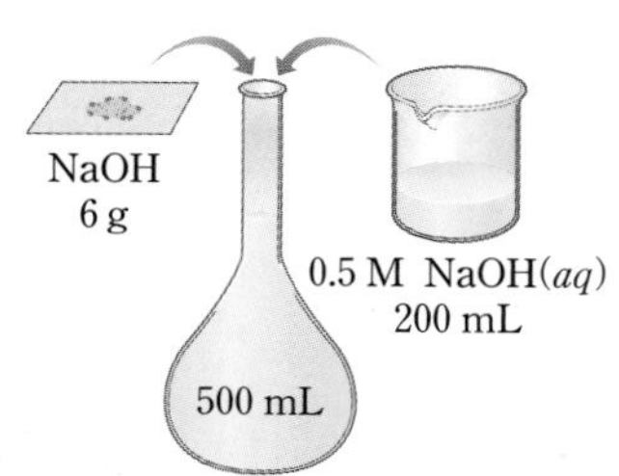

① 0.1 M　② 0.2 M　③ 0.3 M
④ 0.4 M　⑤ 0.5 M

9 **다음은 계수를 맞추지 않은 메테인의 연소 반응을 나타낸 것이다. (단, 원자량은 H=1, C=12, O=16이다.)**

$$CH_4(g) + aO_2(g) \longrightarrow CO_2(g) + bH_2O(l)$$

이에 대한 설명으로 옳은 것만을 〈보기〉에서 있는 대로 고른 것은?

보기

ㄱ. a=2, b=2이다.
ㄴ. 메테인 32 g을 완전 연소시키면 물 18 g이 생성된다.
ㄷ. 0 ℃, 1기압에서 메테인 8 g을 완전 연소시킬 때 이산화 탄소 11.2 L가 생성된다.

① ㄱ　② ㄴ　③ ㄱ, ㄷ
④ ㄴ, ㄷ　⑤ ㄱ, ㄴ, ㄷ

신경향

10 **그림은 수소의 세 가지 동위 원소의 양성자수와 질량수의 비를 원 그래프로 나타낸 것이다.**

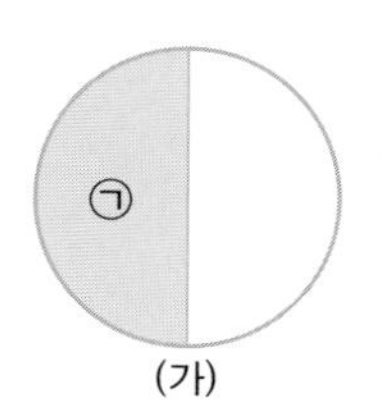

(가)

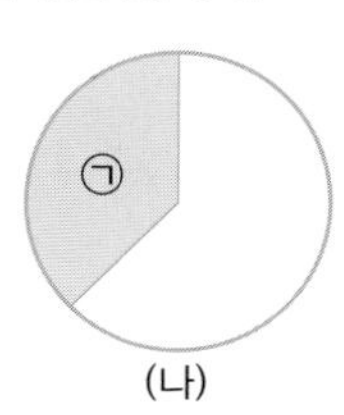

(나)

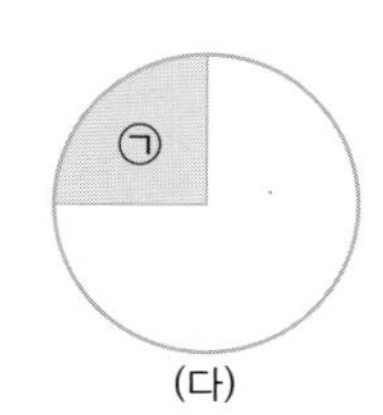

(다)

이에 대한 설명으로 옳은 것만을 〈보기〉에서 있는 대로 고른 것은? (단, (가)~(다)는 각각 ^1_1H, ^2_1H, ^3_1H 중 하나이다.)

보기

ㄱ. ㉠은 질량수이다.
ㄴ. (다)는 3중 수소이다.
ㄷ. (가)는 (나)보다 중성자수가 많다.

① ㄱ　② ㄴ　③ ㄷ
④ ㄱ, ㄴ　⑤ ㄴ, ㄷ

11 현대의 원자 모형에 대한 설명으로 옳은 것은?

① 보어가 제안하였다.
② 전자의 위치를 정확하게 알 수 있다.
③ $2p$ 오비탈의 최대 수용 전자 수는 8이다.
④ 수소 원자에서 $2s$와 $2p$ 오비탈의 에너지 준위는 $2s < 2p$이다.
⑤ 오비탈은 원자핵 주위에서 전자가 존재할 확률을 나타낸 것이다.

신경향

12 우리 몸을 이루는 원소는 그림과 같이 나타낼 수 있다. 기타 원소를 제외하고 금속 원소만을 있는 대로 고른 것은?

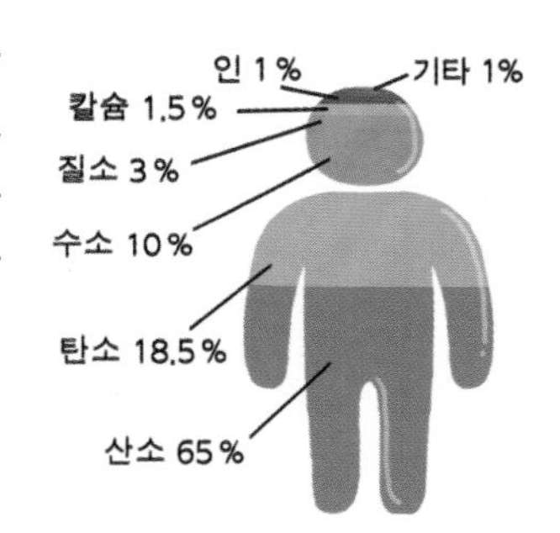

① 칼슘
② 칼슘, 인
③ 인, 탄소
④ 칼슘, 인, 탄소
⑤ 칼슘, 인, 탄소, 질소

13 다음 중 알칼리 금속에 대한 설명으로 옳지 않은 것은?

① Li, Na, K 등이 해당된다.
② 수소를 제외한 1족 원소이다.
③ 전자를 잃고 양이온이 되기 쉽다.
④ 원자가 전자 수는 1개로 모두 같다.
⑤ 원자가 전자는 p 오비탈에 배치된다.

14 그림은 주 양자수가 2인 몇 가지 오비탈을 모형으로 나타낸 것이다.

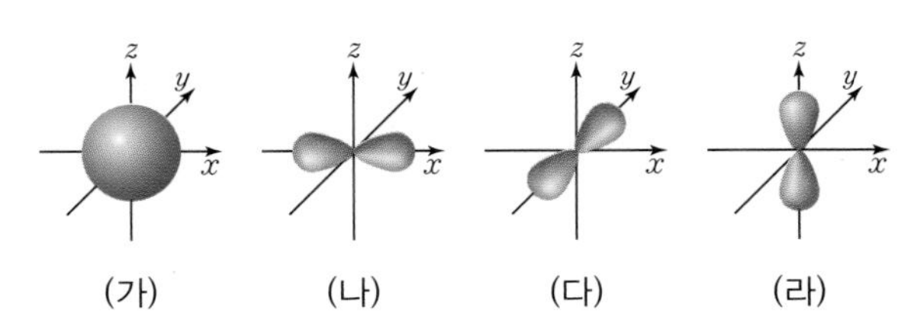

이에 대한 설명으로 옳지 않은 것은?

① (가)는 방향성이 없다.
② (나)는 $2p_x$ 오비탈이다.
③ 에너지 준위는 (나)=(다)=(라)이다.
④ (나)~(라)는 스핀 양자수로 설명할 수 있다.
⑤ (가)~(라)에 최대로 채워질 수 있는 전자 수는 모두 같다.

신경향

15 그림은 전자 껍질을 집에 비유한 것이다. 이에 대한 설명으로 옳지 않은 것은?

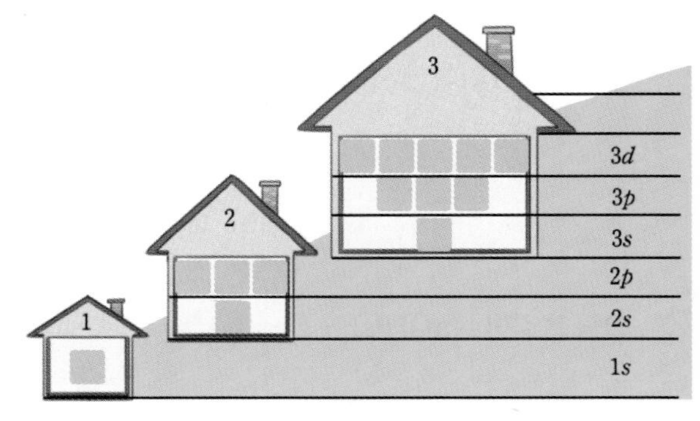

① 각 방은 오비탈에 비유된다.
② 집의 각 층은 방위 양자수에 해당한다.
③ $3p$ 오비탈의 에너지 준위는 $3d$보다 높다.
④ 각 방에는 전자가 최대 2개씩 배치될 수 있다.
⑤ 에너지 준위가 가장 낮은 오비탈부터 차례대로 전자가 채워진다.

16 그림은 수소 원자의 전자 전이를 나타낸 것이다.

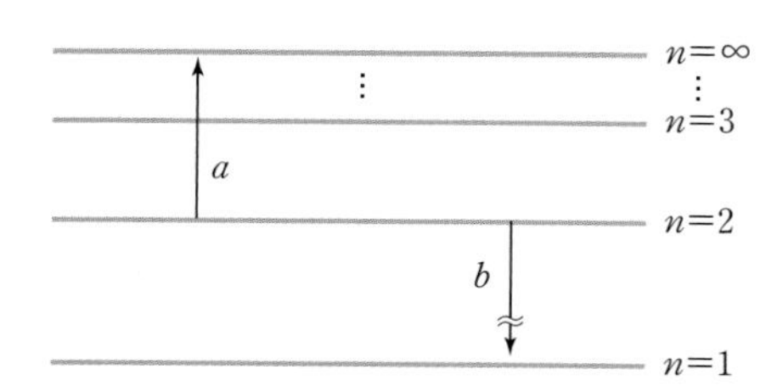

이에 대한 설명으로 옳은 것만을 〈보기〉에서 있는 대로 고른 것은? (단, 수소 원자에서 전자의 에너지 준위는 $E_n=-\frac{k}{n^2}$kJ/mol이고, n은 주 양자수, k는 상수이다.)

보기

ㄱ. b에서 방출하는 빛은 적외선이다.
ㄴ. 전이하기 전 수소 원자는 들뜬상태이다.
ㄷ. b에서 방출하는 에너지의 크기는 a에서 흡수하는 에너지보다 작다.

① ㄱ ② ㄴ ③ ㄷ
④ ㄱ, ㄴ ⑤ ㄴ, ㄷ

17 그림은 원자 X의 전자 배치이다. 이에 대한 설명으로 옳은 것만을 〈보기〉에서 있는 대로 고른 것은?

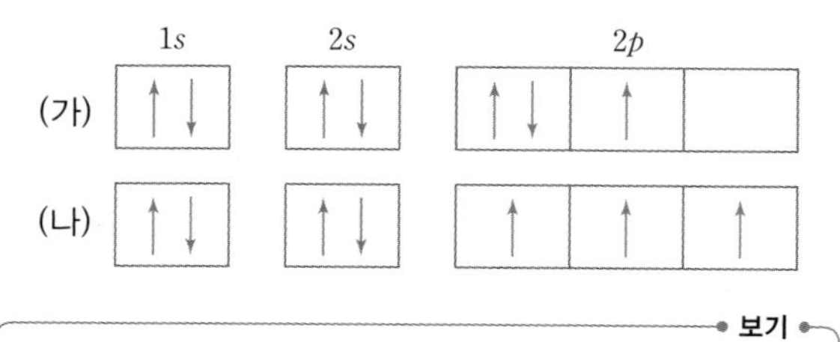

보기

ㄱ. (나)는 훈트 규칙을 따른다.
ㄴ. (가)는 파울리 배타 원리에 위배된다.
ㄷ. (가)는 바닥상태, (나)는 들뜬상태의 전자 배치이다.

① ㄱ ② ㄴ ③ ㄱ, ㄷ
④ ㄴ, ㄷ ⑤ ㄱ, ㄴ, ㄷ

18 다음과 같은 전자 배치를 갖는 원소들에 대한 설명으로 옳지 않은 것은? (단, A~D는 임의의 원소 기호이다.)

• A: $1s^22s^22p^3$ • B: $1s^22s^22p^6$
• C: $1s^22s^22p^63s^1$ • D: $1s^22s^22p^63s^23p^1$

① 홀전자 수는 B가 가장 많다.
② A의 원자가 전자 수는 5이다.
③ 원자 반지름은 C가 가장 크다.
④ 이온화 에너지는 B가 가장 크다.
⑤ C와 D는 전자 껍질 수가 같다.

19 원자와 이온의 주기적 성질에 대한 설명으로 옳은 것만을 〈보기〉에서 있는 대로 고른 것은?

보기

ㄱ. F은 안정한 이온이 되면 반지름이 커진다.
ㄴ. 이온 반지름은 Mg^{2+}이 O^{2-}보다 더 크다.
ㄷ. 3주기 원소 중 Na의 원자 반지름이 가장 크다.

① ㄱ ② ㄱ, ㄴ ③ ㄱ, ㄷ
④ ㄴ, ㄷ ⑤ ㄱ, ㄴ, ㄷ

20 그림은 원자 번호가 연속인 2~3주기의 몇 가지 원소들의 1차 이온화 에너지를 나타낸 것이다. 이에 대한 설명으로 옳은 것만을 〈보기〉에서 있는 대로 고르시오. (단, A~D는 임의의 원소 기호이다.)

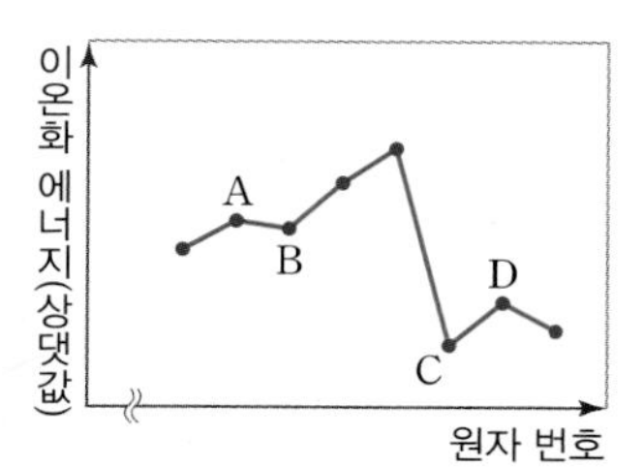

보기

ㄱ. 원자 반지름은 A가 B보다 크다.
ㄴ. C는 +1가 양이온이 되기 쉽다.
ㄷ. D는 바닥상태에서 홀전자 수가 1개이다.

7일 학교시험 기본 테스트 2회

1 **화학이 인류의 의식주 문제 해결에 기여한 것에 대한 설명으로 옳은 것만을 〈보기〉에서 있는 대로 고른 것은?**

보기

ㄱ. 철의 제련을 통해 철이 대량 생산되어 건축물에 활용되었다.
ㄴ. 나일론은 질기고 흡습성이 좋아 의류 외에 밧줄, 그물 등에도 이용된다.
ㄷ. 질소 비료에 필요한 암모니아를 대량 합성하게 되어 농산물 생산량을 늘렸다.

① ㄱ ② ㄱ, ㄴ ③ ㄱ, ㄷ
④ ㄴ, ㄷ ⑤ ㄱ, ㄴ, ㄷ

2 **그림은 아세트산과 에탄올의 분자 모형이다.**

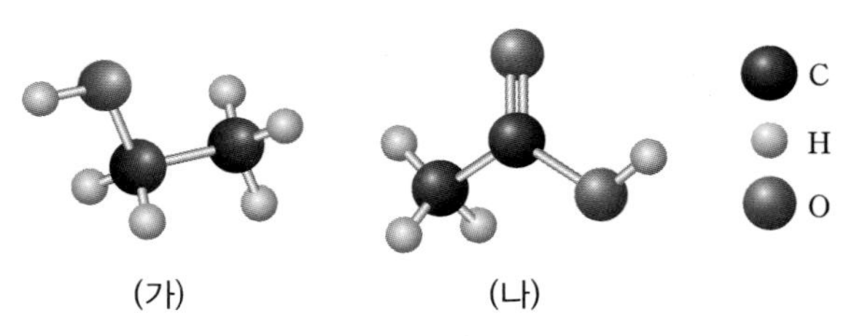

이에 대한 설명으로 옳은 것만을 〈보기〉에서 있는 대로 고른 것은?

보기

ㄱ. 둘 다 탄화수소이다.
ㄴ. (가)는 에탄올, (나)는 아세트산이다.
ㄷ. (나)는 17 ℃ 이하에서 고체 상태로 존재하므로 빙초산이라고 한다.

① ㄱ ② ㄷ ③ ㄱ, ㄴ
④ ㄴ, ㄷ ⑤ ㄱ, ㄴ, ㄷ

3 **탄소 화합물에 대한 설명으로 옳지 않은 것은?**

① 탄소를 기본 골격으로 한다.
② 화석 연료는 탄소 화합물이다.
③ 탄소 원자는 최대 4개의 다른 원자와 결합할 수 있다.
④ 탄소 원자는 고리 모양도 만들 수 있으나 단일 결합으로만 결합할 수 있다.
⑤ 탄소 화합물이 다양한 이유 중 하나는 탄소에 수소, 산소, 질소, 황, 염소 등이 결합할 수 있기 때문이다.

4 **다음은 X, Y, Z 원자의 상대적 질량을 비교한 것이다.**

(가) X 원자 1개의 질량＝Y 원자 4개의 질량
(나) Y 원자 3개의 질량＝Z 원자 2개의 질량

Z의 원자량이 24일 때, XY의 화학식량으로 옳은 것은? (단, X～Z는 임의의 원소 기호이다.)

① 28 ② 32 ③ 40
④ 64 ⑤ 80

신경향

5 **헬륨(He) 기체가 들어 있는 통으로 0 ℃, 1기압에서 11.2 L인 헬륨 풍선 200개를 만들 수 있다고 한다. 이 통에 들어 있는 헬륨의 질량을 쓰시오. (단, He의 원자량은 4이다.)**

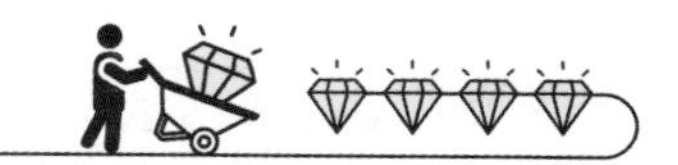

정답과 해설 79쪽

6 다음 물질 (가)와 (나)에 대한 설명으로 옳은 것만을 〈보기〉에서 있는 대로 고른 것은? (단, 원자량은 H=1, C=12, N=14, O=16이다.)

(가) 에탄올(C_2H_5OH)　　(나) 암모니아(NH_3)

보기
ㄱ. 1몰의 질량은 (가)>(나)이다.
ㄴ. 1몰에 들어 있는 H 원자 수는 (가)>(나)이다.
ㄷ. 1 g 속에 들어 있는 분자 수는 (가)>(나)이다.

① ㄱ　② ㄴ　③ ㄱ, ㄴ
④ ㄴ, ㄷ　⑤ ㄱ, ㄴ, ㄷ

7 그림은 어떤 중성 원자 X의 구성 입자를 나타낸 것이다. X에 대한 설명으로 옳지 않은 것은?

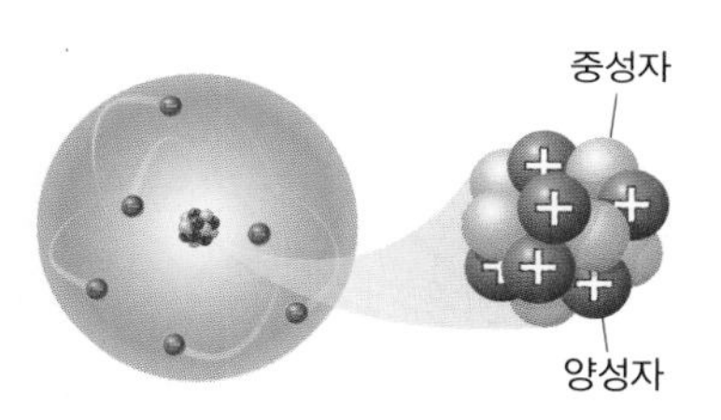

① $^{12}_{6}X$로 표시한다.　② 16족 원소이다.
③ 전자 수는 6이다.　④ 질량수는 12이다.
⑤ $^{13}_{6}X$와 동위 원소 관계이다.

8 오른쪽은 물질을 이루는 입자를 기호로 나타낸 것이다.이에 대한 설명으로 옳은 것은? (단, X는 임의의 원소 기호이다.)

$^{b}_{a}X^{-}$

① b는 질량수이다.
② 전자 수는 a−1이다.
③ 중성자수는 a−b이다.
④ 모든 원소는 b가 a보다 크다.
⑤ a가 같고 b가 다른 원소는 화학적 성질이 다르다.

신경향

9 그림은 과산화 수소에 대한 자료이다.

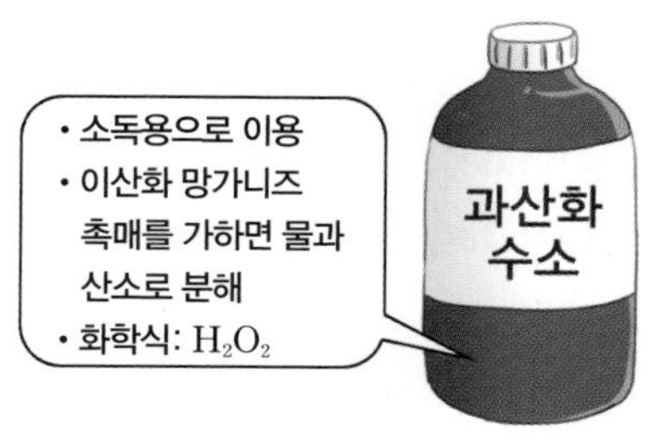

• 소독용으로 이용
• 이산화 망가니즈 촉매를 가하면 물과 산소로 분해
• 화학식: H2O2
과산화 수소

이에 대한 설명으로 옳은 것만을 〈보기〉에서 있는 대로 고른 것은? (단, 원자량은 H=1, O=16이다.)

보기
ㄱ. 화학 반응식은 $H_2O_2 \longrightarrow H_2O + O_2$이다.
ㄴ. 산소 기체 1몰을 얻기 위해 필요한 과산화 수소의 질량은 34 g이다.
ㄷ. 0 ℃, 1기압에서 1몰의 과산화 수소가 완전히 분해되면 산소 기체 11.2 L가 생성된다.

① ㄱ　② ㄷ　③ ㄱ, ㄴ
④ ㄱ, ㄷ　⑤ ㄴ, ㄷ

10 그림의 두 수용액에 대한 설명으로 옳은 것만을 〈보기〉에서 있는 대로 고른 것은? (단, 포도당과 설탕의 화학식량은 각각 180, 342이고 수용액의 밀도는 같다고 가정한다.)

(가)

(나)

보기
ㄱ. 몰 농도는 (가)가 (나)보다 크다.
ㄴ. 용질의 질량은 (가)와 (나)가 같다.
ㄷ. 용질의 양(mol)은 (가)가 (나)보다 작다.

① ㄱ　② ㄴ　③ ㄱ, ㄴ
④ ㄴ, ㄷ　⑤ ㄱ, ㄴ, ㄷ

7일

11 자연계에 존재하는 X의 동위 원소 (가), (나)의 원자량은 각각 35, 37이고, 존재비는 (가) : (나)=3 : 1이다. 이에 대한 설명으로 옳은 것은?

① 평균 원자량은 35.5이다.
② (가)와 (나)의 중성자수는 같다.
③ (가)와 (나)의 물리적 성질은 같다.
④ (가)와 (나)의 화학적 성질은 다르다.
⑤ 분자량이 다른 X_2 분자는 4가지 존재한다.

신경향

12 다음은 한 학생이 원자 모형 변천 과정을 SNS에 올린 것이다. 이에 대한 댓글 내용으로 옳지 않은 것은?

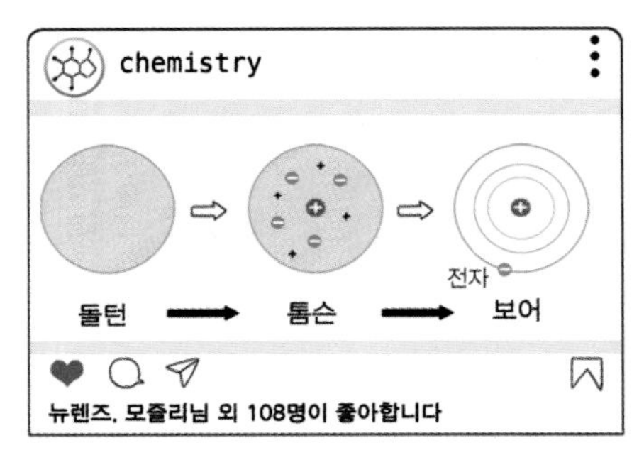

① 돌턴은 단단한 공 모형을 주장했어.
② 전자 발견으로 톰슨 모형이 나왔어.
③ 원자핵 발견으로 보어 모형이 나왔어.
④ 보어 모형 앞에 러더퍼드 모형이 있어야 해.
⑤ 보어 모형은 수소 선 스펙트럼을 설명할 수 있어.

13 그림은 원자 A~C의 바닥상태 전자 배치를 기록한 노트의 일부가 훼손된 것이다. 원자 B와 C의 바닥상태 전자 배치를 완성하시오.

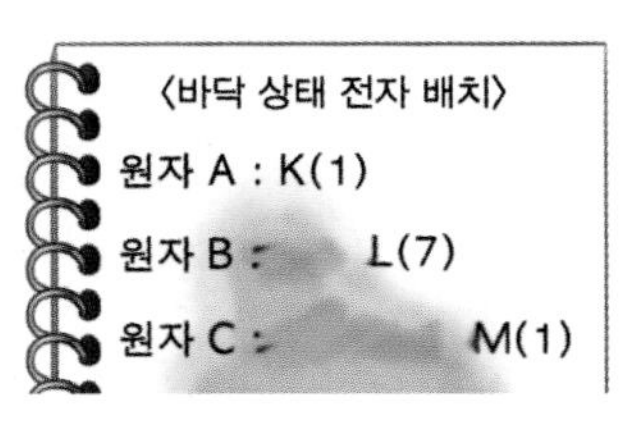

14 그림은 수소 원자에서 주 양자수가 1 또는 2인 오비탈을 나타낸 것이다.

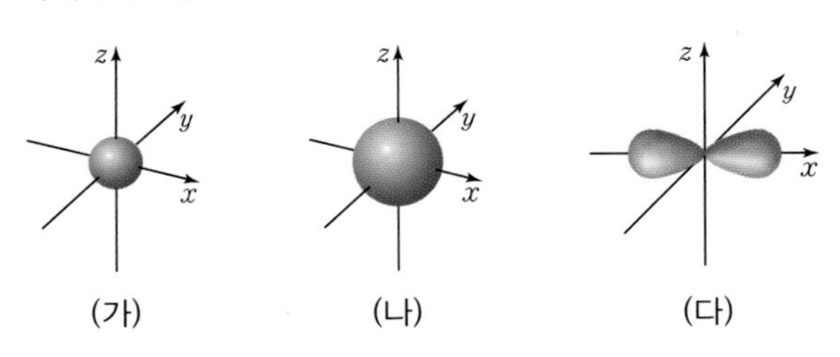

(가) (나) (다)

이에 대한 설명으로 옳지 않은 것은?

① (가)의 주 양자수는 (나)보다 작다.
② L 전자 껍질에는 (나)와 (다)가 존재한다.
③ 오비탈의 에너지 준위는 (다)가 가장 높다.
④ (가)에서 (나)로 전자가 전이할 때 자외선 영역의 빛을 흡수한다.
⑤ 오비탈에 채워질 수 있는 전자의 최대 수는 (가)와 (나)가 같다.

15 그림은 원자 A~D의 전자 배치를 나타낸 것이다.

	1*s*	2*s*	2*p*			3*s*
A :	●●	●				
B :	●●	●●	●●	●	●	
C :	●●	●●	●●	●●	●	
D :	●●	●●	●●	●●	●●	●

이에 대한 설명으로 옳은 것만을 〈보기〉에서 있는 대로 고른 것은? (단, A~D는 임의의 원소 기호이다.)

보기

ㄱ. A와 D는 같은 족 원소이다.
ㄴ. B와 C는 비금속 원소이다.
ㄷ. C와 D의 안정한 이온의 전자 배치는 같다.

① ㄱ ② ㄷ ③ ㄱ, ㄴ
④ ㄴ, ㄷ ⑤ ㄱ, ㄴ, ㄷ

16 어떤 원소 X의 바닥상태 전자 배치가 다음과 같을 때, 이에 대한 설명으로 옳지 않은 것은?

$1s^2 2s^2 2p^6 3s^2 3p^5$

① 17족 원소이다.
② 3주기 원소이다.
③ 원자 번호는 17번이다.
④ 원자가 전자 수는 5개이다.
⑤ 전자를 얻어 음이온이 되기 쉽다.

17 유효 핵전하에 대한 학생들의 대화이다. 옳게 말한 학생을 있는 대로 골라 쓰시오.

18 그림은 원자 (가)~(라)의 제1이온화 에너지를 나타낸 것이다. (가)~(라)는 각각 Li, Be, B, C 중 하나이다. 이에 대한 설명으로 옳은 것만을 〈보기〉에서 있는 대로 고른 것은?

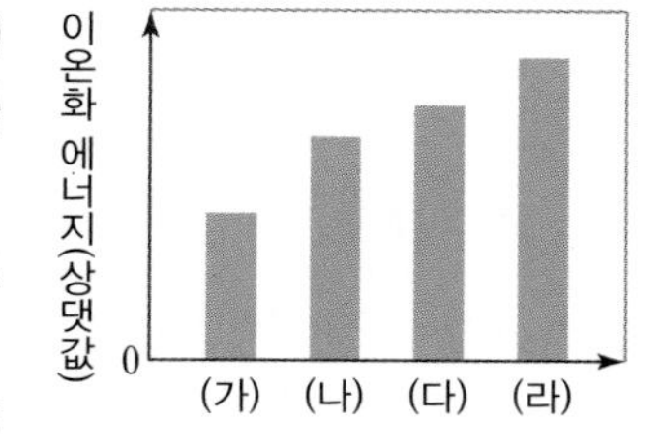

보기
ㄱ. (나)는 Be이다.
ㄴ. (다)와 (라)는 금속 원소이다.
ㄷ. 원자 반지름이 가장 큰 것은 (가)이다.

① ㄱ ② ㄴ ③ ㄷ
④ ㄱ, ㄷ ⑤ ㄴ, ㄷ

19 그림은 주기율표의 일부를 나타낸 것이다.

주기 \ 족	1	2	13	14	15	16	17	18
1	A							B
2						C		D
3		E						

이에 대한 설명으로 옳은 것만을 〈보기〉에서 있는 대로 고른 것은? (단, A~E는 임의의 원소 기호이다.)

보기
ㄱ. 금속 원소는 A, E 두 가지이다.
ㄴ. B와 D는 화학적 성질이 비슷하다.
ㄷ. C와 E의 안정한 이온은 D의 전자 배치와 같아진다.

① ㄱ ② ㄷ ③ ㄱ, ㄴ
④ ㄴ, ㄷ ⑤ ㄱ, ㄴ, ㄷ

20 그림은 원자 A~D의 이온 반지름을 나타낸 것이다. A~D는 각각 O, F, Na, Mg 중 하나이며 각 이온은 모두 Ne의 전자 배치를 가진다.

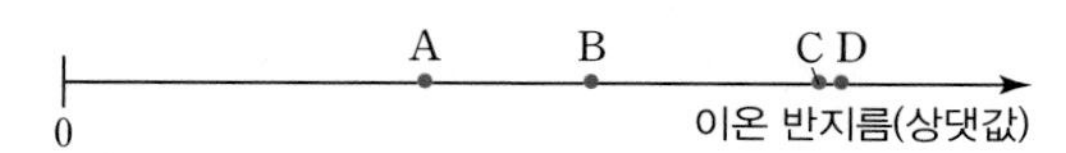

이에 대한 설명으로 옳은 것만을 〈보기〉에서 있는 대로 고른 것은?

보기
ㄱ. A는 Mg이다.
ㄴ. 원자 반지름은 B가 C보다 크다.
ㄷ. 이온화 에너지는 B가 가장 작다.

① ㄱ ② ㄷ ③ ㄱ, ㄴ
④ ㄴ, ㄷ ⑤ ㄱ, ㄴ, ㄷ

지금은 맞고 그때는 틀리다

긴 식빵을 썰고 또 잘게 계속 쪼개나가면 더는 쪼갤 수 없는 부분에 도달할 것이다. 고대 그리스의 철학자 데모크리토스는 '물질은 계속 쪼개다 보면 더 이상 쪼개지지 않는 가장 작은 입자에 도달한다'고 생각하고 이 입자를 원자(atom)라고 불렀다. 원자는 그리스어로 '자를 수 없다'는 뜻이다. 또한, 데모크리토스는 입자와 입자 사이에는 빈 공간인 진공이 존재한다고 생각했다. 이와는 반대로 아리스토텔레스는 물질은 계속 쪼갤 수 있고 무한히 쪼개면 사라지며 빈 공간은 존재하지 않는다고 주장했다. 당시 사람들은 신이 진공을 만들어낼 리가 없다고 믿어 아리스토텔레스의 연속설이 오래도록 인정을 받았다.

한편 1803년 영국의 돌턴은 모든 물질은 더 이상 쪼갤 수 없는 작은 공 모양의 원자로 되어 있다는 원자설을 발표했다. 원자가 물질을 이루는 가장 작은 단위일 것이라는 생각은 원자 내부의 입자들이 하나씩 발견되면서 흔들렸다. 1897년 영국의 톰슨은 음극선 실험을 통해 전자를 발견했고, 톰슨의 제자인 러더퍼드는 원자핵을 발견하면서 행성이 태양 주위를 회전하듯 도는 원자 모형을 제안했다. 이후 채드윅에 의해 중성자가 발견되었다. 보어는 수소 원자의 선 스펙트럼을 설명하기 위해 원자 내에서 전자가 가질 수 있는 에너지는 양자화되어 있다는 보어 원자 모형을 제안했다. 현대의 원자 모형은 전자의 위치를 정확히 알 수 없고 어떤 위치에 존재할 확률로 표현할 수 있다고 설명한다. 지금까지 원자 모형은 과학자들의 주장에 따라 계속 바뀌어 왔다. 지금은 맞고 그때는 틀린 것일까?

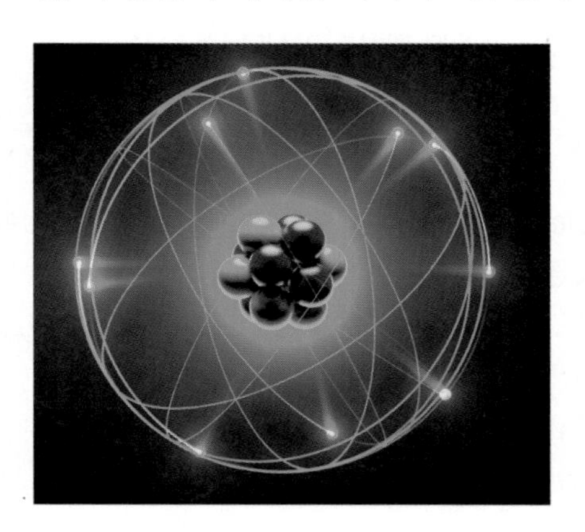

7일 끝!

정답과 해설

정답과 해설 활용 안내

- 정답 박스로 **빠르게 정답 확인하기!**
- 정답과 오답의 이유, **한 번 더 짚고 넘어가기!**
- **서술형** 답안의 **채점 기준**은 직접 **체크**해 보며, **주관식** 문제 꼼꼼히 **대비하기!**

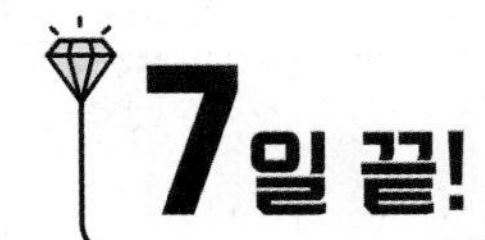

7일 끝! 1학기 중간·기말

1일 기초 확인 문제 9~11쪽

• 1. 화학의 유용성과 화학식량

1 (1) ㉠ 질소 ㉡ 암모니아 (2) 질소 **2** ② **3** ⑤ **4** ④
5 ④ **6** (1) 원자량 (2) 6.02×10^{23}, 아보가드로수 (3) 22.4
7 ① **8** (1) 16 (2) 60 (3) 40 **9** (1) ㉠ 16 ㉡ 12 ㉢ 44 (2) ㉠ 23.0 ㉡ 35.5 ㉢ 58.5 **10** ㉠ 6.02×10^{23} ㉡ 몰 질량 ㉢ 22.4

1 급격한 인구 증가에 따른 식량 부족으로 농업 생산량을 높이기 위해 질소 비료가 필요했다. 하버는 공기 중의 질소와 수소로 질소 비료의 원료가 되는 암모니아를 대량 합성하는 방법을 개발하였다.

2 합성 섬유와 인공 염료의 개발로 인류의 의생활이 크게 달라지게 되었다.

3 스테인리스강은 철과 크로뮴 등의 합금이다.

4 ① 에탄올은 C, H, O로 이루어진 탄소 화합물이다.
② 일상생활에서 사용되는 플라스틱은 탄소 화합물이다.
③, ⑤ 탄소 화합물은 탄소를 기본 골격으로 하여 수소(H), 질소(N), 산소(O) 등의 원자와 결합한 화합물을 말한다.

오답 풀이
④ 탄소는 다른 원자와 최대 4개의 결합을 할 수 있다.

5 ㄴ, ㄷ. 탄소와 수소로 이루어진 화합물을 탄화수소라고 하는데, 메테인은 가장 간단한 탄화수소이다. 또한 액화 천연가스의 주성분으로 연료로 사용된다.

오답 풀이
ㄱ. 메테인은 탄소를 중심으로 한 정사면체의 입체 구조이다.

6 원자의 상대적인 질량값을 원자량이라고 하며 원자나 분자 1몰은 6.02×10^{23}개의 입자를 뜻하며, 6.02×10^{23}을 아보가드로수라고 한다. 온도와 압력이 같을 때 모든 기체는 같은 부피 속에 같은 수의 분자를 포함하며, 0 ℃, 1기압에서 1몰의 기체 부피는 22.4 L로 일정하다.

7 O의 원자량은 16이므로 산소(O_2)의 분자량은 32이다.

8 메테인(CH_4): $12+(4\times1)=16$
아세트산(CH_3COOH): $(2\times12)+(4\times1)+(2\times16)=60$
수산화 나트륨(NaOH): $23+16+1=40$

9 (1) 이산화 탄소 분자 6.02×10^{23}개는 1 mol로, 분자 1 mol의 질량은 분자량에 g을 붙인 값과 같다.
이산화 탄소의 분자량은 분자를 구성하는 원자들의 원자량의 합이므로 $12+(2\times16)=44$이다.
(2) 이온 결합 물질 1몰의 질량은 화학식량에 g을 붙인 값과 같다. 염화 나트륨의 화학식량은 화학식을 이루는 모든 원자들의 원자량의 합이므로 나트륨 원자량과 염소 원자량의 합이다.

10 물질 1몰의 질량을 몰 질량이라고 하며, 단위는 g/mol로 나타낸다. 따라서 물질의 질량과 몰 질량을 알면 물질의 양(mol)을 구할 수 있다. 0 ℃, 1기압에서 기체 1몰이 차지하는 부피는 모두 22.4 L이다.

1일 내신 기출 베스트 12~13쪽

• 1. 화학의 유용성과 화학식량

1 ㄱ, ㄷ **2** ③ **3** ⑤ **4** ④ **5** ⑤ **6** ② **7** ②
8 ②

1 최초의 합성 섬유는 나일론이고, 철의 제련은 철광석을 코크스와 함께 용광로에 넣고 가열하여 순수한 철을 대량으로 얻는 기술이다.

2 탄소 화합물은 탄소(C) 원자가 탄소뿐만 아니라 수소(H), 산소(O), 질소(N), 황(S), 할로젠(F, Cl, Br, I) 등의 원자와 결합하여 만들어진 화합물이다.

오답 풀이
③ 탄소와 수소로만 이루어진 탄소 화합물은 탄화수소라고 한다.

3 (가)는 탄소와 수소로만 이루어진 가장 간단한 탄화수소인 메테인이고, (나)는 식초에 이용되는 산성을 나타내는 아세트산이다.

자료 분석 + 메테인과 아세트산의 구조

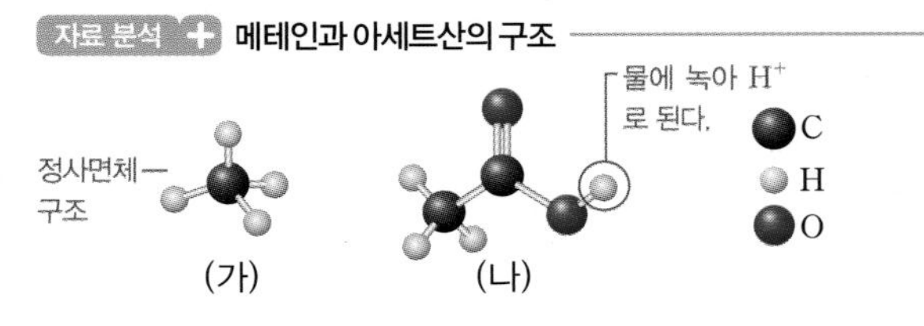

아세트산 분자에는 수소 원자 4개가 있지만, 산소 원자에 결합된 수소 1개만 산성을 나타낸다.

4 산소의 원자량은 16이다.

오답 풀이

탄소 원자 4개와 산소 원자 3개의 질량이 같으므로 $4 \times 12 = 3 \times x$에서 산소의 원자량은 16이다.

5 1몰은 입자 6.02×10^{23}개로 이 수를 아보가드로수라고 한다. 질소 기체(N_2) 1몰에는 질소 원자(N)가 2몰, 즉 $2 \times 6.02 \times 10^{23}$개 들어 있다.

선택지 바로 보기

① 물 분자 1몰에는 총 3몰의 원자가 포함되어 있다. (○)
→ 물(H_2O) 분자 1몰은 수소 원자 2몰, 산소 원자 1몰로 구성된다.
② 원자와 같이 매우 많은 수를 나타내는 묶음 단위이다. (○)
→ 몰은 원자, 이온, 분자와 같이 매우 많은 수를 나타내는 묶음 단위이다.
③ NaCl 1몰에는 아보가드로수만큼의 Na^+이 들어 있다. (○)
→ NaCl 1몰에는 아보가드로수만큼의 Na^+과 Cl^-이 들어 있다.
④ 0 ℃, 1기압에서 수소 기체 0.5몰의 부피는 11.2 L이다. (○)
→ 0 ℃, 1기압에서 모든 기체 1몰의 부피가 22.4 L이므로 0.5몰은 11.2 L이다.
⑤ 질소 기체 1몰에는 질소 원자 6.02×10^{23}개가 들어 있다. (×)
→ 질소 기체(N_2) 1몰에는 질소 원자 $2 \times 6.02 \times 10^{23}$개가 들어 있다.

6 물(H_2O)의 분자량은 $(2 \times 1) + 16 = 18$이고, 포도당($C_6H_{12}O_6$)의 분자량은 $(6 \times 12) + (12 \times 1) + (6 \times 16) = 180$이다.

① 수소(H_2) 1몰에 포함된 원자 수=2몰
② 물(H_2O) 18 g에 들어 있는 원자 수=3몰
③ 나트륨(Na) 23 g에 들어 있는 원자 수=1몰
④ 포도당($C_6H_{12}O_6$) 180 g에 들어 있는 분자 수=1몰
⑤ 0 ℃, 1기압에서 11.2 L의 암모니아(NH_3) 분자 수=0.5몰

따라서 입자 수가 가장 많은 것은 ②이다.

7 0 ℃, 1기압에서 모든 기체 1몰의 부피는 22.4 L이다. CH_4 11.2 L는 0.5 mol이다.

8 ② 0 ℃, 1기압에서 기체 1몰의 부피는 22.4 L이므로 산소 44.8 L는 2몰이다.

오답 풀이

① 산소(O_2)가 2몰이므로 질량은 64 g이다.
③, ④ 산소 분자 수는 $2 \times 6.02 \times 10^{23}$개이고 산소 원자 수는 $2 \times 2 \times 6.02 \times 10^{23}$개이다.
⑤ 온도와 압력이 같을 때 같은 부피 속에 들어 있는 기체 분자 수는 같으므로 메테인은 2몰 들어 있다.

2일 기초 확인 문제 17~19쪽

• 2. 화학 반응식과 용액의 농도

1 ③ **2** ① **3** ④ **4** ⑤ **5** ① **6** ④ **7** (1) 0.5몰 (2) 90 g (3) 부피 플라스크 **8** ㉠ 2 ㉡ 부피 플라스크

1 ③ 반응 전후 원자의 종류와 수가 같도록 화학식 앞의 계수를 맞추고, 이때 계수는 가장 간단한 정수로 나타내며 1은 생략한다.

선택지 바로 보기

① 화학 반응식에서 반응 전후 분자 수는 같다. (×)
→ 반응 전후 원자 수가 같고 분자 수는 같을 수도 있고 다를 수도 있다.
② 반응물은 오른쪽에, 생성물은 왼쪽에 나타낸다. (×)
→ 반응물은 화살표 왼쪽에, 생성물은 화살표 오른쪽에 나타낸다.
③ 화학식 앞의 계수는 가장 간단한 정수로 나타내고 1이면 생략한다. (○)
→ 화학 반응식에서 계수는 가장 간단한 정수로 나타내고 1은 생략한다.
④ 화학 반응식에서 물질의 상태는 고체, 액체, 기체 세 가지로만 나타낸다. (×)
→ 물질의 상태는 수용액 상태도 나타낼 수 있다.
⑤ 수소와 산소가 반응해서 물이 생성되는 반응은 $H_2(g) + O_2(g) \longrightarrow H_2O(l)$이다. (×)
→ 물의 생성 반응은 $2H_2(g) + O_2(g) \longrightarrow 2H_2O(l)$이다.

2 계수비는 몰비, 부피비(기체일 때), 분자 수비와 같고 질량비와는 같지 않다.

3 화학 반응식에서 반응물과 생성물의 원자 수가 같아지도록 화학식 앞의 계수를 조정해야 한다.
따라서 과산화 수소의 분해 반응은 $2H_2O_2 \longrightarrow 2H_2O + O_2$로 나타낸다.

자료 분석 + 화학 반응식

> 상처 소독에 사용되는 과산화 수소(H_2O_2)가 물(H_2O)과 산소(O_2)로 분해된다.

1. 반응물과 생성물의 화학식을 쓴다.
→ 반응물: 과산화 수소(H_2O_2), 생성물: 물(H_2O), 산소(O_2)
2. 반응물의 화학식은 화살표 왼쪽에, 생성물의 화학식은 화살표 오른쪽에 쓰고, 반응물 또는 생성물이 두 가지 이상이면 각 물질을 '+'로 연결한다. → $H_2O_2 \rightarrow H_2O + O_2$
3. 반응 전후 원자의 종류와 개수가 같도록 계수를 맞춘다. 계수는 가장 간단한 정수로 나타내고, 1은 생략한다.
→ $2H_2O_2 \rightarrow 2H_2O + O_2$
4. 물질의 상태는 괄호 안에 기호로 표시한다.
→ $2H_2O_2(aq) \rightarrow 2H_2O(l) + O_2(g)$

4 메테인의 연소 반응식은 $CH_4(g) + 2O_2(g) \longrightarrow CO_2(g) + 2H_2O(l)$이다. 부피비는 계수비와 같으므로 메테인 2 L를 완전 연소시키기 위해 필요한 산소의 최소 부피는 $CH_4 : O_2 = 1 : 2 = 2\ L : 4\ L$가 된다.

5 온도나 압력이 변해도 질량은 변하지 않으므로 퍼센트 농도는 달라지지 않는다.

6 몰 농도는 용액 1 L 속에 녹아 있는 용질의 양(mol)이다. 따라서 몰 농도는 $\frac{\text{용질의 양(mol)}}{\text{용액의 부피(L)}}$으로 구해야 한다.

7 (1) 1 M 포도당 수용액 500 mL이므로 포도당의 양(mol) $= 1\ mol/L \times 0.5\ L = 0.5\ mol$이다.
(2) 포도당 0.5 mol은 $180\ g/mol \times 0.5\ mol = 90\ g$이다.
(3) 일정한 부피의 액체를 정확히 담을 때 사용하는 것은 부피 플라스크이다.

8 0.1 M NaOH 수용액 500 mL에 들어 있는 NaOH의 양(mol) $= 0.1\ mol/L \times 0.5\ L = 0.05\ mol$이다. NaOH의 몰 질량에 몰수를 곱하면 질량을 구할 수 있다. NaOH 0.05 mol은 $40\ g/mol \times 0.05\ mol = 2\ g$이다. 따라서 ㉠ $=2$이다. ㉡은 부피 플라스크이다.

2일 내신 기출 베스트 20~21쪽

• 2. 화학 반응식과 용액의 농도

1 ④ **2** ② **3** ㄱ **4** ㄴ **5** ㄴ, ㄷ **6** ㄴ **7** (가) **8** ⑤

1 계수비는 몰비, 기체의 부피비, 분자 수비와 같으나 질량비와는 같지 않다.

오답 풀이
원자 수비는 $N_2 : H_2 : NH_3 = 2 : 6 : 8 = 1 : 3 : 4$이다.

2 ② 화학 반응식에서 계수는 가장 간단한 정수로 나타내므로 $X + Y_2 \longrightarrow XY_2$이다. X와 Y_2는 1 : 1의 몰비로 반응한다.

선택지 바로 보기
① 화학 반응식에서 반응물의 계수의 총합은 4이다. (×)
→ 반응물의 계수의 합은 2이다.
② X와 Y_2는 1 : 1의 몰비로 반응한다. (○)
→ X와 Y_2의 계수비가 1 : 1이므로 몰비도 1 : 1이다.
③ 화학 반응식은 $2X + 2Y_2 \longrightarrow 2XY_2$이다. (×)
→ 화학 반응식에서 계수는 가장 간단한 정수로 나타내므로 반응식은 $X + Y_2 \longrightarrow XY_2$이다.
④ 반응이 일어나면 전체 분자 수는 증가한다. (×)
→ 분자 수는 감소한다.
⑤ 반응물의 원자 수가 생성물의 원자 수보다 많다. (×)
→ 반응 전후 원자 수는 같다.

3 ㄱ. 부피비는 화학 반응식에서 계수비와 같다.

오답 풀이
ㄴ. 메테인의 분자량은 16이므로 8 g은 0.5 mol이다. 메테인 0.5 mol이 반응하면 이산화 탄소 0.5 mol이 생성된다.
ㄷ. 메테인 1몰이 완전 연소하기 위해서는 산소 2몰, 64 g이 필요하다.

4 ㄴ. CO의 분자량은 28이므로 28 g은 1 mol이다. CO와 O_2의 반응 부피비는 계수비와 같은 2 : 1이다. 따라서 O_2 0.5 mol이 반응한다. 0 ℃, 1기압에서 O_2 0.5 mol의 부피는 11.2 L가 된다.

오답 풀이
ㄷ. CO와 CO_2의 계수비가 1 : 1이므로 CO 1 mol이 반응하면 CO_2 1몰, 즉 44 g이 생성된다.

5 ㄴ. 포도당 수용액 500 g과 설탕 수용액 500 g에 포도당과 설탕이 각각 5 g씩 녹아 있으므로 수용액의 퍼센트 농도는 1 %로 같다.
ㄷ. 설탕의 분자량이 포도당의 분자량보다 크므로 같은 질량의 몰수는 포도당이 설탕보다 크다. 따라서 포도당 수용액에는 설탕 수용액보다 많은 분자가 들어 있다.

오답 풀이
ㄱ. 포도당과 설탕 5 g의 몰수가 다르므로 몰 농도는 다르다.

6 몰 농도(M) $= \frac{\text{용질의 양(mol)}}{\text{용액의 부피(L)}}$이다.
ㄴ. 수산화 나트륨 40 g(=1 mol)을 물에 녹인 용액의 부피가 0.5 L이므로 용액의 농도는 2 M이다.

오답 풀이
ㄱ. 수산화 나트륨 20 g(=0.5 mol)을 물 500 g에 녹이면 용액의 부피가 500 mL보다 커지므로 농도는 1 M보다 작다.
ㄷ. 수산화 나트륨 0.5 mol을 물에 녹여 500 mL의 용액을 만들면 1 M 용액이 된다.

7 염화 나트륨의 화학식량은 Na와 Cl의 원자량을 합한 58.5이다. 0.2 M 염화 나트륨 수용액 500 mL를 만들기 위해서는 0.2 mol/L × 0.5 L = 0.1 mol의 염화 나트륨을 녹여야 한다. 따라서 염화 나트륨 0.1 mol, 즉 5.85 g을 취해서 비커의 증류수에 녹인 후, 500 mL 부피 플라스크에 넣어 표시선까지 증류수를 채우면 된다.

8 NaOH 20 g은 0.5 mol이다. 여기에 증류수를 채워 500 mL로 만들었으므로 몰 농도는 $\frac{0.5\ \text{mol}}{0.5\ \text{L}}$ = 1 M이 된다.

3일 기초 확인 문제 25~27쪽

• 1. 원자 구조와 원자 모형

1 ④ **2** (1) (나) (2) (가) **3** ㉠ 양성자 ㉡ 중성자 ㉢ 원자핵 ㉣ 전자 **4** (1) 빈 공간 (2) (+) (3) 원자핵 **5** (1) 중성자, 전자 (2) 중성자 (3) 중성 **6** (1) 5 (2) 5 (3) 6 **7** (1) A (2) C (3) A, B **8** ③ **9** ① **10** (1) 바닥상태 (2) 흡수 (3) 자외선

1 음극선이 (+)극 쪽으로 휘어지므로 음극선은 (−)전하를 띤 입자의 흐름이다.

오답 풀이

④ 바람개비가 도는 것은 음극선이 질량을 가지는 입자의 흐름이기 때문이다.

2 톰슨은 음극선 실험을 통해 전자를 발견하고, (+)전하를 띤 공 모양의 물질에 (−)전하를 띤 전자가 박혀 있는 원자 모형을 제안했다. 러더퍼드는 알파 입자 산란 실험을 통해 원자핵을 발견하고 (+)전하를 띤 원자핵이 원자의 중심에 있고 원자핵 주위를 (−)전하를 띤 전자가 도는 모형을 제안했다.

3 원자는 양성자, 중성자, 전자라는 기본 입자로 이루어져 있다.

자료 분석 + 원자의 구성 입자

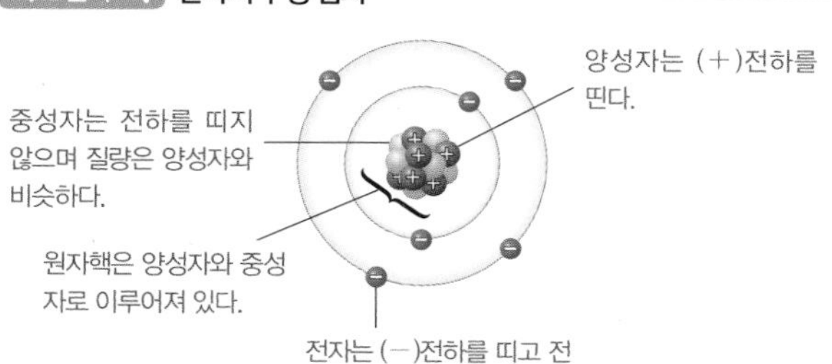
양성자는 (+)전하를 띤다.
중성자는 전하를 띠지 않으며 질량은 양성자와 비슷하다.
원자핵은 양성자와 중성자로 이루어져 있다.
전자는 (−)전하를 띠고 전하량은 양성자와 같다.

원자 가운데에 지름 약 1×10^{-15}~1×10^{-14} m 정도의 원자핵이 있고, 그 주위에 전자가 있다. 양성자와 전자는 서로 반대 부호의 전하를 띠지만 전하량의 크기는 같다.

4 (1) 대부분의 알파 입자가 산란되지 않고 금박을 통과하므로 원자의 대부분은 빈 공간이라는 것을 알 수 있다.
(2) 일부의 알파 입자가 크게 휘어지거나 튕겨 나오므로 알파 입자(헬륨 이온(He^{2+}))와 반발하는 (+)전하를 띠면서 원자의 아주 작은 부분에 밀집되어 있는 입자가 존재한다는 것을 알 수 있다.
(3) 알파 입자 산란 실험을 통해 러더퍼드가 발견한 것은 원자핵이다.

5 (1) 양성자와 중성자는 원자 중심에 밀집되어 원자핵을 이루며 전자는 상대적으로 질량이 매우 작다.
(2) 채드윅은 베릴륨(Be) 원자핵에 알파 입자를 충돌시킬 때 전하를 띠지 않는 입자가 방출되는 것을 발견하여, 원자핵 속 중성자의 존재를 확인하였다.
(3) 원자는 양성자수와 전자 수가 같아 전기적으로 중성이다.

6 (1) $^{11}_{5}B$는 질량수가 11이고 원자 번호가 5이다.
(2) 전자 수는 양성자수(= 원자 번호)와 같으므로 5이다.
(3) 질량수는 양성자수와 중성자수의 합이고 양성자수는 원자 번호와 같은 5이다. 따라서 중성자수는 11 − 5 = 6이 된다.

7 (1) 질량수는 양성자수와 중성자수의 합이므로 질량수가 가장 작은 것은 A이다.
(2) 양성자수는 원자의 원자핵 속에 들어 있는 전하량과 같으므로 원자핵의 전하량이 가장 큰 것은 C이다.
(3) A와 B는 원자핵을 구성하는 양성자수는 같고, 중성자수가 다르므로 동위 원소 관계이다.

자료 분석 + 양성자수, 중성자수, 질량수 관계

원자	A	B	C
양성자수	6	6	7
중성자수	7	8	7
질량수	13	14	14

원자핵의 전하량과 같다.

양성자수가 같고 중성자수가 다른 동위 원소

8 동위 원소는 양성자수, 중성 원자의 전자 수는 같지만 중성자수가 달라 질량수가 다르다. 질량수가 달라 밀도, 녹는점, 끓는점 등 물리적 성질은 다르다. 질량수는 3중 수소가 가장 크다.

1학기 중간·기말

오답 풀이

③ 수소, 중수소, 3중 수소는 모두 전자 수가 1개로 같으므로 화학적 성질이 같다.

9 ②, ③, ⑤ 보어 모형은 원자핵 주위의 전자는 특정한 에너지를 가진 몇 개의 원형 궤도를 따라 빠르게 운동하는데, 이 궤도를 전자 껍질이라고 한다. 전자 껍질은 원자핵에서 가까운 껍질부터 K, L, M, N… 의 기호로 나타내고, 전자는 그 전자가 존재하는 전자 껍질에 해당하는 에너지 준위를 갖는다. 전자 껍질의 에너지 준위는 K<L<M<N<…로 원자핵에서 멀어질수록 높아진다.
④ 보어 모형은 수소 원자의 선 스펙트럼을 설명하기 위해 제안되었다.

오답 풀이

① 전자 껍질의 에너지는 불연속적이다.

10 (1) 수소 원자의 바닥상태는 전자가 원자핵과 가장 가까운 $n=1$인 K 전자 껍질에 존재할 때이다.
(2) 전자가 더 높은 에너지 준위의 전자 껍질로 이동할 때에는 에너지를 흡수하므로, K 껍질에서 L 껍질로 전이할 때는 에너지를 흡수한다.
(3) $n=2$ 이상인 전자 껍질에서 $n=1$인 전자 껍질로 전자가 전이하면 자외선 영역의 빛이 방출된다.

자료 분석 + **원자의 구성 입자**

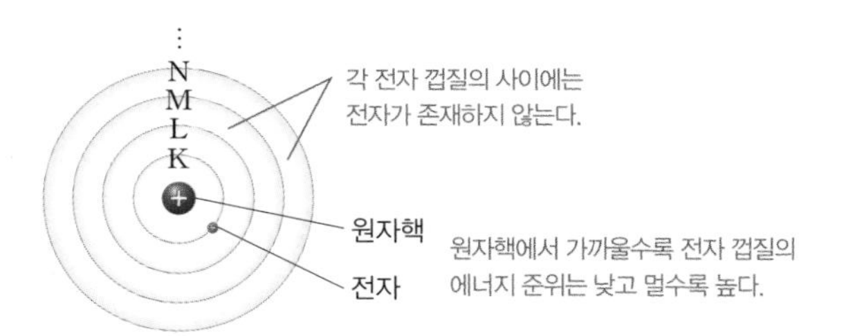
N
M
L
K
각 전자 껍질의 사이에는
전자가 존재하지 않는다.
원자핵
전자
원자핵에서 가까울수록 전자 껍질의
에너지 준위는 낮고 멀수록 높다.

- 수소 원자의 경우 전자가 1개이므로 $n=1$인 전자 껍질에 존재할 때가 바닥상태이다.
- 특정한 전자 껍질에 존재하는 전자가 더 높은 에너지 준위의 전자 껍질로 이동할 때에는 에너지를 흡수하고, 더 낮은 에너지 준위의 전자 껍질로 이동할 때에는 에너지를 방출한다.

3일 내신 기출 베스트 28~29쪽

• 1. 원자 구조와 원자 모형

1 ㄱ, ㄴ **2** ⑤ **3** ④ **4** ㄱ, ㄴ, ㄷ **5** ⑤ **6** ④
7 ㄱ, ㄷ **8** ㄱ

1 ㄱ. 그림자가 생기는 것으로 음극선이 직진함을 알 수 있다.
ㄴ. (−)극에서 나온 입자의 흐름이 (+)극 방향으로 휘어지므로 음극선은 (−)전하를 띰을 알 수 있다.

오답 풀이

ㄷ. 음극선 실험을 통해 발견한 입자는 전자이다.

2 ⑤ α 입자가 튕겨 나오려면 원자 내부에 (+)전하를 띠고 질량이 매우 큰 입자가 있어야 한다. 또한 튕겨 나오는 입자의 비율이 매우 작은 것으로 그 입자의 크기가 매우 작음을 알 수 있다. 따라서 원자 중심에는 (+)전하를 띤 입자가 밀집되어 있다.

오답 풀이

③ 대부분의 α 입자가 금박을 통과하므로 원자의 대부분은 비어 있다.

3 ㄱ. 전자는 (−)전하를 띠며 양성자나 중성자에 비해 질량이 매우 작다.
ㄷ. 양성자와 중성자는 원자핵을 구성하고, 질량이 비슷하다.

오답 풀이

ㄴ. 원자 질량의 대부분을 차지하는 것은 양성자와 중성자로 구성된 원자핵이다.

4 ㄱ. 원자핵을 구성하는 입자 중 전하를 띠지 않는 것은 중성자로 (가)이다.
ㄴ. (다)는 전자로, 모든 원자에 들어 있다.
ㄷ. 원자는 양성자수와 전자 수가 같아 전기적으로 중성이다.

5 ① 질량수는 원소 기호 왼쪽 위에 쓰므로 16이다.
② 원자는 양성자수와 전자 수가 같으므로 중성이다.
③ 원자 번호는 원소 기호 왼쪽 아래에 쓰므로 8이고 양성자수와 같다. 양성자수는 전자 수와 같으므로 전자 수는 8개이다.
④ 중성자수는 질량수에서 양성자수를 빼면 되므로 8개이다.

오답 풀이

⑤ 수소(^{1}H)는 중성자가 없어 질량수와 양성자수가 같다.

6 보어 원자 모형에 따르면 수소 원자에서 전자는 원자핵 주위의 특정한 에너지를 가지는 전자 껍질에만 존재할 수 있다. 전자 껍질의 에너지 준위가 불연속적이므로 특정 파장

의 빛만 방출되며, 수소 원자의 방출 스펙트럼이 선 스펙트럼으로 나타나게 된다.

7 ㄱ. 발머 계열은 모두 가시광선에 해당한다.
ㄷ. 보어 원자 모형은 수소의 선 스펙트럼을 설명하기 위해 제안된 것이다.

오답 풀이
ㄴ. 파장이 짧을수록 빛에너지가 크다. 따라서 a가 b보다 빛에너지가 더 크다.

자료 분석 + 수소 선 스펙트럼

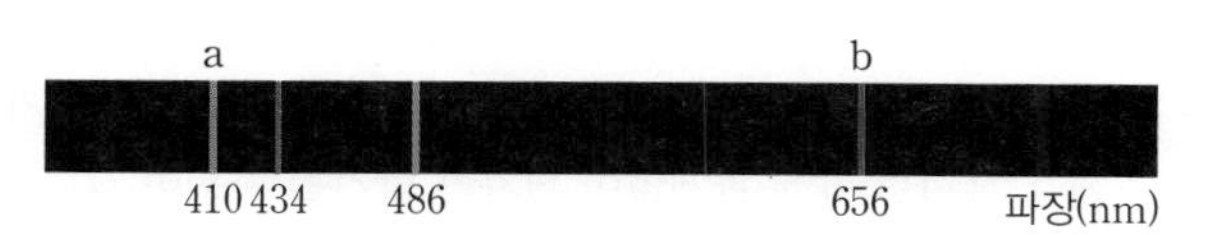

- 위 그림은 전자가 $n \geq 3$에서 $n=2$로 전이할 때로 가시광선이 방출된다.
- 라이먼 계열은 $n \geq 2$에서 $n=1$로 전이할 때로 자외선이 방출된다.
- 파셴 계열은 $n \geq 4$에서 $n=3$으로 전이할 때로 적외선이 방출된다.
- 같은 스펙트럼 계열의 경우 더 높은 에너지 준위의 전자가 전이할수록 방출하는 에너지의 크기가 커진다.

8 ㄱ. n이 작은 전자 껍질에서 큰 전자 껍질로 전이할 때 에너지를 흡수하므로 D, E에서 에너지를 흡수한다.

오답 풀이
ㄴ, ㄷ. A는 자외선, B와 C는 가시광선 영역의 빛을 방출한다. 가장 큰 에너지를 방출하는 것은 자외선 영역의 빛을 방출하는 A이다.

4일 기초 확인 문제 33~35쪽

• 2. 현대 원자 모형과 전자 배치

1 (1) s (2) p (3) p **2** (1) 방위 양자수 (2) 자기 양자수 (3) 주 양자수 **3** ㉠=0, ㉡=2 ㉢=3d **4** ③ **5** (1) 방향성 (2) 전자 (3) 커 **6** (1) ㄴ (2) ㄷ (3) ㄱ **7** (1) 3개 (2) 2개 **8** 해설 참조 **9** ③ **10** ④

1 구형으로 방향성이 없는 것은 s 오비탈이다. p 오비탈은 $n=2$인 전자 껍질부터 존재하며 세 방향의 p_x, p_y, p_z 오비탈이 존재한다.

2 오비탈의 크기와 에너지는 주 양자수(n), 오비탈의 모양은 방위 양자수(l), 오비탈의 방향은 자기 양자수(m_l)가 결정한다.

3 오비탈 기호의 앞 숫자는 주 양자수이다. 방위 양자수(l)에 따라 오비탈의 종류가 달라지는데, $l=0$은 s 오비탈, $l=1$은 p 오비탈, $l=2$는 d 오비탈이다. 따라서 ㉠=0, ㉡=2, ㉢=3d이다.

4 ③ 방위 양자수는 오비탈의 모양을 결정하는 양자수로, 주 양자수가 n인 오비탈은 방위 양자수가 0, 1, 2⋯, $(n-1)$까지 n개 있다.

오답 풀이
①, ④ 수소 원자에서는 에너지 준위가 주 양자수에 의해서만 결정되므로 에너지 준위는 $1s<2s$이고, $2s=2p$이다.
② p 오비탈은 아령 모양으로 방향성이 있다.
⑤ 보어 원자 모형에서 전자 껍질은 전자가 원운동 하는 궤도를 나타낸 것이고, 현대의 원자 모형에서 오비탈은 전자가 존재할 수 있는 확률 분포를 나타낸 것이다.

5 주어진 그림은 공 모양의 s 오비탈을 나타낸다. s 오비탈은 방향성이 없어 전자가 발견될 확률은 방향에 무관하며, 주 양자수 n이 커질수록 오비탈의 크기와 에너지가 커진다.

6 (1) 에너지 준위가 같은 오비탈에 전자가 들어갈 때에는 가능한 쌍을 이루지 않을수록 안정한 상태가 되는 것을 훈트 규칙이라고 한다.
(2) 파울리 배타 원리에 따르면 1개의 오비탈에는 전자가 최대 2개까지 채워질 수 있으며, 이때 두 전자의 스핀 방향은 달라야 한다.
(3) 에너지 준위가 가장 낮은 오비탈부터 차례로 전자가 채워지는 것을 쌓음 원리라고 한다.

7 가장 바깥 오비탈의 주 양자수가 3이므로 전자 껍질 수는 3개이다. $3p$ 오비탈의 전자 배치가 $3p_x^2 3p_y^1 3p_z^1$이므로 홀전자 수는 2개이다.

8 바닥상태의 전자 배치는 쌓음 원리, 파울리 배타 원리, 훈트 규칙을 모두 만족하도록 전자를 배치해야 한다.

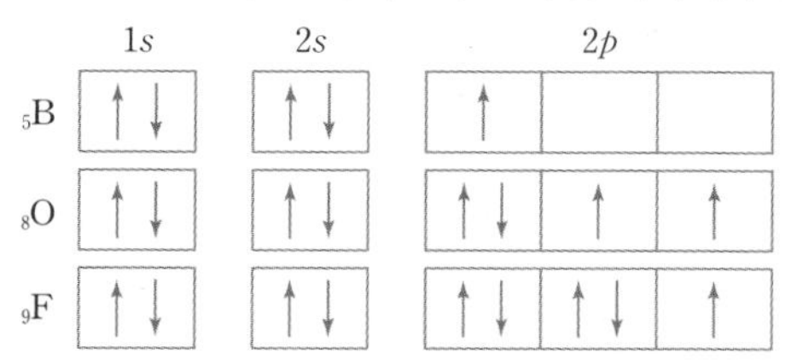

9 바닥상태의 전자 배치는 쌓음 원리, 파울리 배타 원리, 훈트 규칙을 모두 만족해야 한다. 질소의 경우 $1s$, $2s$ 오비탈을 모두 채우고 $2p$ 오비탈을 채워야 하며, 각 오비탈에는 최대 2개의 전자가 스핀 방향이 다르게 들어가야 한다. 또한 홀전자 수가 최대가 되도록 채워야 한다. ①은 훈트 규칙에 어긋난다.

자료 분석 + **전자 배치**

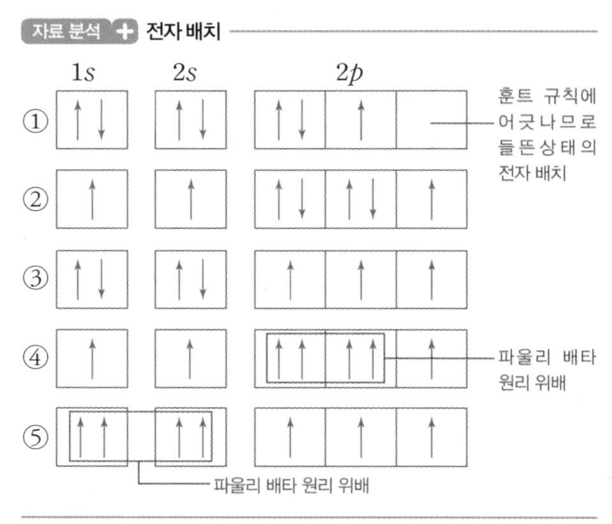

1s
2s
2p
①
②
③
④
⑤
훈트 규칙에 어긋나므로 들뜬상태의 전자 배치
파울리 배타 원리 위배
파울리 배타 원리 위배

10 ① p 오비탈에는 에너지 준위가 같고 방향이 다른 3개의 오비탈이 있으므로 배치될 수 있는 최대 전자 수는 6개이다.
② 헬륨 원자는 전자가 2개로, $1s^2$로 배치된다.
③ 원자가 이온이 될 때에는 비활성 기체와 같은 안정한 전자 배치를 가지려고 전자를 잃거나 얻는다.
⑤ 에너지 준위가 같은 p나 d 오비탈 등에 전자가 배치될 때는 홀전자 수가 많을수록 안정하다.

오답 풀이
④ 원자가 전자를 얻어 음이온이 될 때에는 전자가 채워지지 않은 오비탈 중 에너지 준위가 가장 낮은 오비탈부터 전자가 채워진다.

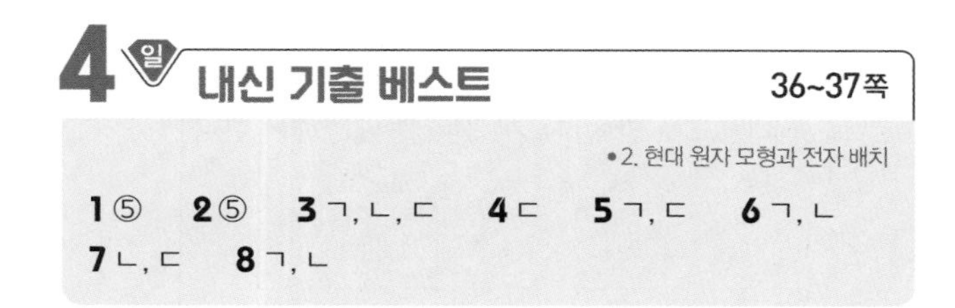
4일 내신 기출 베스트 36~37쪽

• 2. 현대 원자 모형과 전자 배치

1 ⑤ **2** ⑤ **3** ㄱ, ㄴ, ㄷ **4** ㄷ **5** ㄱ, ㄷ **6** ㄱ, ㄴ
7 ㄴ, ㄷ **8** ㄱ, ㄴ

1 ⑤ 현대의 원자 모형은 원자를 나타낼 때 전자가 존재할 수 있는 공간을 확률 분포로 나타낸다.

오답 풀이
① p 오비탈은 아령 모형이다.
② 전자가 존재할 수 있는 공간의 경계가 뚜렷하지 않다.
③ s 오비탈은 공 모양으로 방향성이 없다.
④ 전자 껍질로 설명하는 보어 원자 모형과 연관된 양자수는 주 양자수이다.

2 s 오비탈은 구형으로 방향성이 없다.

3 ㄱ. (나)는 아령 모양이므로 $2p$ 오비탈이다.
ㄴ. 수소 원자에서 에너지 준위는 주 양자수에 의해서만 달라지므로 (가)=(나)이다.
ㄷ. (가)는 $2s$ 오비탈로, s 오비탈은 원자핵으로부터 거리가 같으면 방향에 관계없이 전자가 발견될 확률이 같다.

4 ㄱ. $4s$ 오비탈의 에너지 준위가 $3p$ 오비탈보다 높다.
ㄴ, ㄷ. 수소 원자에서 오비탈의 에너지 준위는 주 양자수에 의해서만 달라지므로 $2s$와 $2p$의 에너지 준위는 같다.

5 ㄱ. 홀전자 수는 오비탈에서 쌍을 이루지 않은 전자로 2개이다.
ㄷ. 중성 원자의 전자 수는 양성자수와 같으므로 양성자수(=원자 번호)는 8이다.

오답 풀이
ㄴ. 원자가 전자는 가장 바깥 전자 껍질의 전자 수로 6이다.

6 ㄱ, ㄷ. (가)는 파울리 배타 원리는 만족하지만 훈트 규칙에 위배되므로 들뜬상태의 전자 배치이다.
ㄴ. (나)는 바닥상태의 전자 배치로 쌓음 원리, 파울리 베타 원리, 훈트 규칙을 만족한다.

자료 분석 + **전자 배치 원리**

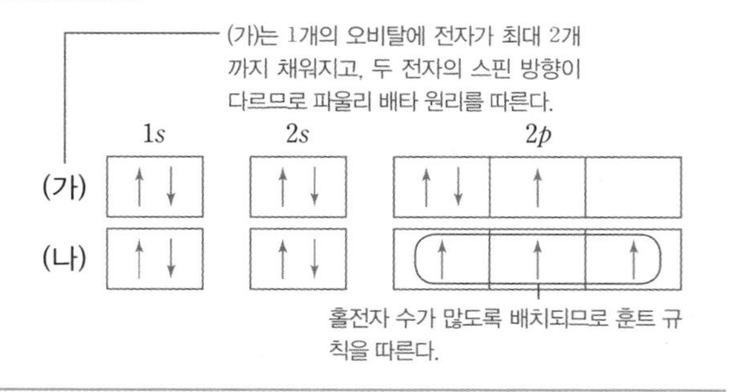

(가)는 1개의 오비탈에 전자가 최대 2개까지 채워지고, 두 전자의 스핀 방향이 다르므로 파울리 배타 원리를 따른다.
1s
2s
2p
(가)
(나)
홀전자 수가 많도록 배치되므로 훈트 규칙을 따른다.

7 ㄴ. 바닥상태의 전자 배치이므로 쌓음 원리를 따른다.
ㄷ. 원자가 전자 수가 7개이므로 안정한 이온이 되기 위해서는 전자 1개를 얻는다. 따라서 $1s^2 2s^2 2p^6 3s^2 3p^6$의 전자 배치가 된다.

오답 풀이

ㄱ. 전자가 배치된 가장 큰 주 양자수가 3이므로 전자 껍질 수는 3개이다.

8 ㄱ. A와 B는 가장 바깥 오비탈의 주 양자수가 2로 같으므로 전자 껍질 수가 같다.

ㄴ. A: $1s^2 2s^2 2p^1$ → 홀전자 1개

B: $1s^2 2s^2 2p^3$ → 홀전자 3개

C: $1s^2 2s^2 2p^6 3s^2$ → 홀전자 0개

D: $1s^2 2s^2 2p^6 3s^2 3p^4$ → 홀전자 2개

따라서 홀전자 수가 가장 많은 것은 B이다.

오답 풀이

ㄷ. D는 전자 2개를 얻어 안정한 이온이 되며 이때 전자 배치는 $1s^2 2s^2 2p^6 3s^2 3p^6$이 된다.

5일 기초 확인 문제 41~43쪽

• 3. 원소의 주기적 성질

1 ② **2** (1) 금속, 비금속 (2) 원자가 전자 (3) 전자 껍질 **3** (1) +1 (2) 화학적 (3) 헬륨 기체 **4** ① **5** ④ **6** (1) +3보다 작다 (2) 가린다 (3) 증가 **7** (1) 원자핵 (2) 작아 (3) 전자 껍질 **8** (1) Li$<$Na (2) S$<S^{2-}$ (3) Na$>$Mg (4) K$>K^+$ (5) $F^-<O^{2-}$ **9** ④ **10** (1) (가) 2주기 (나) 3주기 (2) 감소한다

1 같은 주기 원소들은 전자 껍질 수가 같다.

2 (1) 금속 원소는 주기율표의 주로 왼쪽에 위치하고 비금속 원소는 주로 오른쪽에 위치한다.

(2) 같은 족 원소는 원자가 전자의 수가 같아 화학적 성질이 비슷하다.

(3) 같은 주기 원소들은 전자가 채워져 있는 전자 껍질의 수가 같다.

3 (1) 알칼리 금속은 전자를 잃고 +1가의 양이온이 되기 쉽다.

(2) 17족 원소들은 원자가 전자 수가 7개로 같아 화학적 성질이 비슷하다.

(3) 헬륨, 네온, 아르곤 등의 비활성 기체는 18족 원소로 반응성이 거의 없다.

4 비금속 원소는 대부분 상온에서 기체나 고체 상태로 존재하지만, 브로민(Br_2)은 상온에서 액체 상태이다.

5 ㄱ. A와 B는 둘 다 1주기 원소이다.

ㄷ. E, F는 할로젠 원소로 금속과 반응하여 −1가 음이온이 되기 쉽다.

오답 풀이

ㄴ. C, D, E는 같은 주기 원소로 전자 껍질 수가 같다.

6 (1), (2) K 전자 껍질에 있는 전자들이 핵전하를 가리는 가려막기 효과가 나타나 원자가 전자가 느끼는 핵전하는 +3보다 작다.

(3) 같은 주기에서 원자 번호가 클수록 양성자수가 증가하여 핵전하가 커지므로 유효 핵전하는 증가한다.

자료 분석 + Li의 유효 핵전하

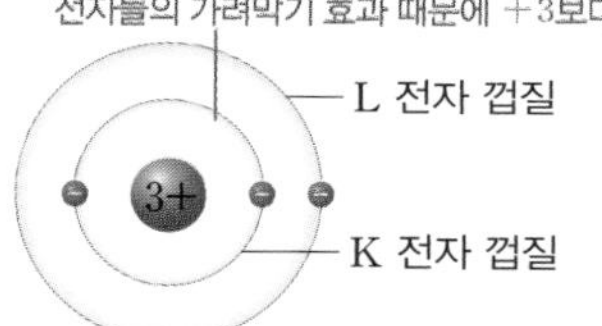
원자가 전자가 실제 느끼는 핵전하는 안쪽 껍질 전자들의 가려막기 효과 때문에 +3보다 작다.
L 전자 껍질
3+
K 전자 껍질

7 (1) 일반적으로 원자 반지름은 같은 종류의 두 원자가 서로 결합할 때, 두 원자핵 간 거리의 $\frac{1}{2}$로 정의한다.

(2) 같은 주기에서는 원자 번호가 증가할수록 유효 핵전하가 증가하여 원자 반지름이 작아진다.

(3) 같은 족에서는 원자 번호가 증가할수록 전자 껍질 수가 증가하여 원자 반지름이 커진다.

8 (1) Li과 Na은 같은 족 원소이므로 전자 껍질 수가 많은 Na의 반지름이 더 크다. → Li$<$Na

(2) 원자가 전자를 받아 음이온이 되면 전자 수가 많아져 전자 간 반발력이 증가하여 이온 반지름이 커진다. → S$<S^{2-}$

(3) 원자 반지름은 같은 주기에서 원자 번호가 커질수록 유효 핵전하가 증가하여 감소한다. → Na$>$Mg

(4) 금속 원소가 전자를 잃고 양이온이 되면 전자 껍질 수가 감소하므로 양이온의 반지름이 작아진다. → K$>K^+$

(5) F^-, O^{2-}은 등전자 이온이므로 핵전하량이 작아 유효 핵전하가 작은 O^{2-}의 반지름이 더 크다. → $F^-<O^{2-}$

9 ④ 이온화 에너지는 같은 주기에서는 원자 번호가 클수록 대체로 증가한다.

오답 풀이

① 이온화 에너지가 작을수록 양이온이 되기 쉽다.

② N의 전자 배치는 $1s^2 2s^2 2p^3$으로, $2p$ 오비탈에 채워진 전자가 모두 홀전자로 존재한다. O의 전자 배치는 $1s^2 2s^2 2p^4$로, $2p$ 오비탈에 전자쌍이 존재하여 전자 사이의 반발력이 작용하여 전자를 떼어 내기가 상대적으로 더 쉽다. 따라서 N가 O보다 이온화 에너지가 더 크다.
③ 같은 족에서는 원자 번호가 증가할수록 원자 반지름이 증가하여 원자핵과 전자 사이의 인력이 약해지므로 이온화 에너지가 감소하게 된다.
⑤ 이온화 에너지는 기체 상태의 원자 1몰에서 전자 1몰을 떼어 내는 데 필요한 최소 에너지이다.

10 같은 족에서는 원자 번호가 증가할수록 원자 반지름이 증가하여 원자핵과 전자 사이의 인력이 약해지므로 이온화 에너지가 감소한다. 따라서 (가)는 2주기, (나)는 3주기 원소이다.

자료 분석 + 이온화 에너지의 주기성

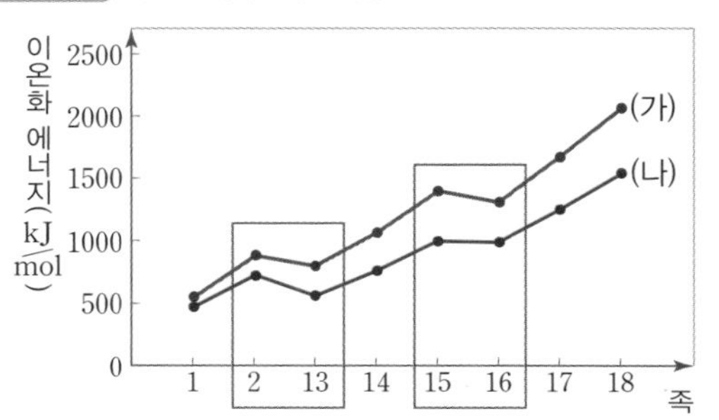

- 이온화 에너지는 같은 주기에서 대체로 증가한다. → 2족과 13족, 15족과 16족에서는 주기성에서 예외가 나타난다. 즉 오비탈의 전자 배치를 비교해 볼 때 2족보다 13족이, 15족보다 16족이 전자를 떼어 내기가 쉬워 이온화 에너지가 더 작다.
- 이온화 에너지는 같은 족에서는 원자 번호가 클수록 반지름이 커져 인력이 약해져 이온화 에너지가 감소한다. 즉 주기가 클수록 이온화 에너지가 작다. → (나)의 이온화 에너지가 더 작으므로 (나)가 3주기이다.

5일 내신 기출 베스트 44~45쪽

• 3. 원소의 주기적 성질

1 ① **2** ㄱ, ㄴ, ㄷ **3** ④ **4** ③ **5** ③ **6** ㄱ, ㄴ **7** ③ **8** ⑤

1 ① 2주기와 3주기에는 원소가 8개 배치된다.

오답 풀이
② 같은 족 원소는 화학적 성질이 비슷하다.
③ 현대의 주기율표는 원소를 원자 번호 순서대로 배열하였다.
④ 비금속 원소는 주로 주기율표의 오른쪽에 위치한다.
⑤ 준금속은 금속과 비금속의 중간 성질을 나타내거나 양쪽의 성질을 모두 나타내는 원소로, B, Si, Ge 등이 있으며 Al은 금속 원소이다.

2 ㄱ. 알칼리 금속은 수소를 제외한 1족 원소로, 원자가 전자 수가 같다.
ㄴ. 알칼리 금속은 물과 반응하여 수소 기체를 발생한다.
$2Na + 2H_2O \longrightarrow 2NaOH + H_2$
ㄷ. 알칼리 금속은 전자 1개를 잃고 +1가 양이온이 되기 쉽다.

3 A는 수소(H), B는 헬륨(He), C는 리튬(Li), D는 질소(N), E는 마그네슘(Mg), F는 인(P), G는 염소(Cl)이다.
① B와 G는 헬륨과 염소로 비금속 원소이다.
② A와 B는 1주기 원소이다.
③ D와 F는 같은 족 원소로 원자가 전자 수가 같다.
⑤ C와 E는 전자를 잃고 각각 +1, +2가의 양이온이 되기 쉽다.

오답 풀이
④ G는 다른 원소와의 반응성이 큰 할로젠 원소이다.

4 ③ 원자핵과 가까운 안쪽 전자 껍질에 있는 전자일수록 가려막기 효과가 작으므로 유효 핵전하가 크다.

오답 풀이
①, ⑤ 같은 주기에서 원자 번호가 클수록 전자 수가 증가하여 가려막기 효과가 커지지만 핵전하도 증가한다. 가려막기 효과의 증가보다는 핵전하의 증가가 더 크므로 유효 핵전하는 증가한다. 따라서 F의 유효 핵전하가 Li보다 크다.
② 가려막기 효과 때문에 전자가 실제로 느끼는 유효 핵전하는 원자핵의 전하량보다 작다.
④ 다전자 원자에서 다른 전자들이 원자핵의 양전하를 가리므로 전자가 느끼는 핵전하의 크기가 감소한다.

5 ③ 같은 주기에서 원자 번호가 커져도 이온화 에너지가 감소하는 경우가 있다. 예를 들면 B가 Be보다, O가 N보다 이온화 에너지가 작다.
Be의 바닥상태 전자 배치는 $1s^2 2s^2$이므로 이온이 되려면 $2s$ 오비탈의 전자를 떼어 내야 하며, B는 전자 배치가 $1s^2 2s^2 2p^1$이므로 $2p$ 오비탈의 전자를 떼어 내야 한다. $2p$ 오비탈의 에너지 준위가 $2s$ 오비탈보다 더 높으므로 전자를 떼어 내는 데 필요한 이온화 에너지는 B가 Be보다 작다.
N의 바닥상태 전자 배치는 $1s^2 2s^2 2p^3$이므로 이온이 되려면 $2p$ 오비탈의 홀전자를 떼어 내야 하며, O는 전자 배치가 $1s^2 2s^2 2p^4$이므로 $2p$ 오비탈의 쌍을 이룬 전자를 떼어 내야

한다. 쌍을 이룬 전자는 전자 사이의 반발력이 작용하여 홀전자보다 떼어 내기가 쉬우므로 이온화 에너지는 O가 N보다 작다.

6 ㄱ. 같은 족에서는 원자 번호가 클수록 전자 껍질 수가 많아 원자 반지름이 커진다. 따라서 Na은 Li보다 원자 반지름이 크다.

ㄴ. 같은 족에서는 원자 번호가 증가할수록 원자 반지름이 증가하여 원자핵과 전자 사이의 인력이 약해지므로 이온화 에너지가 감소한다. 따라서 비활성 기체 중 He의 이온화 에너지가 가장 크다.

오답 풀이

ㄷ. 같은 주기에서 알칼리 금속은 다른 족 원소에 비해 이온화 에너지가 작다.

7 ㄱ, ㄴ. 나트륨이 전자를 잃고 양이온이 되면, 전자 껍질 수가 감소함에 따라 유효 핵전하가 증가한다. 따라서 원자핵이 전자를 더 강하게 끌어당기므로 양이온은 원자보다 크기가 작아진다.

오답 풀이

ㄷ. 염소(Cl)가 염화 이온(Cl^-)이 되면 전자 껍질 수는 변하지 않고 전자 수 증가로 전자 사이의 반발력이 증가하여 이온 반지름이 커진다.

8 ㄱ. Na은 3주기 원소이고 H는 1주기 원소이다. 전자 껍질 수가 많은 Na의 원자 반지름이 H보다 크다.

ㄴ. S은 3주기 16족 원소, Na은 3주기 1족 원소로 같은 주기에서는 원자 번호가 클수록 대체로 이온화 에너지가 커지므로 S의 이온화 에너지가 Na보다 크다.

ㄷ. Be과 O는 같은 2주기 원소이므로 전자가 들어 있는 전자 껍질 수가 같다.

6일 누구나 100점 테스트 1회 46~47쪽

• 범위 | I. 화학의 첫걸음 ~ II. 원자의 세계(1)

1 ⑤ **2** ③ **3** $CH_4(g) + 2O_2(g) \longrightarrow CO_2(g) + 2H_2O(g)$ **4** ③ **5** ③ **6** ③ **7** ④ **8** ④ **9** ①
10 ㉠ 전자 ㉡ 원자핵 ㉢ 양성자 ㉣ 중성자

1 최초의 합성 섬유는 나일론이다.

2 주어진 구조와 설명을 볼 때 화합물은 에탄올로 C_2H_5OH이다.

메테인은 CH_4, 에테인은 C_2H_6, 아세트산은 CH_3COOH, 포도당은 $C_6H_{12}O_6$이다. 이들은 모두 탄소 화합물이다.

3 반응물인 메테인(CH_4)과 산소(O_2)는 화살표 왼쪽에, 생성물인 이산화 탄소(CO_2)와 수증기(H_2O)는 화살표 오른쪽에 쓰고 각 물질을 '+'로 연결한다. 반응 전후 원자의 종류와 수가 같도록 화학식 앞의 계수를 맞춘다. 이때 계수는 가장 간단한 정수로 나타내고, 1은 생략한다. 물질의 상태는 괄호 안에 기호로 표시한다.

자료 분석 + 메테인의 연소 반응식

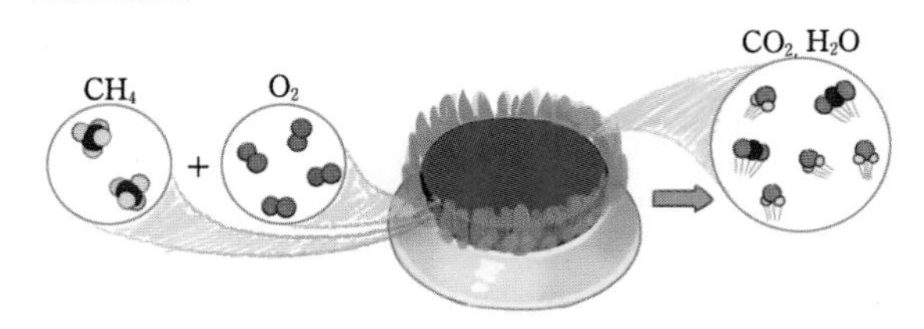

$2CH_4 + 4O_2 \longrightarrow 2CO_2 + 4H_2O$에서 계수는 가장 간단한 정수로 나타내야 하므로 화학 반응식은
$CH_4 + 2O_2 \longrightarrow CO_2 + 2H_2O$이며 여기에 각 물질 뒤에 괄호로 상태를 표시한다. 모두 기체이므로 (g)를 붙여준다.

4 X의 원자량이 24이고, 4X=3Y, 3Z=X의 식이 성립한다. 따라서 Z의 원자량은 8이며, Y의 원자량은 32이므로, YZ의 화학식량은 40이다.

5 ①, ② 0 ℃, 1기압에서 기체 1몰의 부피는 22.4 L이므로 11.2 L는 0.5 mol이다. 질소(N_2) 1몰의 질량은 28 g이므로 0.5 mol의 질량은 14 g이다.

④ 수소 기체의 분자량은 2이므로 1 g은 0.5 mol이다.

⑤ 0 ℃, 1기압에서 산소 기체 16 g은 0.5 mol이므로 부피는 11.2 L이다.

오답 풀이

③ 질소 기체(N_2) 0.5 mol에는 질소 원자(N)가 1 mol, 즉 6.02×10^{23}개 들어 있다.

6 ㄱ. 계수비는 몰비와 같으므로 탄산 칼슘과 묽은 염산은 1 : 2의 몰비로 반응한다.

ㄴ. $CaCO_3$ 100 g은 1몰이다. $CaCO_3$ 1몰이 완전히 반응하면 이산화 탄소 1몰, 즉 44 g이 생성된다.

오답 풀이

ㄷ. $CaCO_3$ 10 g은 0.1몰이고, $CaCO_3$과 HCl은 1 : 2의 몰비로 반응하므로 HCl 0.2몰이 필요하다. 따라서 $CaCO_3$ 10 g이 완전히 반응하는 데 필요한 1 M HCl(aq)의 최소 부피는 200 mL이다.

7 질량 퍼센트 농도는 $\frac{\text{용질의 질량(g)}}{\text{용액의 질량(g)}} \times 100$이므로

$\frac{10}{(90+10)} \times 100$으로 구한다.

8 ④ 몰 농도는 용액 1 L 속에 들어 있는 용질의 양(mol)이므로 포도당 0.5 mol(또는 90 g)을 물에 녹여 1 L를 만들면 0.5 M 수용액이 된다.

오답 풀이

③ 포도당 180 g은 1몰이므로 물에 녹여 1 L를 만들면 1 M 용액이 된다.

⑤ 포도당 90 g은 0.5몰이므로 물에 녹여 500 mL(=0.5 L)를 만들면 1 M 용액이 된다.

9 톰슨이 음극선 실험으로 발견한 원자의 구성 입자는 전자이다.

선택지 바로 보기

① 톰슨은 음극선 실험으로 전자를 발견하였다. (○)
→ 진공 유리관의 양 끝에 전극을 설치한 뒤 높은 전압을 걸어 줄 때 발생하는 음극선의 성질을 실험을 통해 알아냄으로써 전자를 발견했다.

② 음극선은 전기장에서 (−)극 방향으로 휜다. (×)
→ 음극선은 (−)전하를 띤 입자의 흐름이므로 전기장에서 (+)극 방향으로 휜다.

③ 톰슨은 원자핵 주위를 전자가 운동하는 원자 모형을 제안하였다. (×)
→ (+)전하를 띠는 공 모양의 물질 속에 (−)전하를 띠는 전자가 박혀 있는 원자 모형을 제안하였다.

④ 채드윅은 베릴륨에 알파 입자를 충돌시키는 실험으로 양성자를 발견하였다. (×)
→ 채드윅은 중성자를 발견하였다.

⑤ 음극선의 진행 경로에 둔 바람개비가 도는 것은 음극선이 직진하기 때문이다. (×)
→ 질량을 가진 입자가 바람개비에 부딪히면 바람개비가 회전한다. 즉 전자가 질량을 가지기 때문이다.

10 모든 원자는 (+)전하를 띠는 원자핵과 (−)전하를 띠는 전자로 구성되어 있고, 원자핵은 (+)전하를 띠는 양성자와 전하를 띠지 않는 중성자로 이루어져 있다.

6일 누구나 100점 테스트 2회

48~49쪽

• 범위 | II. 원자의 세계

1 ④ 2 ⑤ 3 ③ 4 ② 5 ④ 6 ㄱ, ㄴ 7 ①
8 ⑤ 9 ⑤ 10 ⑤

1 ㄴ. 동위 원소는 양성자수는 같고 중성자수가 달라서 질량수가 다르다. (가)는 질량수가 35, (나)는 질량수가 37이므로 중성자수는 (나)가 (가)보다 많다.
ㄷ. 동위 원소는 양성자수가 같고 전자 수가 같으므로 화학적 성질은 같다.

오답 풀이

ㄱ. X의 평균 원자량은 ((가)의 원자량×존재 비율)+((나)의 원자량×존재 비율)로 구한다. 즉, $\left(35 \times \frac{75}{100}\right)+\left(37 \times \frac{25}{100}\right)=35.5$이다.

2 ①, ② 주어진 그림은 전자가 특정한 에너지를 가지는 원형 궤도를 돌고 있는 모형으로 보어 원자 모형이다.
③ 보어 원자 모형은 수소 원자의 선 스펙트럼을 설명하기 위해 보어가 제안한 것이다.
④ 전자가 존재할 수 있는 특정한 에너지 준위의 원형 궤도를 전자 껍질이라고 한다.

오답 풀이

⑤ 원자핵 가까이에 있는 전자 껍질일수록 에너지가 낮다.

3 ③ 전자가 발견될 확률 분포를 나타낸 것을 오비탈이라고 하는데, 현대의 원자 모형은 오비탈로 전자의 상태를 나타낸다.

오답 풀이

① s 오비탈은 공 모양이다.
② p 오비탈은 대칭형이다.
④ 주 양자수가 결정되면 방위 양자수의 수가 결정된다.
⑤ 전자 껍질로 설명하는 보어 원자 모형의 전자 껍질과 연관된 양자수는 주 양자수이다.

4 ㄴ. p 오비탈의 에너지 준위는 $p_x=p_y=p_z$이다.

오답 풀이

ㄱ. 주 양자수가 같을 때는 d 오비탈의 에너지 준위가 p 오비탈보다 항상 높다.
ㄷ. 수소 원자에서 오비탈의 에너지 준위는 주 양자수에 의해서만 달라진다.

5 ④ 전자가 M 껍질 이상에서 L 껍질로 전이할 때는 발머 계열의 가시광선이 방출된다.

오답 풀이

① K 껍질에서 L 껍질로 전이할 때는 에너지를 흡수한다.

6 A^{2-}은 원자 A가 전자 2개를 얻어 생성되므로 A의 바닥상태 전자 배치는 $1s^2 2s^2 2p^4$이다. 따라서 총 전자 수는 8개이고 홀전자 수는 2개이다.

7 주어진 전자 배치는 바닥상태의 전자 배치로 훈트 규칙과 파울리 배타 원리에 어긋나지 않으며 원자가 전자 수는 7개이며 홀전자 수는 1개이다.

자료 분석 + **플루오린의 전자 배치**

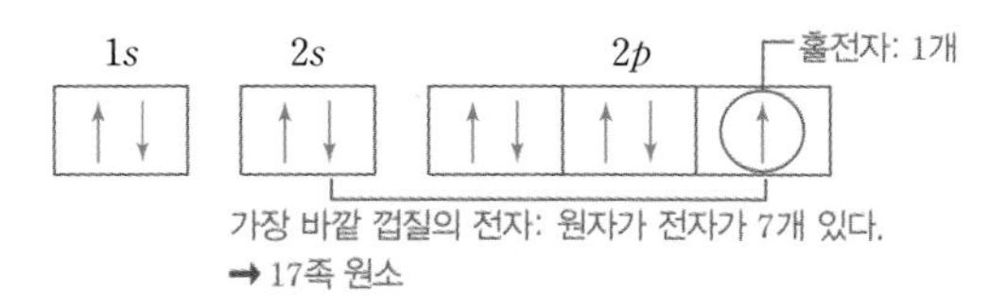

• 바닥상태 전자 배치로 훈트 규칙, 파울리 배타 원리, 쌓음 원리를 따른다.

8 주어진 그림은 전자를 필요로 하지 않는 안정한 비활성 기체를 나타낸다. 비활성 기체는 18족 원소로 다른 원소와 거의 반응하지 않는다.

9 원자 번호가 연속인 2, 3주기 원소이므로 이온화 에너지가 가장 큰 C는 네온(Ne), 가장 작은 D는 나트륨(Na)이다. A는 붕소(B), B는 플루오린(F), E는 마그네슘(Mg)이다.
ㄴ. 같은 족에서는 원자 번호가 커질수록 전자 껍질 수가 증가하여 원자 반지름이 증가하며, 같은 주기에서는 원자 번호가 작을수록 유효 핵전하가 작아 원자 반지름이 증가한다. 따라서 주어진 원소 중 원자 반지름은 3주기 1족 원소인 D(나트륨, Na)가 가장 크다.
ㄷ. B는 플루오린으로 이온 반지름이 원자 반지름보다 크다.

오답 풀이
ㄱ. A는 13족, E는 2족 원소로 다른 족이다.

자료 분석 + **이온화 에너지의 주기성**

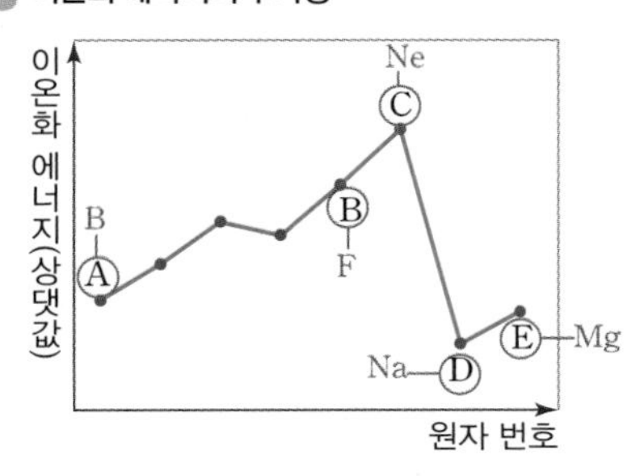

• 같은 주기에서는 원자 번호가 증가할수록 유효 핵전하가 증가하고 원자 반지름이 감소하여 원자핵과 전자 사이의 인력이 강해지므로 이온화 에너지가 대체로 증가한다.
• 같은 족에서는 원자 번호가 증가할수록 원자 반지름이 증가하여 원자핵과 전자 사이의 인력이 약해지므로 이온화 에너지가 감소하게 된다.

10 원자가 전자를 모두 떼어 낸 후 안쪽 전자 껍질의 전자를 떼어 낼 때에는 전자 껍질이 감소하여 유효 핵전하가 커지기 때문에 이온화 에너지가 급격하게 증가한다.
A~C는 3주기 원소이고, A는 E_2가 급격히 증가하므로 원자가 전자 수가 1인 나트륨(Na), B는 E_4가 급격히 증가하므로 원자가 전자 수가 3인 알루미늄(Al), C는 E_3가 급격히 증가하므로 원자가 전자 수가 2인 마그네슘(Mg)이다.
④ 같은 주기에서는 원자 번호가 증가할수록 유효 핵전하가 증가하기 때문에 원자 반지름이 작아진다. 따라서 원자 반지름은 A가 C보다 크다.

오답 풀이
⑤ B가 안정한 이온이 되는 데 필요한 최소 에너지는 578+1817+2745=5140(kJ/mol)이다.

자료 분석 + **순차적 이온화 에너지**

원소	순차적 이온화 에너지(kJ/mol)			
	E_1	E_2	E_3	E_4
A	496	4562	6912	9643
B	578	1817	2745	11577
C	738	1451	7733	10540

E_2가 급격히 증가 / E_3가 급격히 증가 / E_4가 급격히 증가

6일 서술형·사고력 테스트 50~51쪽

• 범위 | I. 화학의 첫걸음 ~ II. 원리의 세계

1 (1) 수소 : 산소=2 : 1 (2) 해설 참조 **2** (1) 반응물: X_2, Y_2 생성물: XY_2 (2) 해설 참조 **3** (1) O_2=CH_4=NH_3 (2) 해설 참조 **4** (1) 18 g (2) 해설 참조 **5** 해설 참조 **6** 해설 참조 **7** (1) (가): 유효 핵전하, (나) 원자 반지름 (2) 해설 참조 (3) 해설 참조

1 (1) 물 분자 1개는 수소 원자 2개와 산소 원자 1개로 구성된다.
(2) **모범 답안** **물 1몰의 분자량은 18이다. 물의 밀도가 1 g/mL이므로 물 180 mL는 180 g이다. 따라서 물 1컵은 10 mol이다.**

	채점 기준	배점(%)
(1)	원소와 개수비를 옳게 쓴 경우	40
(2)	분자의 양을 구하는 과정을 옳게 서술한 경우	60

2 (2) **모범 답안** **X_2 분자 1개와 Y_2 분자 2개가 반응하여 XY_2 분자 2개를 생성하므로 화학 반응식의 계수비는 X_2 : Y_2 : XY_2=1 : 2 : 2가 된다. 따라서 이 반응의 화학 반응식은 $X_2+2Y_2 \longrightarrow 2XY_2$이다.**
그림에서 X_2 분자 1개와 Y_2 분자 2개가 반응하여 XY_2 분

자 2개를 생성하고 Y_2 분자 1개는 남았다.

	채점 기준	배점(%)
(1)	반응물과 생성물을 옳게 쓴 경우	40
(2)	반응 몰비를 구하는 과정을 옳게 서술한 경우	30
	화학 반응식을 옳게 완성한 경우	30

3 (1) 아보가드로 법칙에 따르면 같은 온도와 압력에서 모든 기체는 같은 부피 속에 같은 수의 분자가 들어 있으므로 분자 수는 $O_2=CH_4=NH_3$이다.

(2) 모범 답안 **$O_2>NH_3>CH_4$, 같은 부피 속에 들어 있는 기체의 분자 수가 같으므로 세 기체의 질량비는 분자량의 비와 같다. 분자량은 O_2은 32, CH_4은 16, NH_3는 17이다.**

	채점 기준	배점(%)
(1)	분자 수의 크기를 옳게 비교한 경우	40
(2)	질량을 옳게 비교하고 그 이유를 옳게 서술한 경우	60

4 (1) 몰 농도$=\dfrac{\text{용질의 양(mol)}}{\text{용액의 부피(L)}}$이다. 0.2 M 포도당 500 mL 수용액을 만들기 위해서는 $0.2\times0.5=0.1$ (mol)의 포도당이 필요하다. 따라서 $180\times0.1=18$ (g)의 포도당을 녹여야 한다.

(2) 모범 답안 **포도당 18 g을 증류수에 녹인 후 500 mL의 부피 플라스크에 넣어 표시선까지 증류수를 채운다.**

	채점 기준	배점(%)
(1)	포도당 18 g을 쓴 경우	40
(2)	수용액 제조 방법을 옳게 서술한 경우	60

5 모범 답안 **(1) 원자의 대부분은 비어 있음을 알 수 있다.**

(2) α 입자의 경로에 영향을 줄 수 있는 질량이 큰 입자가 원자 내부에 있고 이 입자는 반발력으로 α 입자를 튕겨 나오게 하므로 (+)전하를 띤 입자임을 알 수 있다.

(3) (+)전하를 띤 원자핵이 원자의 중심에 있고 원자핵 주위를 (−)전하를 띤 전자가 돌고 있다.

대부분의 α 입자가 산란되지 않고 금박을 통과하므로 원자의 대부분은 빈 공간이다. 또한 극히 일부의 α 입자가 크게 휘어지거나 튕겨 나오므로 (+)전하를 띠고 있어 α 입자(He^{2+})와 반발하는 입자가 원자의 아주 작은 부분에 밀집되어 존재한다는 것을 알 수 있다.

	채점 기준	배점(%)
(1)	(가)로 알 수 있는 내용을 옳게 쓴 경우	30
(2)	(나)로 알 수 있는 내용을 옳게 쓴 경우	40
(3)	러더퍼드 원자 모형을 옳게 서술한 경우	30

6 모범 답안 **바닥상태 전자 배치에서 에너지 준위가 같은 오비탈에 전자가 들어갈 때에는 홀전자 수가 많을수록 안정하다는 훈트 규칙에 위배된다.**

$2p$의 세 오비탈과 같이 에너지 준위가 같은 오비탈에 전자가 들어갈 때에는 가능한 한 쌍을 이루지 않을수록 안정한 상태가 된다.

채점 기준	배점(%)
훈트 규칙에 위배된다는 내용을 옳게 쓴 경우	100
훈트 규칙에 위배된다는 내용을 쓰지 못한 경우	0

7 (1) (가)는 유효 핵전하이고, (나)는 원자 반지름이다.

모범 답안 **(2) 같은 주기에서 원자 번호가 커질 때 유효 핵전하는 증가하고 원자 반지름은 감소한다.**

(3) 같은 족에서는 원자 번호가 커질수록 전자 껍질 수가 증가하므로 원자핵과 원자가 전자 사이의 거리가 멀어져 원자핵과 전자 사이의 인력이 감소하여 원자 반지름이 증가한다.

같은 주기에서는 원자 번호가 증가할수록 양성자수가 증가하므로 유효 핵전하가 커져 핵과 전자 사이의 인력이 증가한다. 그러나 주기가 바뀔 때 유효 핵전하는 전자 껍질이 하나 더 늘어나기 때문에 급격히 감소한다.

	채점 기준	배점(%)
(1)	(가)와 (나)를 옳게 쓴 경우	20
(2)	같은 주기에서 유효 핵전하와 원자 반지름의 변화를 옳게 서술한 경우	40
(3)	같은 족에서 원자 반지름의 변화를 주어진 용어를 사용하여 옳게 서술한 경우	40

자료 분석 + 원자 반지름과 유효 핵전하의 주기성

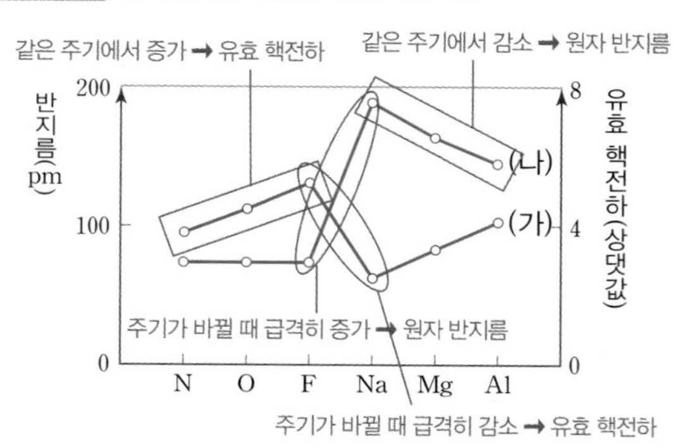

- 같은 주기에서는 원자 번호가 증가할수록 유효 핵전하가 증가하기 때문에 원자 반지름이 작아진다.
- 주기가 바뀔 때 전자 껍질이 하나 더 늘어나기 때문에 유효 핵전하는 급격히 감소한다.

6일 창의·융합·코딩 테스트 52~53쪽

• 범위 | I. 화학의 첫걸음 ~ II. 원자의 세계

1 ⑤ **2** ④ **3** ④ **4** ⑤ **5** ⑤ **6** ② **7** A: 이온화 에너지, B: 유효 핵전하, C: 원자 반지름

1 아세트산은 강한 자극성 냄새가 나는 무색 액체로, 식초에 2~5 % 정도 들어 있다. 화학식은 CH_3COOH로 탄소, 수소, 산소 원자로 이루어진 탄소 화합물이다.

2 탄소 1몰의 질량은 원자량에 g을 붙인 것과 같고 수증기와 산소 1몰의 질량은 각 분자량에 g을 붙인 것과 같다.
원소(C)의 원자량은 12, 수증기(H_2O)의 분자량은 18, 산소(O_2)의 분자량은 32이다.

3 에탄올의 분자량은 46으로, 에탄올 23 g은 0.5 mol이다. 화학 반응식의 계수비는 몰비와 같으므로 생성되는 이산화 탄소는 1 mol, 즉 44 g이 생성된다. 모든 기체는 0 ℃, 1기압에서 기체 1몰의 부피는 22.4 L이므로 생성되는 이산화 탄소 1몰의 부피는 22.4 L이다.

4 원소 기호의 왼쪽 위에 질량수, 왼쪽 아래에 원자 번호를 쓴다. 원자 번호가 6번이므로 탄소이며 질량수가 다른 동위 원소이다.

5 질소는 원자 번호가 7번으로 $1s^2 2s^2 2p_x^1 2p_y^1 2p_z^1$이다. 따라서 엄지손가락 1개만 든 학생은 C, D, E이다.

6 같은 족 원소는 바로 옆에 있게 해야 하므로 같은 족인 Li과 Na은 이웃하게 둔다. 원자 반지름이 가장 큰 원소는 3주기 1족 원소인 Na이므로 Na 맞은편에 비활성 기체 Ar을 놓는다. 음이온이 되기 쉬운 두 원소는 O와 F이다. 할로젠 원소는 F이고 다이아몬드 성분 원소는 C이다. 이 규칙에 따라 배치하면 C 맞은편에는 O가 위치한다.

7 같은 주기에서 원자 번호가 클수록 대체로 증가하는 것은 유효 핵전하와 이온화 에너지이다. 같은 족에서 원자 번호가 클수록 감소하는 것은 이온화 에너지이다.

7일 학교시험 기본 테스트 1회 54~57쪽

• 범위 | I. 화학의 첫걸음 ~ II. 원자의 세계

1 ④ **2** ② **3** $C(s) + O_2(g) \longrightarrow CO_2(g)$ **4** ⑤ **5** ①
6 ⑤ **7** ④ **8** ⑤ **9** ③ **10** ② **11** ⑤ **12** ①
13 ⑤ **14** ④ **15** ③ **16** ② **17** ① **18** ①
19 ③ **20** ㄱ, ㄴ

1 공기 중의 질소는 원자 간에 3중 결합으로 강한 결합을 하고 있어 매우 안정하다. 따라서 철 촉매를 사용하여 고온, 고압의 조건하에서 질소와 수소를 반응시켜 암모니아를 합성한다.

2 ㄷ. 메테인은 탄소와 수소로 이루어져 완전 연소하면 이산화 탄소와 물이 생성된다.

오답 풀이
ㄱ. 메테인은 정사면체 구조로 정사면체 중심에 탄소 원자가 위치하며, 각 수소 원자들은 정사면체의 꼭짓점에 배열되어 있다.
ㄴ. 메테인은 액화 천연가스(LNG)의 주성분이다.

3 반응물과 생성물의 화학식을 화살표 왼쪽과 오른쪽에 각각 쓰고 반응물 또는 생성물이 두 가지 이상이면 각 물질을 '+'로 연결한다.
$C + O_2 \longrightarrow CO_2$
반응 전후 원자의 종류와 수가 같으므로 물질의 상태를 넣어준다. 숯은 고체로 s, 산소와 이산화 탄소는 기체로 g로 표시한다.
$C(s) + O_2(g) \longrightarrow CO_2(g)$

4 원자와 같이 매우 작은 입자의 수를 나타낼 때 화학자들은 몰이라는 묶음 단위를 사용한다. 1몰은 6.02×10^{23}개의 입자를 뜻하며, 이 수를 아보가드로수라고 한다. 아보가드로수에 물질의 양(mol)을 곱하면 개수를 구할 수 있다.

5 ㄱ. NH_3 2몰의 질량은 34 g이다. C_2H_5OH의 분자량은 46이며 (다)의 분자 수가 3.01×10^{23}개이므로 0.5 mol이다. 즉 23 g이므로 질량은 (가)가 가장 크다.

오답 풀이
ㄴ, ㄷ. (나)는 물의 분자량이 18이므로 1 mol이다. (다)는 분자 수가 3.01×10^{23}개로 0.5 mol로 몰수는 (다)가 가장 작다.
H 원자 수는 (가)에서 $3 \times 2 = 6$ mol이고 (나)에서는 2 mol, (다)에서는 $6 \times 0.5 = 3$ mol이다.

1학기 중간·기말

자료 분석 + 질량과 입자 수 관계

	분자식	질량(g)	분자의 양 (mol)	분자 수(개)
(가)	NH_3	34	2	$2\times6.02\times10^{23}$
(나)	H_2O	18	1	6.02×10^{23}
(다)	C_2H_5OH	23	0.5	3.01×10^{23}

6 금 원자의 개수를 구하기 위해서는 반지의 질량을 금의 원자량으로 나누면 반지의 양(mol)을 알 수 있고, 여기에 아보가드로수를 곱하면 금 원자의 개수를 구할 수 있다.

7 ① 질소(N_2) 1몰에는 질소 원자 2몰이 들어 있다.
② 철(Fe)의 원자량이 56이므로 56 g은 1몰이다.
③ 물(H_2O)의 분자량은 18이므로 36 g은 물 분자 2몰이다.
④ 메테인(CH_4)의 분자량은 16이므로 16 g은 1몰이다. 메테인 1몰에 들어 있는 수소 원자 수는 4몰이다.
⑤ 0 ℃, 1기압에서 기체 1몰의 부피가 22.4 L이므로 암모니아(NH_3) 11.2 L는 0.5몰이다.

8 0.5 M NaOH 수용액 200mL에는 $0.5\times0.2=0.1$ (mol), 즉 NaOH 4 g이 들어 있다. 여기에 NaOH 6 g을 넣으면 10 g이다. NaOH 10 g은 $\frac{10}{40}=0.25$(mol)이 된다. 여기에 증류수를 채워 500 mL 수용액으로 만들었으므로 몰 농도는 $\frac{0.25\text{ mol}}{0.5\text{ L}}=0.5$ M이 된다.

자료 분석 + 몰 농도 계산

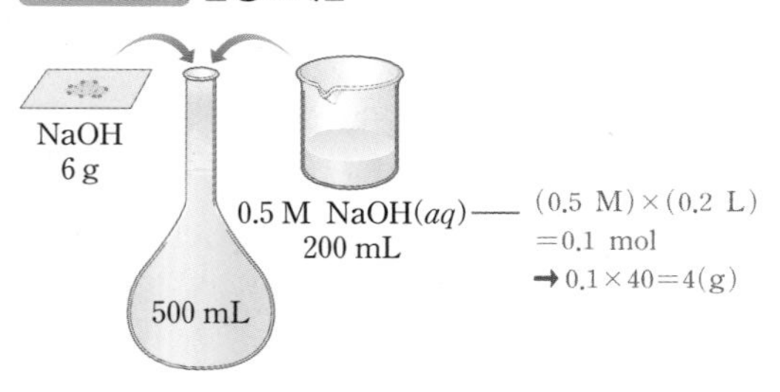

- 용질의 질량: 6g + 4 g = 10 g
- 용질의 양(mol): $\frac{10}{40}=0.25$ (mol)
- 용액의 몰 농도: $\frac{0.25\text{ mol}}{0.5\text{ L}}=0.5$ M

9 ㄱ. $CH_4(g)+2O_2(g) \longrightarrow CO_2(g)+2H_2O(l)$이므로 a=2, b=2이다.

ㄷ. 메테인(CH_4)의 분자량은 16이므로 8 g은 0.5 mol이다. 화학식에서 계수비는 분자 수비와 같으므로 이산화 탄소도 0.5 mol 생성된다. 0 ℃, 1기압에서 기체 1 mol의 부피는 22.4 L이므로 이산화 탄소는 11.2 L가 생성된다.

오답 풀이

ㄴ. 메테인 1몰(16 g)이 반응하면 물 2몰(36 g)이 생성된다. 메테인 32 g이 반응하면 물 72 g이 생성된다.

10 (가)~(다)가 각각 ^1_1H, ^2_1H, ^3_1H 중 하나이므로 ㉠은 양성자수를 나타내고 (가)는 ^1_1H, (나)는 ^2_1H, (다)는 ^3_1H이다.
ㄴ. (다)는 양성자수와 질량수의 비가 1 : 3이므로 3중 수소이다.

오답 풀이

ㄱ. ㉠은 양성자수이다.
ㄷ. (가)는 ^1_1H로 중성자가 없다.

자료 분석 + 수소의 동위 원소

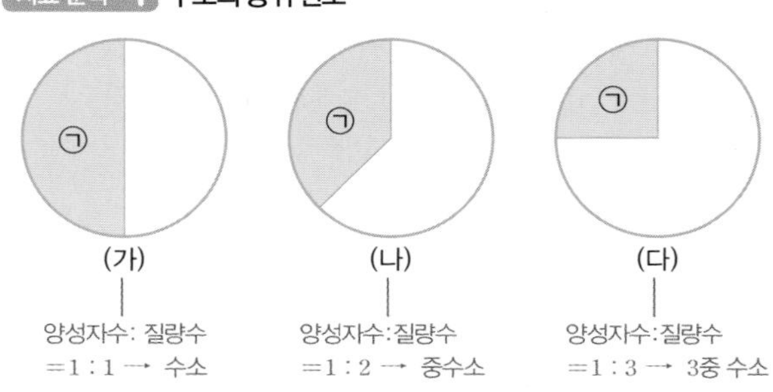

11 ⑤ 현대의 원자 모형은 1920년 이후 과학자들의 연구로 전자는 입자의 성질뿐만 아니라 파동의 성질도 있으며, 원자 속 전자의 위치와 운동량은 정확히 알 수 없다는 것이 밝혀짐에 따라 전자를 원자핵 주위에 존재할 수 있는 확률로 나타낸다.

오답 풀이

① 보어는 보어 원자 모형을 제안했다.
② 전자의 위치를 정확히 알 수 없다.
③ $2p$ 오비탈의 최대 수용 전자 수는 6이다.
④ 수소 원자에서 각 오비탈의 에너지 준위는 주 양자수로만 결정되므로 $2s$와 $2p$ 오비탈의 에너지 준위는 같다.

12 칼슘은 금속 원소이고 나머지는 비금속 원소이다.

13 알칼리 금속의 원자가 전자 수는 1로, 원자가 전자는 s 오비탈에 배치된다.

14 ①, ② (가)는 $2s$ 오비탈로 방향성이 없고, (나)는 $2p_x$, (다)

는 $2p_y$, (라)는 $2p_z$ 오비탈이다.

③ 에너지 준위는 $2p_x=2p_y=2p_z$이다.

오답 풀이

④ p 오비탈이 세 가지 방향으로 나뉘는 것은 자기 양자수로 설명할 수 있다.

15 ①, ② 집을 전자 껍질(주 양자수)에 비유한 것이므로 각 층은 방위 양자수, 각 방은 오비탈이라고 할 수 있다.

④ 각 방에는 전자가 최대 2개씩 배치된다.

⑤ 에너지 준위가 가장 낮은 오비탈부터 차례대로 전자가 채워진다.

오답 풀이

③ 에너지 준위는 $1s \rightarrow 2s \rightarrow 2p \rightarrow 3s \rightarrow 3p \rightarrow 4s \rightarrow 3d \rightarrow 4p$ … 순서로, $3p$ 오비탈의 에너지 준위가 $3d$보다 낮다.

16 ㄴ. 전이하기 전 수소 원자는 $n=2$에 있으므로 들뜬상태이다.

오답 풀이

ㄱ. $n=2$에서 $n=1$인 전자 껍질로 전자 전이가 일어날 때 자외선 영역의 빛을 방출하므로 b에서 방출하는 빛은 자외선이다.

ㄷ. $n=2 \rightarrow n=\infty$로의 전이에서 흡수하는 에너지는 $-\frac{k}{4}-0=-\frac{k}{4}$이고, $n=2 \rightarrow n=1$로의 전이에서 방출되는 에너지는 $-\frac{k}{4}-(-k)=\frac{3}{4}k$로 b에서 방출하는 에너지의 크기가 더 크다.

17 ㄱ. (나)는 바닥상태의 전자 배치로 훈트 규칙을 따른다.

오답 풀이

ㄴ, ㄷ. (가)는 파울리 배타 원리는 만족하지만 훈트 규칙에 위배되므로 들뜬상태의 전자 배치이다. 따라서 (가)는 들뜬상태, (나)는 바닥상태의 전자 배치이다.

18 ② A의 전자 배치는 $1s^22s^22p^3$이므로 가장 바깥 전자 껍질인 주 양자수가 2인 오비탈의 전자는 5개로, 원자가 전자 수는 5이다.

③ 원자 반지름은 주기가 클수록, 같은 주기에서는 원자 번호가 작을수록 크므로 C가 가장 크다.

④ 이온화 에너지는 주기가 작을수록, 같은 주기에서는 대체로 원자 번호가 클수록 증가하므로 2주기 18족인 B가 가장 크다.

⑤ C와 D는 같은 3주기 원소로 전자 껍질 수가 같다.

오답 풀이

① 홀전자 수는 A는 3개, B는 0개, C, D는 1개로 A가 가장 많다.

19 **오답 풀이**

전자 수가 같은 등전자 이온은 원자 번호가 클수록 유효 핵전하가 커서 이온 반지름이 작다. 따라서 반지름의 크기는 $Mg^{2+} < O^{2-}$이다.

20 이온화 에너지는 원자핵과 전자 사이의 인력이 클수록 증가한다. 따라서 같은 주기에서는 원자 번호가 클수록 대체로 증가하고, 주기가 바뀔 때는 전자 껍질 수가 증가하므로 급격히 감소한다. 연속 원소이므로 A는 N(질소), B는 O(산소), C는 Na(나트륨), D는 Mg(마그네슘)이다.

ㄱ. 같은 주기에서는 원자 번호가 증가할수록 유효 핵전하가 증가하여 원자 반지름이 작아진다. 따라서 원자 반지름은 A가 B보다 크다.

ㄴ. C(Na)은 +1가 양이온이 되기 쉽다.

오답 풀이

ㄷ. D(Mg)의 원자가 전자의 전자 배치는 $3s^2$이므로 홀전자 수가 0개이다.

자료 분석 + 이온화 에너지

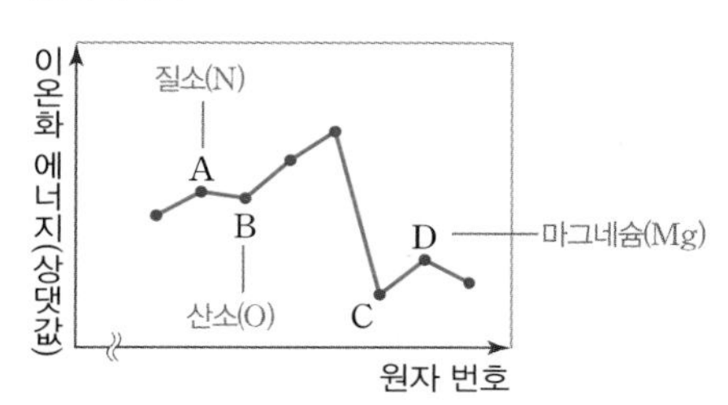

- 원자 번호가 연속이고 2~3주기 원소이므로 변화가 큰 부분에 주목한다. 이온화 에너지는 주기가 커질수록 전자 껍질 수가 커져 값이 작아지므로 원소 C가 3주기 시작임을 알 수 있다. 따라서 C는 3주기 1족 원소인 Na이다.

7일 학교시험 기본 테스트 2회 58~61쪽

• 범위 | I. 화학의 첫걸음 ~ II. 원자의 세계

1 ③ **2** ④ **3** ④ **4** ⑤ **5** 400 g **6** ③ **7** ② **8** ① **9** ② **10** ③ **11** ① **12** ③ **13** 원자 B: K(2)L(7), 원자 C: K(2)L(8)M(1) **14** ③ **15** ⑤ **16** ④ **17** 시온, 지수 **18** ③ **19** ④ **20** ⑤

1 ㄱ. 철은 강도가 높아 건축물에 활용되었다.

ㄷ. 암모니아로 만든 질소 비료는 농산물의 생산량을 늘려 식량 증대에 크게 기여하였다.

오답 풀이

ㄴ. 흡습성이 좋은 것은 천연 섬유이다. 나일론은 흡습성이 좋지 않으나 값이 싸고 질겨 사람들은 나일론 소재 의류를 입게 되었다.

2 ㄴ. (가)는 C_2H_5OH로 에탄올, (나)는 CH_3COOH로 아세트산이다.

ㄷ. 아세트산은 17 ℃ 이하에서 고체 상태로 존재한다.

오답 풀이

ㄱ. 탄화수소는 메테인(CH_4)과 같이 탄소와 수소로 이루어진 탄소 화합물을 말한다.

3 ③, ⑤ 탄소(C) 원자는 최대 4개의 다른 원자와 공유 결합을 하는데, 다른 C 원자뿐만 아니라 H, O, N 등의 원자와도 결합을 하므로 무수히 많은 종류의 탄소 화합물을 만들 수 있다.

오답 풀이

④ 탄소 원자는 연속하여 결합할 수 있으며, 단일 결합, 2중 결합, 3중 결합을 형성할 수 있고 결합 형태도 고리 모양, 사슬 모양, 가지 달린 사슬 모양 등 여러 가지이다.

4 Z의 원자량이 24이며, X=4Y, 3Y=2Z의 식이 성립한다. 따라서 X의 원자량은 64이며, Y의 원자량은 16이므로, XY의 화학식량은 80이다.

5 0 ℃, 1기압에서 기체 1 mol은 22.4 L이므로 11.2 L인 헬륨은 0.5 mol이다. 헬륨 풍선 200개를 만들 수 있으므로 탱크에 들어 있는 전체 헬륨은 0.5 mol × 200 = 100 mol이다. 따라서 헬륨의 질량은 4 g/mol × 100 mol = 400 g이다.

6 에탄올의 분자량은 46이고 암모니아의 분자량은 17이다.

ㄱ. 분자량이 클수록 1몰의 질량이 크다.

ㄴ. 에탄올과 암모니아 1몰에 들어 있는 수소 원자 수는 에탄올이 암모니아의 2배이다.

오답 풀이

ㄷ. 분자량이 클수록 같은 질량 속에 들어 있는 분자 수는 작다.

7 ①, ④ 원자 X는 양성자수와 중성자수가 모두 6이고 질량수는 12이다. 따라서 ${}^{12}_{6}X$로 표시한다.

③ 중성 원자이므로 양성자수와 전자 수는 6으로 같다.

⑤ ${}^{13}_{6}X$와 양성자수는 같고 질량수가 다르므로 동위 원소 관계이다.

오답 풀이

② 원자 번호가 6번인 탄소는 14족 원소이다.

8 ① a는 원자 번호, b는 질량수이다.

오답 풀이

② 중성 원자가 전자를 1개 얻어 음이온이 되면 오른쪽 위에 '−'를 표시한다. 따라서 전자 수는 a+1이다.

③ 질량수는 양성자수와 중성자수의 합이므로 중성자수는 b−a이다.

④ 중성자가 없는 ${}^{1}_{1}H$는 a와 b가 같다.

⑤ 동위 원소는 전자 수가 같아 화학적 성질이 같다.

자료 분석 + **원자 표시**

$${}^{b}_{a}X^{-}$$

질량수 — b

원자 번호 = 양성자수 = 중성 원자에서의 전자 수 — a

− — 얻은 전자 수 1개, 총 전자 수: a+1

9 ㄷ. 화학 반응식에서 계수비는 반응물과 생성물의 몰비와 같다. 따라서 1몰의 과산화 수소가 완전히 분해되면 0.5몰의 산소 기체, 즉 0 ℃, 1기압에서 11.2 L가 생성된다.

오답 풀이

ㄱ. 화학 반응식은 $2H_2O_2 \longrightarrow 2H_2O + O_2$이다.

ㄴ. 산소 기체 1몰을 얻기 위해 필요한 과산화 수소는 2몰이므로 2 mol × 34 g/mol = 68 g이 필요하다.

10 ㄱ, ㄴ. 두 용액의 퍼센트 농도가 같고 수용액의 질량이 같으므로 용질과 용매의 질량은 (가)와 (나)가 같다. 두 용액의 밀도가 같아서 용액의 부피가 같으므로 몰 농도는 포도당 수용액 (가)가 더 크다.

오답 풀이

ㄷ. 용질의 질량이 같고 화학식량은 포도당이 설탕보다 작으므로 용질의 양(mol)은 (가)가 (나)보다 크다.

11 ① X의 평균 원자량 = ((가)의 원자량 × (가)의 존재 비율) + ((나)의 원자량 × (나)의 존재 비율)

$$= \left(35 \times \frac{3}{4}\right) + \left(37 \times \frac{1}{4}\right) = 35.5$$

오답 풀이

②, ③ 동위 원소는 양성자수는 같으나 중성자수가 달라 질량수가 다르며 물리적 성질이 다르다.

④ (가)와 (나)의 전자 수는 같아 화학적 성질은 같다.

⑤ 자연에서 분자량이 다른 X_2 분자는 분자량이 70, 72, 74인 것으로 3가지가 존재한다.

12 원자 모형을 시대 순으로 나열하면 돌턴의 공 모형(1803년) → 톰슨의 푸딩 모형(1897년) → 러더퍼드의 행성 모형(1911년)→ 보어의 궤도 모형(1913년) → 현대의 전자구름 모형이다.
러더퍼드는 원자핵 발견으로 러더퍼드 모형을 제안했다.

13 전자가 원운동 하는 궤도를 전자 껍질이라고 한다. 원자핵에서 가장 가까운 것부터 K, L, M, N, ⋯ 껍질이라고 하며, 주 양자수가 n인 전자 껍질에는 n^2개의 오비탈이 들어 있으며, 최대 허용 전자 수는 $2n^2$개이다. 따라서 전자 배치는 원자 B는 K(2)L(7), 원자 C는 K(2)L(8)M(1)이다.

14 ① (가)와 (나)는 공 모양이므로 s 오비탈이고, (가)의 크기가 (나)보다 작으므로 (가)는 $1s$ 오비탈, (나)는 $2s$ 오비탈이다. 따라서 주 양자수는 (가)가 (나)보다 작다.
② (다)는 $2p$ 오비탈이다. L 전자 껍질은 $n=2$이므로 (나)와 (다)가 존재한다.
④ $n=2$에서 $n=1$인 전자 껍질로 전자 전이가 일어날 때 자외선 영역의 빛을 방출하므로 $1s(n=1)$에서 $2s(n=2)$로 전자가 전이할 때는 자외선을 흡수한다.
⑤ $1s$, $2s$ 각 오비탈에는 스핀 방향이 반대인 전자가 최대 2개까지 채워진다.

오답 풀이

③ 수소 원자에서는 오비탈의 종류에 관계없이 주 양자수가 같으면 에너지 준위가 같으므로 (나)와 (다)의 에너지 준위는 같다.

15 ㄱ. A와 D는 원자가 전자 수가 1개이므로 둘 다 1족 원소이다.
ㄴ. B와 C는 16족, 17족 원소이므로 비금속 원소이다.
ㄷ. C와 D의 안정한 이온은 둘 다 Ne의 전자 배치와 같다.

자료 분석 + **전자 배치**

	$1s$	$2s$	$2p$			$3s$
A :	••	•				
B :	••	••	••	•	•	
C :	••	••	••	••	•	
D :	••	••	••	••	••	•

A: 전자 수 3개 → 원자 번호 3번인 리튬(Li) → 원자가 전자 1개
B는 16족 원소인 산소(O), C는 17족 원소인 플루오린(F)으로 비금속 원소이다.
D는 전자 수 11개 → 원자 번호 11번인 나트륨(Na) → 원자가 전자 1개

16 원자가 전자 수는 가장 바깥 전자 껍질에 있는 전자 수이므로 $3s$, $3p$에 들어 있는 7개이다.

17 수소(H) 원자의 원자가 전자는 핵전하를 가리는 전자가 없어 원자가 전자가 느끼는 유효 핵전하는 +1이다.
같은 주기에서는 전자가 존재하는 전자 껍질 수가 같지만 원자 번호가 커질수록 양성자수가 많아져 유효 핵전하가 커진다.

오답 풀이

같은 전자 껍질에 있는 전자의 가려막기 효과가 크지는 않지만 존재한다.

18 같은 주기에서 원자 번호가 클수록 대체로 이온화 에너지가 증가하지만, 13족 원소는 2족 원소보다 이온화 에너지가 작다. 이로부터 (가)는 리튬(Li), (나)는 붕소(B), (다)는 베릴륨(Be), (라)는 탄소(C)이다.
ㄷ. 원자 반지름은 같은 주기에서 원자 번호가 클수록 감소하므로 원자 반지름이 가장 큰 것은 (가)이다.

오답 풀이

ㄱ. (가)는 붕소(B)이다.
ㄴ. 금속 원소는 (가)와 (다)이다.

자료 분석 + **이온화 에너지**

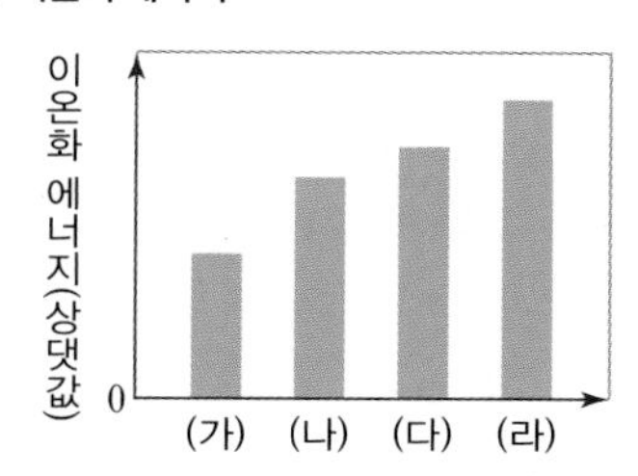

- (가)~(라)가 Li, Be, B, C 중 하나이므로 같은 주기에서 이온화 에너지 경향을 고려한다.
- 같은 주기에서 이온화 에너지는 원자 번호가 증가할수록 대체로 커지지만 2족과 13족 사이에는 예외가 나타난다.
  Be과 B의 바닥상태 전자 배치가 각각 $1s^22s^2$, $1s^22s^22p^1$이므로 $2p$ 오비탈의 전자를 떼어 내는 것이 더 쉬워 이온화 에너지는 B가 Be보다 작다. 따라서 (나)는 붕소(B)이다.

19 ㄴ. B와 D는 같은 18족 원소로 화학적 성질이 비슷하다.
ㄷ. C는 전자 2개를 얻고 E는 전자 2개를 잃고 안정한 이온이 된다. 이때 둘다 비활성 기체인 D와 같은 전자 배치를 갖는다.

오답 풀이

ㄱ. A는 수소로 비금속 원소이다.

1학기 중간·기말

자료 분석 + **주기율표**

주기 \ 족	1	2	13	14	15	16	17	18
1	A							B
2						C		D
3		E						

- A와 B는 1주기 원소, C와 D는 2주기 원소, E는 3주기 원소이다.
- B와 D는 같은 18족 원소로 화학적 성질이 비슷하다.
- C는 전자를 2개 얻어 D와 같은 안정한 전자 배치를 한다.
- E는 전자 2개를 잃고 D와 같은 안정한 전자 배치를 한다..

20 ㄱ. O^{2-}, F^{-}, Na^{+}, Mg^{2+}은 전자 껍질 수와 전자 수가 모두 같으므로 이들 이온의 반지름은 유효 핵전하에 의해 결정된다. 원자 번호가 클수록 양성자수가 많아 유효 핵전하도 증가하므로 반지름은 작아진다. 따라서 이온 반지름의 크기는 $O^{2-} > F^{-} > Na^{+} > Mg^{2+}$ 순이다.
따라서 A는 Mg, B는 Na, C는 F, D는 O이다.
ㄴ. C(F)는 2주기 원소이고, B(Na)는 3주기 원소로, B가 C보다 전자 껍질 수가 많아 원자 반지름이 크다.
ㄷ. 이온화 에너지가 가장 작은 것은 3주기 1족 원소인 B(Na)이다.

중학에 나오는 과학 용어 풀이

01 기압 | 기운 氣, 누를 壓

기체 입자가 일정한 ❶ ______ 에 충돌할 때 가하는 ❷ ______ 의 크기

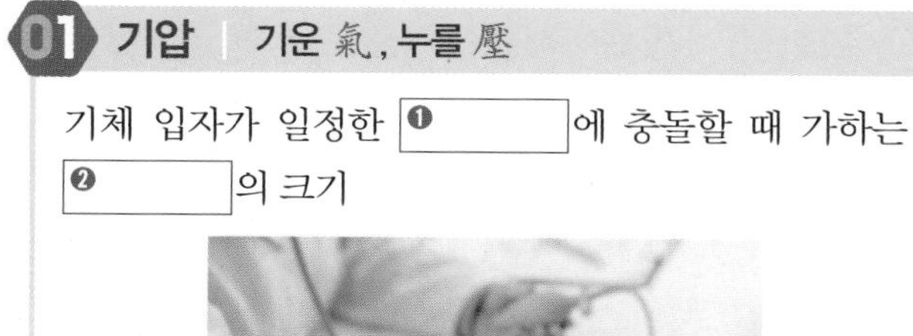
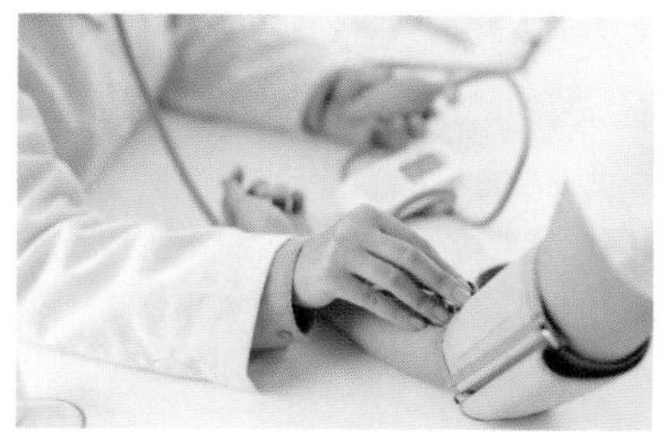

답 ❶ 넓이 ❷ 힘

예 1 팔에 두른 공기 주머니에 공기가 채워지면서 팔에 기압이 가해진다.

예 2 바람이 빠진 타이어에 바람을 넣으면 기압이 커진다.

02 불꽃 반응 | 불꽃, 돌이킬 反, 응할 應

금속 원소를 포함한 물질에 불을 붙였을 때 금속 ❶ ______ 에 따라 독특한 색의 ❷ ______ 이 나타나는 것

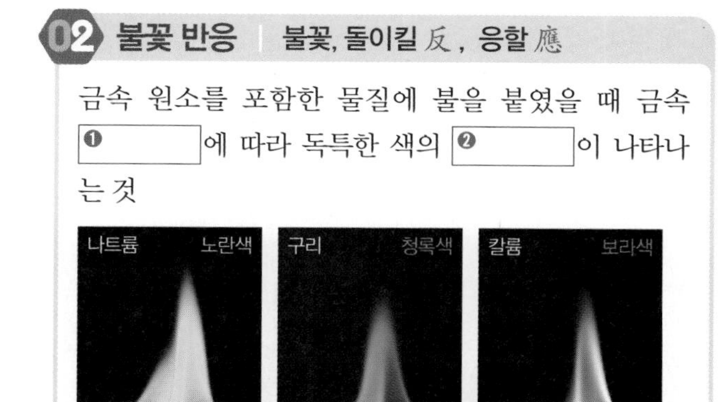

답 ❶ 원소 ❷ 불꽃

예 1 매년 가을이면 서울에서는 불꽃 반응을 이용한 세계 불꽃 축제가 열린다.

예 2 염화 나트륨과 질산 나트륨을 불꽃 반응시키면 둘다 노란색 불꽃이 나타난다.

03 원소 | 으뜸 元, 본디 素

다른 물질로 ❶ ______ 되지 않으며 물질을 구성하는 기본 ❷ ______

답 ❶ 분해 ❷ 성분

예 1 현재까지 알려진 원소의 종류는 118가지이다.

예 2 20여 가지 원소는 인공적으로 만들어 낸 것이다.

04 원소 기호 | 으뜸 元, 본디 素, 기록할 記, 이름 號

원소를 간단히 표시하기 위하여 하나 또는 두 개의 ❶ ______ 으로 나타낸 것

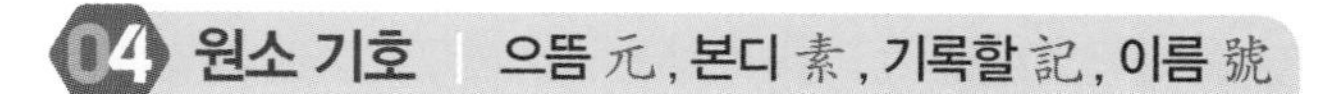

답 ❶ 알파벳

예 1 탄소는 원소 기호로 원소 이름의 첫 글자인 C로 나타낸다.

예 2 염소는 첫 글자와 중간 글자를 택해 Cl로 원소 기호를 나타낸다.

과학 용어

중학에 나오는 과학 용어 풀이

05 분자식 | 나눌 分, 아들 子, 법 式

원소 기호를 사용하여 ❶ [ ] 를 이루는 원자의 종류와 수를 나타낸 것

수소 원자가 2개 있으니까, 여기에 2를 쓰는 거야.
원자가 1개일 때는 표시하지 않아.
H_2O

답 ❶ 분자

예1 물 분자는 산소 원자 1개와 수소 원자 2개로 이루어져 있다.

예2 분자식을 사용하면 분자를 이루는 원자의 종류와 수를 한눈에 알 수 있다.

06 화학식 | 될 化, 배울 學, 법 式

물질을 이루는 입자를 ❶ [ ] 로 나타낸 것

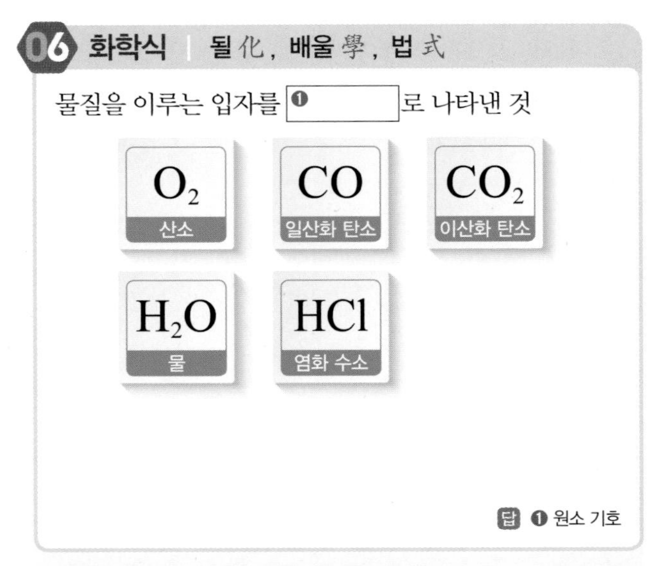

답 ❶ 원소 기호

예1 화학식에는 분자식과 이온식 등이 있다.

예2 화학식을 이용하면 화학 반응에 참여한 물질의 종류와 양을 쉽게 표현할 수 있다.

07 화학 반응식 | 될 化, 배울 學, 돌이킬 反, 응할 應, 법 式

화학 반응을 원소 기호를 이용한 ❶ [ ] 과 기호, ❷ [ ] 등으로 나타낸 것

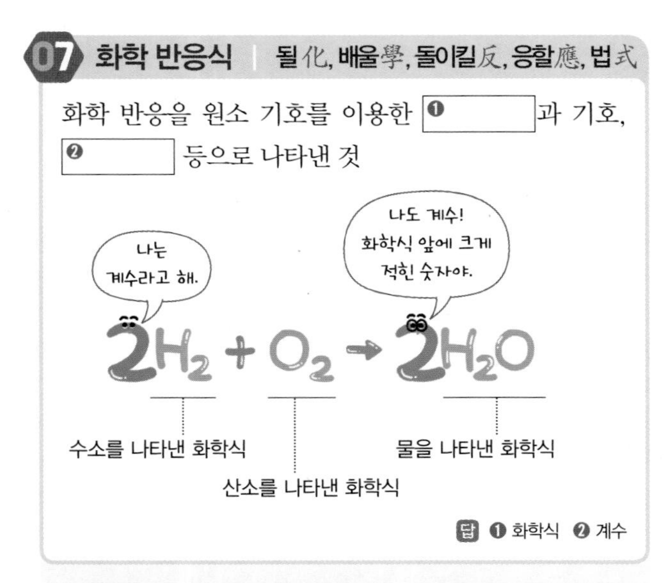

답 ❶ 화학식 ❷ 계수

예1 화학 반응식에서 반응 물질은 화살표 왼쪽에, 생성 물질은 화살표 오른쪽에 적는다.

예2 화학 반응식에서 계수 1은 생략한다.

08 일정 성분비 법칙 | 하나 一, 정할 定, 이룰 成, 나눌 分, 견줄 比, 법 法, 법칙 則

화합물의 성분 ❶ [ ] 사이에는 항상 일정한 ❷ [ ] 가 성립한다는 법칙

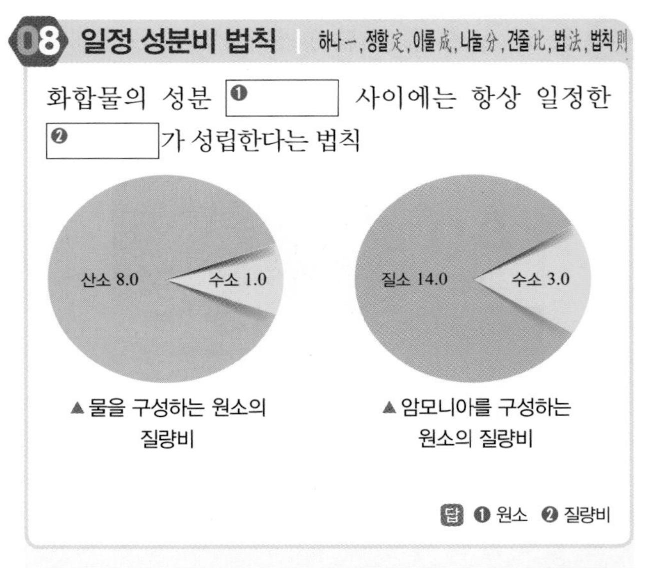

▲ 물을 구성하는 원소의 질량비

▲ 암모니아를 구성하는 원소의 질량비

답 ❶ 원소 ❷ 질량비

예1 물을 구성하는 수소와 산소의 질량비는 1 : 8로 일정하므로 일정 성분비 법칙이 성립한다.

예2 암모니아를 구성하는 질소와 수소의 질량비는 14 : 3으로 일정하므로 일정 성분비 법칙이 성립한다.

09 질량 보존 법칙 | 바탕 質, 헤아릴 量, 지킬 保, 있을 存, 법 法, 법칙 則

반응 물질의 ❶ [ ] 과 생성 물질의 총 질량이 ❷ [ ] 는 법칙

답 ❶ 총 질량 ❷ 같다

예1 반응 물질과 생성 물질에서 원자의 종류와 개수는 일정하므로 질량 보존 법칙이 성립한다.

예2 강철 솜을 연소시키면 철과 반응한 공기 중의 산소 질량을 고려하면 질량 보존 법칙이 성립한다.

10 기체 반응 법칙 | 기운 氣, 몸 體, 돌이킬 反, 응할 應, 법 法, 법칙 則

일정한 온도와 ❶ [ ] 에서 기체가 반응하여 새로운 기체를 생성할 때 각 기체의 부피 사이에는 간단한 ❷ [ ] 가 성립한다는 법칙

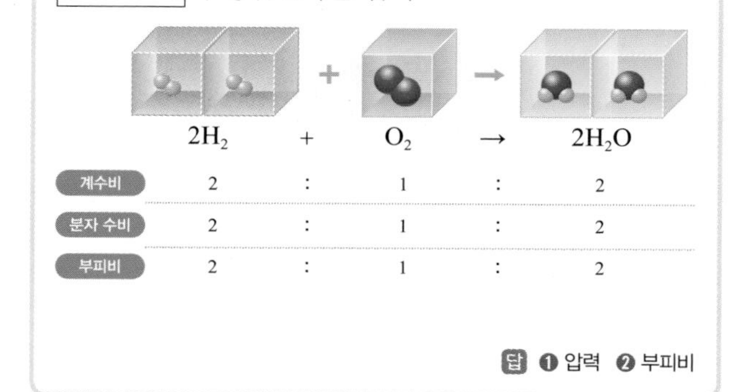

	$2H_2$	+	O_2	→	$2H_2O$
계수비	2	:	1	:	2
분자 수비	2	:	1	:	2
부피비	2	:	1	:	2

답 ❶ 압력 ❷ 부피비

예1 수소 기체와 산소 기체가 모두 반응하여 수증기를 생성할 때 수소 기체와 산소 기체의 부피비는 항상 2 : 1이다.

예2 기체 반응 법칙을 이용하면 반응하는 기체와 생성되는 기체의 부피비를 구할 수 있다.

11 앙금 생성 반응 | 앙금, 날 生, 이룰 成, 돌이킬 反, 응할 應

수용액을 섞었을 때, 물질 속의 특정 양이온과 음이온이 반응하여 물에 녹지 않는 ❶ [ ] 이 만들어지는 현상

$$Na_2CO_3 + CaCl_2 \rightarrow CaCO_3 + 2NaCl$$

탄산 나트륨 / 염화 칼슘 / 탄산 칼슘(앙금) / 염화 나트륨

답 ❶ 앙금

예1 탄산 나트륨 수용액과 염화 칼슘 수용액이 반응하면 탄산 칼슘 앙금이 생성된다.

예2 앙금 생성 반응에서 질량은 보존된다.

12 화합물 | 될 化, 합할 合, 물건 物

서로 다른 ❶ [ ] 가 결합하여 만들어진 전혀 다른 성질을 갖는 ❷ [ ]

답 ❶ 원소 ❷ 물질

예1 소금은 나트륨과 염소로 구성된 화합물이다.

예2 화합물은 성분 원소와 다른 성질을 나타낸다.

과학 용어

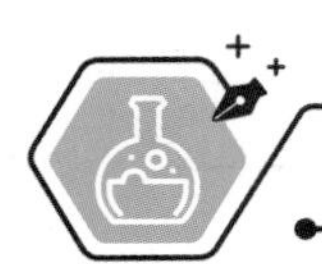

중학에 나오는 과학 용어 풀이

13 용질 | 녹을 溶, 바탕 質

다른 물질에 ❶ [　　] 물질로, 액체에 다른 액체가 녹을 때에는 양이 ❷ [　　] 쪽을 가리킨다.

답 ❶ 녹는 ❷ 적은

예 1 용질인 설탕을 물에 녹이면 설탕물이 된다.

예 2 물에 에탄올을 소량 섞으면 에탄올이 용질이 된다.

14 용매 | 녹을 溶, 중매 媒

다른 물질을 ❶ [　　] 물질로, 액체에 액체를 녹일 때는 ❷ [　　] 쪽의 액체를 말한다.

답 ❶ 녹이는 ❷ 많은

예 1 설탕물에서는 물이 용매이다.

예 2 물은 많은 물질을 녹일 수 있는 우리 주위에서 흔한 용매이다.

15 용액 | 녹을 溶, 진 液

두 가지 이상의 물질이 ❶ [　　] 하게 섞인 ❷ [　　]

답 ❶ 균일 ❷ 혼합물

예 1 소금이 물에 녹은 소금물은 용액이다.

예 2 질산 칼륨이 물에 녹은 용액은 질산 칼륨 수용액이라고 한다.

16 분광기 | 나눌 分, 빛 光, 그릇 器

빛을 ❶ [　　]에 따라 나누어 스펙트럼을 관찰하는 ❷ [　　] 기구이다.

답 ❶ 파장 ❷ 광학

예 1 빛을 분광기로 관찰하면 여러 가지 색의 띠를 볼 수 있다.

예 2 햇빛을 분광기로 보면 연속적인 색의 띠가 나타난다.

17 선 스펙트럼 | 줄 線, spectrum

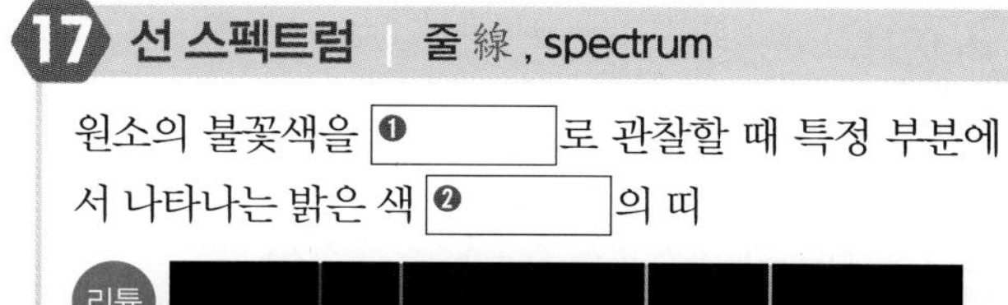

원소의 불꽃색을 ❶ [   ]로 관찰할 때 특정 부분에서 나타나는 밝은 색 ❷ [   ]의 띠

답 ❶ 분광기 ❷ 선

예 1 원소에 따라 선 스펙트럼의 선이 나타나는 위치, 색깔, 굵기, 수 등이 다르다.

예 2 선 스펙트럼을 이용하면 원소를 구별할 수 있다.

18 연속 스펙트럼 | 잇닿을 連, 이을 續, spectrum

어떤 ❶ [   ] 범위에 걸쳐 연속적으로 나타나는 ❷ [   ]

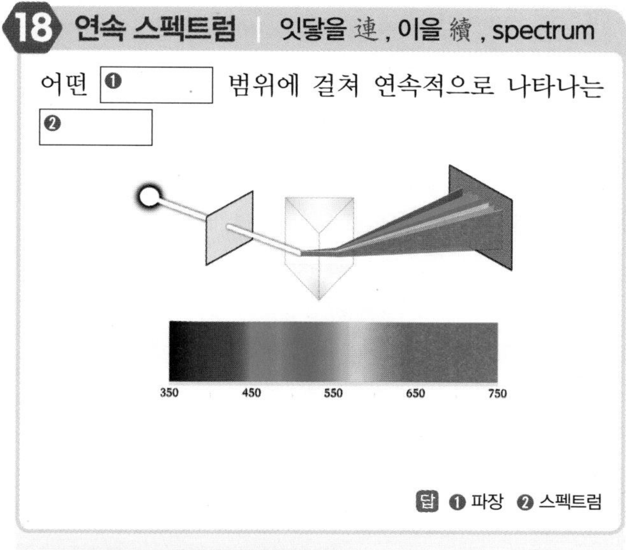

답 ❶ 파장 ❷ 스펙트럼

예 1 햇빛은 연속 스펙트럼이다.

예 2 연속 스펙트럼은 무지개처럼 보인다.

19 원자 | 근원 原, 아들 子

물질을 구성하는 기본 ❶ [   ]로 가장 작은 원자는 ❷ [   ] 원자이다.

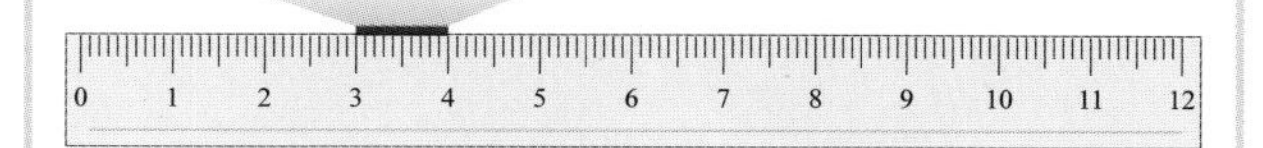

답 ❶ 입자 ❷ 수소

예 1 원자는 현미경으로도 볼 수 없을 만큼 매우 작다.

예 2 가장 작은 수소 원자는 지름이 약 $\frac{1}{1억}$ cm이다.

20 원자설 | 근원 原, 아들 子, 말씀 說

1803년 영국의 과학자 ❶ [   ]이 '모든 물질은 더 이상 쪼개지지 않는 ❷ [   ]로 구성되어 있다.'고 제안한 가정이다.

▲ 돌턴의 원자설

답 ❶ 돌턴 ❷ 원자

예 1 원자는 더 이상 쪼개지지 않는다는 원자설은 원자를 구성하는 입자가 발견되어 사실이 아닌 것으로 드러났다.

예 2 돌턴의 원자설에 따르면 원자는 없어지지도 다른 원자로 바뀌지도 않는다.

중학에 나오는 과학 용어 풀이

21 원자핵 | 근원 原, 아들 子, 씨 核

원자의 ❶ [　　　] 을 이루는 입자로, 원자 질량의 ❷ [　　　] 을 차지한다.

난 원자핵이야.
(+)전하를 띠고 있고,
원자의 중심에 있어.

답 ❶ 중심 ❷ 대부분

예1 원자핵은 양성자와 중성자로 이루어져 있다.

예2 원자핵은 (＋)전하를 띤다.

22 이온 | ion

❶ [　　　] 를 띠는 원자 또는 원자단으로, 전기적으로 중성인 원자가 전자를 잃으면 ❷ [　　　] 를, 전자를 얻으면 음전하를 띠는 이온이 된다.

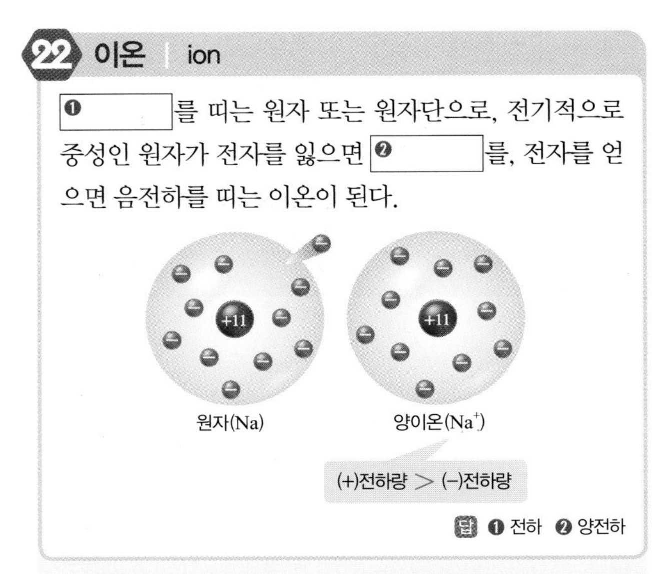

답 ❶ 전하 ❷ 양전하

예1 양이온은 원소 이름 뒤에 '이온'을 붙이고, 음이온은 원소 이름 뒤에 '~화 이온'을 붙인다.

예2 산소, 염소와 같이 원소 이름이 '소'로 끝나는 음이온은 '소'를 빼고 '~화 이온'을 붙인다.

23 전자 | 번개 電, 아들 子

(−)전하를 가지고 ❶ [　　　] 의 주위를 도는 원자의 구성 ❷ [　　　]

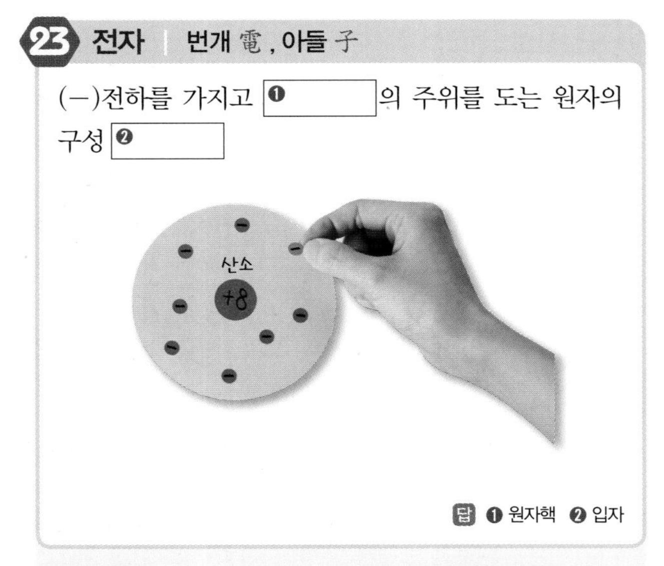

답 ❶ 원자핵 ❷ 입자

예1 전하량이 ＋1인 수소 원자핵 주위에는 전하량이 −1인 전자 1개가 있다.

예2 한 원자를 구성하는 원자핵의 (＋)전하량과 전자들의 (−)전하량이 같아서 원자는 전기적으로 중성이다.

24 입자 | 낟알 粒, 아들 子

❶ [　　　] 을 구성하는 아주 작은 크기의 ❷ [　　　]

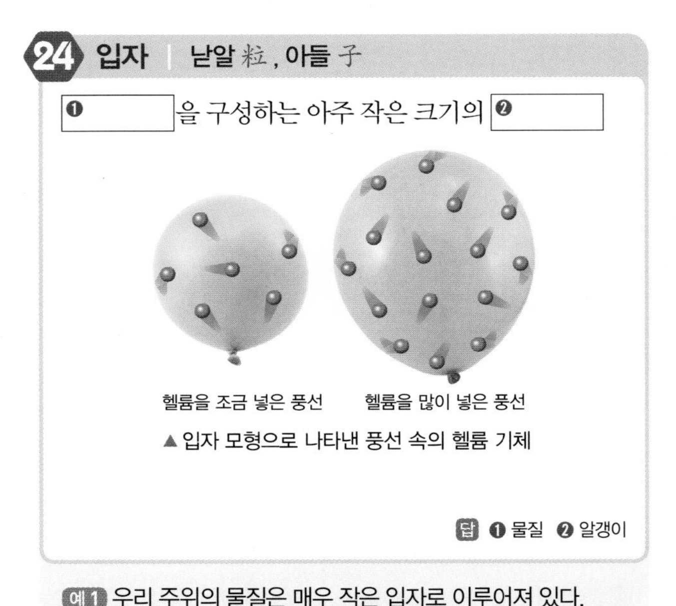

▲ 입자 모형으로 나타낸 풍선 속의 헬륨 기체

답 ❶ 물질 ❷ 알갱이

예1 우리 주위의 물질은 매우 작은 입자로 이루어져 있다.

예2 물질을 이루는 입자를 간단한 모형을 이용하여 나타낸 것을 입자 모형이라고 한다.

핵심 정리 01 탄소 화합물

- **탄소 화합물:** 탄소 원자가 수소(H), 산소(O), 질소(N), 황(S), 할로젠(F, Cl, Br, I) 등의 원자와 결합하여 만들어진 화합물
- **탄소 화합물이 다양한 이유:** 탄소 원자가 탄소 또는 다른 원자와 최대 ❶ ______ 개의 공유 결합을 할 수 있기 때문
- **메테인(CH_4):** 가장 간단한 탄화수소로, ❷ ______ 구조이며 액화 천연가스의 주성분

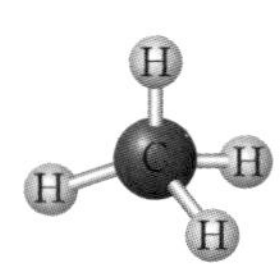

- **에탄올(C_2H_5OH):** 술의 성분으로 특유의 냄새가 나고, 물에 잘 녹는다. 주로 소독용 알코올, 약품의 원료, 용매 등으로 이용된다.
- **아세트산(CH_3COOH):** 식초의 성분으로, 신맛이 나며 물에 녹으면 산성을 나타낸다. 17 ℃보다 낮은 온도에서는 고체로 존재하므로 빙초산이라고도 한다.

답 ❶ 4 ❷ 정사면체

핵심 정리 02 화학식량

- **원자량:** 질량수 12인 탄소(^{12}C)의 원자량을 ❶ ______ 로 정하고, 이를 기준으로 하여 나타낸 원자들의 상대적인 질량

C 원자 1개　　H 원자 12개

- **분자량:** 분자의 상대적인 질량으로, 분자를 구성하는 모든 원자들의 ❷ ______ 을 합한 값
- **화학식량:** 물질의 화학식을 이루는 각 원자들의 원자량을 합한 값

답 ❶ 12 ❷ 원자량

핵심 정리 03 물질의 양

- **아보가드로수:** 1몰은 6.02×10^{23}개의 입자를 의미한다.
- **몰 질량:** 물질 1몰의 질량으로, 단위는 g/mol이다.
- 원자, 분자, 화합물 1몰의 질량은 각각 원자량, 분자량, 화학식량에 g을 붙인 값과 같다.
  - 원자 1몰의 질량＝원자량 g
  - 분자 1몰의 질량＝분자량 g
  - 이온 결합 물질 1몰의 질량＝❶ ______ g
- 0 ℃, 1기압에서 모든 기체 1몰의 부피는 ❷ ______ L로 일정

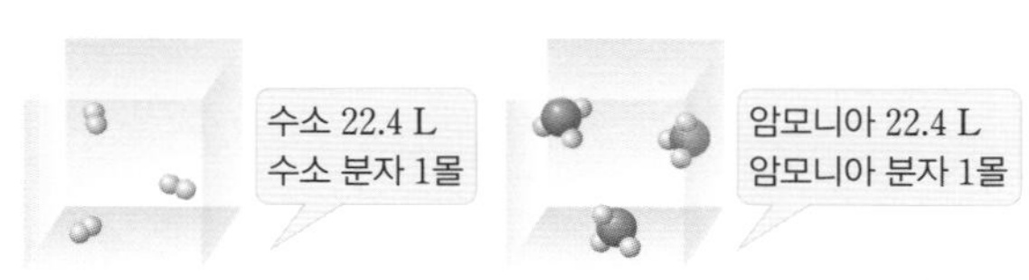

답 ❶ 화학식량 ❷ 22.4 L

핵심 정리 04 화학 반응식

- 반응물은 왼쪽에, 생성물은 오른쪽에 쓰고, 그 사이를 '→'로 연결한다.
- 반응물과 생성물을 구성하는 원자의 ❶ ______ 와 수가 같아지도록 화학식 앞의 계수를 맞춘다. 계수는 가장 간단한 정수로 나타내고, 1이면 생략한다.
- 계수비＝몰비＝❷ ______ (기체일 때)≠질량비

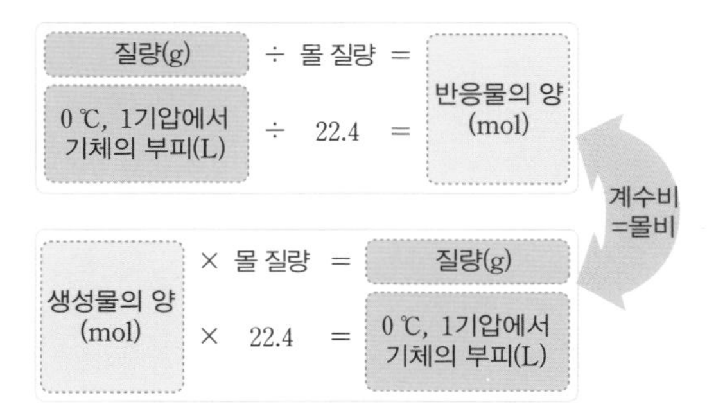

답 ❶ 종류 ❷ 부피비

02 이것만은 꼭! 화학식량

예제 다음은 X~Z 원자의 질량에 대한 설명이다.

- X 원자 4개의 질량은 Y 원자 3개와 같다.
- Y 원자 2개의 질량은 Z 원자 1개의 질량과 같다.

Y의 원자량이 16일 때 XY와 Z의 화학식량으로 옳은 것은? (단, X~Z는 임의의 원소 기호이다.)

	XY	Z		XY	Z
①	28	12	②	28	16
✓③	28	32	④	44	16
⑤	44	32			

★기억해요!

질량수가 12인 탄소(^{12}C) 원자의 질량을 [　　]로 정하고, 이를 기준으로 한 다른 원자들의 상대적인 질량을 [　　]이라고 한다.

답 12, 원자량

01 이것만은 꼭! 탄소 화합물

예제 메테인에 대한 설명으로 옳은 것은?

✓① 가장 간단한 탄화수소이다.
② 액화 석유 가스의 주성분이다.
③ 정사각형의 안정한 구조를 이룬다.
④ 연소하면 물만 생성되는 청정 연료이다.
⑤ 끓는점이 높아 상온에서 고체 상태로 존재한다.

★기억해요!

메테인(CH_4)은 가장 간단한 [　　]로, 탄소 원자 1개가 수소 원자 4개와 공유 결합한 [　　] 구조이다.

답 탄화수소, 정사면체

04 이것만은 꼭! 화학 반응에서의 양적 관계

예제 그림은 X_2, Y_2의 반응 모형이다.

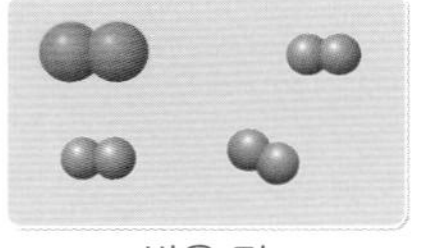

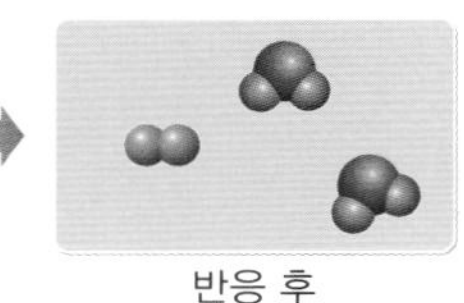

반응 전　　　반응 후

이에 대한 설명으로 옳은 것만을 〈보기〉에서 있는 대로 고르시오. (단, X, Y는 임의의 원소 기호이다.)

보기

✓ㄱ. 반응 후 전체 분자 수는 감소한다.
ㄴ. 화학 반응식은 $X_2+3Y_2 \longrightarrow 2XY_2$이다.
✓ㄷ. X_2 1몰이 모두 반응하면 XY_2 2몰이 생성된다.

★기억해요!

물질의 [　　]는 괄호 안에 기호로 표시하는데, 고체는 s, 액체는 l, 기체는 g, 수용액은 [　　]로 나타낸다.

답 상태, aq

03 이것만은 꼭! 물질의 양

예제 다음 중 몰에 대한 설명으로 옳지 않은 것은?

① 원자와 분자 등에 대한 묶음 단위이다.
② 이산화 탄소 1몰에는 총 3몰의 원자가 포함되어 있다.
✓③ 0 ℃, 1기압에서 질소(N_2) 11.2 L의 질량은 28 g이다.
④ 암모니아 1몰에는 질소 원자 6.02×10^{23}개가 포함되어 있다.
⑤ 염화 나트륨(NaCl) 0.5몰에 포함된 총 이온 수는 1몰이다.

★기억해요!

[　　] 법칙에 따르면 온도와 압력이 같을 때 모든 기체는 같은 [　　] 속에 같은 수의 분자를 포함한다.

답 아보가드로, 부피

자르는 선

핵심 정리 05 용액의 농도

- **퍼센트 농도:** 질량 퍼센트 농도로, ❶ ______ 100 g 속에 녹아 있는 용질의 질량을 백분율로 나타낸 것
- **몰 농도:** ❷ ______ 1 L 속에 녹아 있는 용질의 양(mol) (단위: M 또는 mol/L)
- **일정한 몰 농도의 용액 만드는 방법**

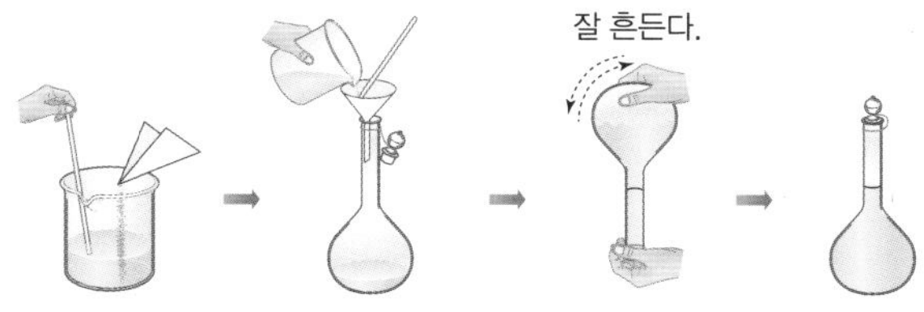

필요한 용질의 질량을 측정하여 비커에 녹인 후, 일정량의 부피 플라스크에 넣고 증류수를 표시선 가까이까지 채운다. 씻기병을 이용하여 표시선까지 정확하게 눈금을 맞추고 부피 플라스크의 마개를 막고 여러 번 흔들어 용액을 잘 섞는다.

답 ❶ 용액 ❷ 용액

핵심 정리 06 알파 입자 산란 실험

- 대부분의 알파 입자가 금박을 통과하므로 원자의 대부분은 ❶ ______ 공간이다.

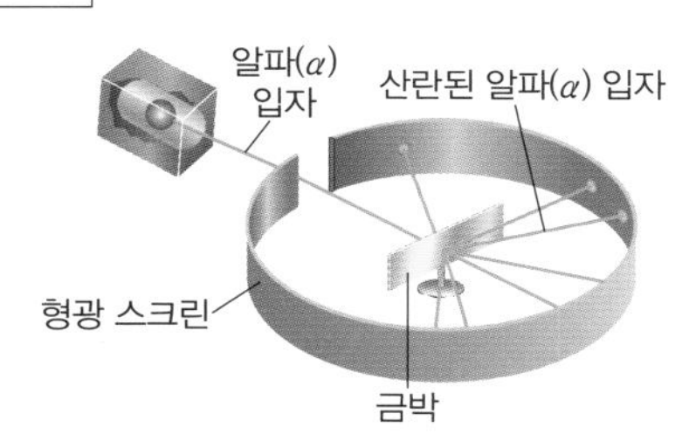

- 일부 알파 입자는 휘어지거나 튕겨져 나오므로 원자의 중심에는 질량이 크고 부피가 매우 작은 ❷ ______ 전하를 띤 입자가 존재한다.
- **러더퍼드 원자 모형:** 원자핵이 원자 중심에 있고, 원자핵 주위를 (−)전하를 띠는 전자가 돌고 있다.

답 ❶ 빈 ❷ (+)

핵심 정리 07 원자의 구성 입자

- **원자의 구조:** 양성자와 ❶ ______ 로 이루어진 원자핵이 중심에 존재하고, 전자가 원자핵 주위를 운동한다.

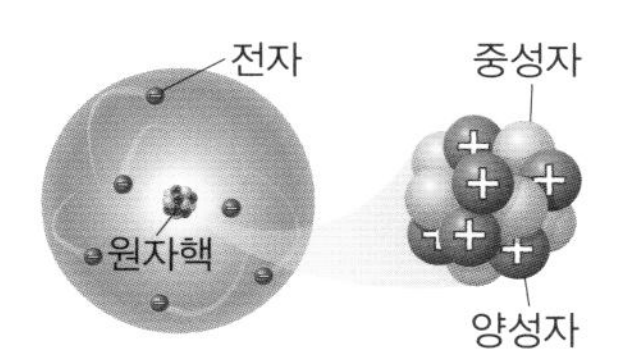

- **원자를 구성하는 입자:** 원자에서 양성자와 전자의 개수가 같으므로 원자는 중성이다.

입자	양성자	중성자	전자
상대적 질량	1	1	$\frac{1}{1837}$
상대적 전하량	❷ ______	0	−1

답 ❶ 중성자 ❷ +1

핵심 정리 08 원자 표시와 동위 원소

- **원자의 표시 방법**

$${}^{A}_{Z}X$$

질량수=양성자수+중성자수
원소 기호
원자 번호=양성자수

- **동위 원소:** 양성자수(원자 번호)는 같지만 중성자수가 달라 ❶ ______ 가 다른 원소로, ❷ ______ 성질은 같으나 질량 등 물리적 성질은 다르다.
  예 수소의 동위 원소: ${}^{1}_{1}H$, ${}^{2}_{1}H$, ${}^{3}_{1}H$
- **평균 원자량:** 동위 원소의 존재 비율을 고려하여 계산한 원자량
  예 염소(Cl)의 평균 원자량
  =(${}^{35}Cl$의 원자량×${}^{35}Cl$의 자연 존재비)
  +(${}^{37}Cl$의 원자량×${}^{37}Cl$의 자연 존재비)
  $=\left(35\times\frac{75.8}{100}\right)+\left(37\times\frac{24.2}{100}\right)$
  $\fallingdotseq 35.5$

답 ❶ 질량수 ❷ 화학적

자르는 선

06 이것만은 꼭! 알파 입자 산란 실험

예제 그림은 러더퍼드의 α 입자 산란 실험 자료이다. 이 실험으로 발견한 입자에 대한 설명으로 옳은 것만을 〈보기〉에서 있는 대로 고르시오.

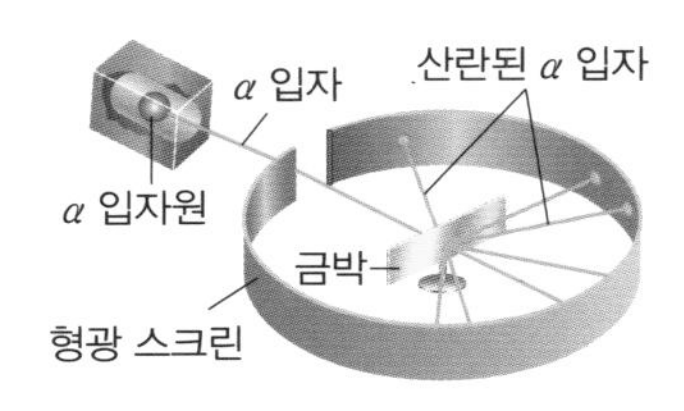

보기

✓ㄱ. (+)전하를 띤다.
ㄴ. 발견한 입자는 양성자이다.
ㄷ. 원자 부피의 대부분을 차지한다.

★기억해요!

알파(α) 입자는 ☐ 두 개와 중성자 두 개로 이루어져 (+)전하를 띠는 입자로, ☐의 원자핵이다.

답 양성자, 헬륨(He)

05 이것만은 꼭! 용액의 농도

예제 어떤 포도당 수액 200 mL에 9 g의 포도당($C_6H_{12}O_6$)이 녹아 있다. 이 용액의 몰 농도는 얼마인가? (단, 포도당의 분자량은 180이다.)

① 0.1 M
② 0.2 M
✓③ 0.25 M
④ 0.5 M
⑤ 0.75 M

★기억해요!

몰 농도 용액을 만들 때 ☐를 사용하며 증류수를 채울 때 씻기병을 이용하여 ☐까지 눈금을 맞춘다.

답 부피 플라스크, 표시선

08 이것만은 꼭! 원자 표시와 동위 원소

예제 동위 원소 ^{10}B와 ^{11}B에 대한 설명으로 옳지 않은 것은?

① 양성자수는 같다.
✓② 화학적 성질이 다르다.
③ 중성자수는 ^{11}B이 더 많다.
④ 자연계에 존재하는 동위 원소의 비율은 거의 일정하다.
⑤ 동위 원소의 존재 비율을 고려하여 계산한 원자량을 평균 원자량이라고 한다.

★기억해요!

수소(H)는 ☐수가 1로 같지만 ☐수가 0, 1, 2인 세 종류의 동위 원소가 있다.

답 양성자, 중성자

07 이것만은 꼭! 원자의 구성 입자

예제 원자를 구성하는 입자에 대한 설명으로 옳은 것만을 〈보기〉에서 있는 대로 고른 것은?

보기

ㄱ. 양성자는 (+)전하를 띤다.
ㄴ. 원자는 전기적으로 중성이다.
ㄷ. 전자는 양성자나 중성자에 비해 질량이 매우 작아 원자의 질량은 원자핵의 질량과 거의 같다.

① ㄴ ② ㄷ ③ ㄱ, ㄴ
④ ㄱ, ㄷ ✓⑤ ㄱ, ㄴ, ㄷ

★기억해요!

양성자와 전자는 전하의 크기가 ☐고 부호가 ☐이다.

답 같, 반대

자르는 선

핵심정리 09 보어 원자 모형

- **보어 원자 모형:** 원자핵 주위의 전자가 특정한 에너지를 가진 원형 궤도(전자 껍질)를 따라 빠르게 원운동 한다. → ❶ [ ] 원자의 선 스펙트럼을 설명할 수 있다.

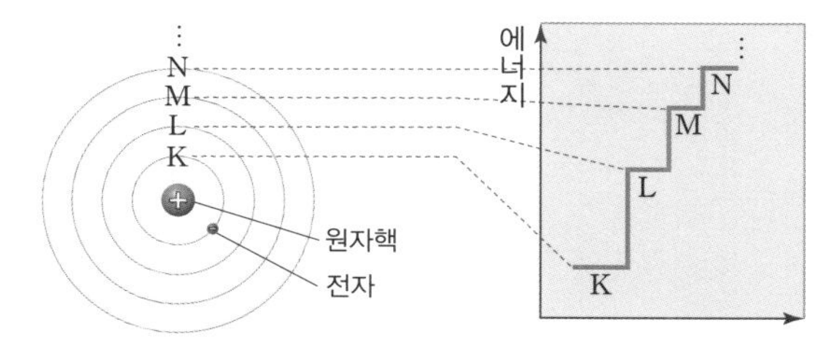

- 전자가 다른 전자 껍질로 이동하면 두 전자 껍질의 에너지 차이만큼 에너지를 흡수하거나 방출한다.
- **선 스펙트럼이 나타나는 까닭:** 전자가 에너지 준위가 낮은 전자 껍질로 전이할 때 에너지 준위 차이에 해당하는 불연속적인 에너지의 ❷ [ ] 만 방출하기 때문이다.

답 ❶ 수소 ❷ 빛

핵심정리 10 현대의 원자 모형

- **현대의 원자 모형:** 전자가 원자핵 주위에 존재할 수 있는 ❶ [ ] 로 나타내는 원자 모형
- **오비탈:** 전자가 존재할 수 있는 공간을 확률 분포로 나타낸 것
- s **오비탈:** 구형으로 방향성이 없다.
- p **오비탈:** 아령 모양으로 방향성이 ❷ [ ].

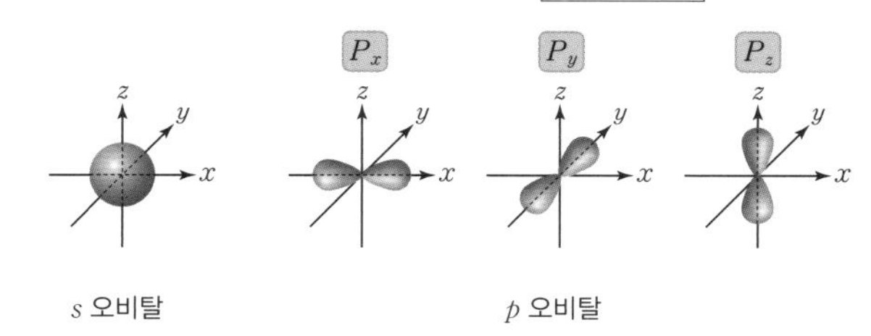

s 오비탈 p 오비탈

답 ❶ 확률 ❷ 있다

핵심정리 11 양자수

- **양자수:** 오비탈을 결정하며, 네 가지 양자수가 있다.
- **주 양자수(n):** 오비탈의 크기와 ❶ [ ] 준위를 결정하는 양자수로, 주 양자수가 클수록 오비탈이 크다. 보어 모형에서 전자 껍질 번호와 동일하다.
- **방위 양자수(l):** 오비탈의 ❷ [ ]을 결정하는 양자수로, $0, 1, 2..., (n-1)$까지의 정수이다. $l=0$이면 s, $l=1$이면 p, $l=2$일 때에는 d로 나타낸다.
- **자기 양자수(m_l):** 오비탈의 공간적인 방향을 결정하는 양자수로, 방위 양자수가 l인 오비탈은 자기 양자수가 $-l$에서 $+l$까지 $(2l+1)$개 있다.
- **스핀 자기 양자수(m_s):** 전자의 자전과 유사한 운동에 따라 결정되는 양자수로, $+\frac{1}{2}$과 $-\frac{1}{2}$ 중 하나이다.

답 ❶ 에너지 ❷ 모양

핵심정리 12 전자 배치 원리

- **쌓음 원리:** 바닥상태의 원자는 에너지 준위가 가장 낮은 오비탈부터 전자가 배치된다.
  예 다전자 원자: $1s \to 2s \to 2p \to 3s \to 3p \to 4s \to 3d \to 4p$ ⋯
- **파울리 배타 원리:** 하나의 오비탈에는 최대 ❶ [ ] 개까지 채워지며, 이때 두 전자의 스핀 방향은 달라야 한다.
  예 [↑] (○) [↑↓] (○) [↑↑] (×) [↑↓↑] (×)
- **훈트 규칙:** 같은 에너지 준위의 오비탈에 전자 여러 개가 들어갈 때 ❷ [ ] 수가 많을수록 안정하다.

답 ❶ 2 ❷ 홀전자

10 이것만은 꼭! 현대의 원자 모형

예제 현대의 원자 모형에 대한 설명으로 옳은 것은?

① 보어가 제안하였다.
② $2p$ 오비탈의 최대 수용 전자 수는 8이다.
③ 전자의 위치와 운동량을 동시에 알 수 있다.
④ 수소 원자에서 $2p$ 오비탈의 에너지 준위는 $2s$보다 크다.
✓⑤ 오비탈은 원자핵 주위에서 전자가 존재할 확률을 나타낸다.

★기억해요!

s 오비탈은 원자핵을 중심으로 하는 [ ] 모양이고, p 오비탈은 [ ] 모양이다.

답 공, 아령

09 이것만은 꼭! 보어 원자 모형

예제 그림은 어떤 원자 모형을 나타낸 것이다. 이에 대한 설명으로 옳지 않은 것은?

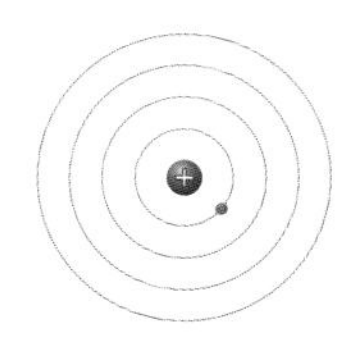

① 보어 모형이다.
② 불연속적인 에너지 준위를 가진다.
③ 수소 원자의 선 스펙트럼을 설명할 수 있다.
✓④ 전자의 존재를 확률 분포로 표현한 것이다.
⑤ 전자가 특정한 에너지를 가진 몇 개의 원형 궤도를 따라 빠르게 원운동 한다.

★기억해요!

[ ]에서 가까운 껍질부터 K, L, M, N …의 기호를 사용하여 나타내고 전자 껍질의 에너지 준위 크기는 $\mathrm{K} <$ [ ] $< \mathrm{M} < \mathrm{N} < \cdots$이다.

답 원자핵, L

12 이것만은 꼭! 전자 배치 원리

예제 그림은 두 원자의 전자 배치를 나타낸 것이다.

	$1s$	$2s$	$2p$		
(가)	↑↓	↑	↑		
(나)	↑↓	↑↓	↑		↑

이에 대한 설명으로 옳지 않은 것은?

① (나)는 훈트 규칙을 따른다.
② (가)는 들뜬상태의 전자 배치이다.
③ (나)는 바닥상태의 전자 배치이다.
✓④ (가)는 파울리 배타 원리에 위배된다.
⑤ (나)에서 p 오비탈에 있는 두 전자의 에너지는 같다.

★기억해요!

파울리 배타 원리에 따르면 1개의 오비탈에는 최대 [ ] 개의 전자가 배치되며, 이때 두 전자의 [ ] 방향은 서로 달라야 한다.

답 2, 스핀

11 이것만은 꼭! 양자수

예제 양자수에 대한 설명으로 옳은 것만을 〈보기〉에서 있는 대로 고른 것은?

보기

ㄱ. $n=2$인 전자 껍질에는 $2p$ 오비탈만 있다.
ㄴ. 주 양자수는 오비탈의 크기와 에너지를 결정한다.
ㄷ. 스핀 자기 양자수는 $+\frac{1}{2}$과 $-\frac{1}{2}$ 중 하나이다.

① ㄴ ② ㄷ ③ ㄱ, ㄴ
④ ㄱ, ㄷ ✓⑤ ㄴ, ㄷ

★기억해요!

p 오비탈은 방향성이 [ ]으며 자기 양자수가 [ ]개이므로 방향에 따라 p_x, p_y, p_z로 나누어진다.

답 있, 3

자르는 선 ✂

핵심 정리 13 주기율표와 원소의 분류

- 멘델레예프가 원소를 원자량 순서로 배열해 최초의 주기율표 작성 → 모즐리가 원자 번호 순으로 현대 주기율표의 틀을 만듦.
- 족: 주기율표의 세로줄 → 같은 족 원소들은 원자가 전자 수가 같아 ❶ [ ] 성질이 비슷
- 주기: 주기율표의 가로줄 → 같은 주기 원소들은 전자가 들어 있는 ❷ [ ]가 같다.
- 금속 원소는 전자를 잃고 양이온이 되기 쉽고, 비금속 원소는 전자를 얻어 음이온이 되기 쉽다.

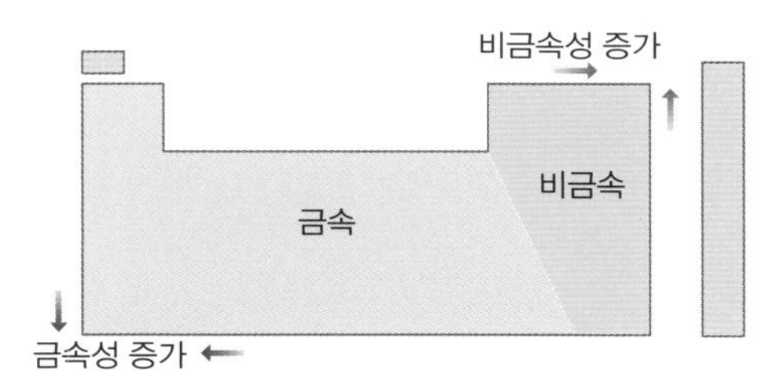

답 ❶ 화학적 ❷ 전자 껍질 수

핵심 정리 14 유효 핵전하의 주기성

- **유효 핵전하:** 가려막기 효과 때문에 양성자수에 따른 핵전하보다 작은 핵전하를 느끼게 되는데, 이때 전자가 실제 느끼는 핵전하
- 같은 주기에서 원자 번호가 커질수록 원자가 전자에 작용하는 유효 핵전하가 ❶ [ ]한다.

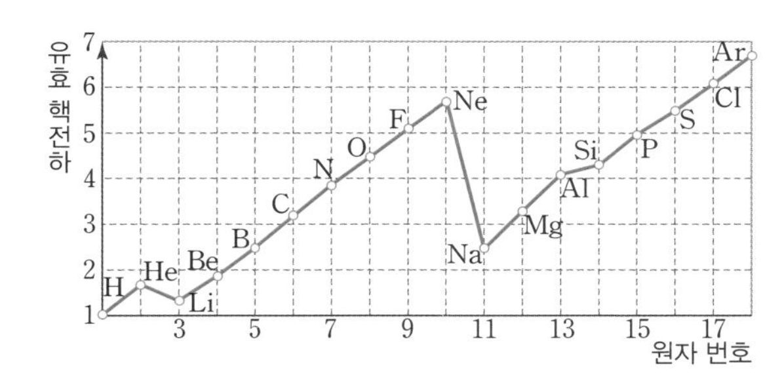

- 주기가 바뀔 때 유효 핵전하는 급격히 ❷ [ ]한다.

답 ❶ 증가 ❷ 감소

핵심 정리 15 원자 반지름의 주기성

- **원자 반지름:** 같은 종류의 두 원자가 결합하고 있을 때 두 원자핵간 거리의 $\frac{1}{2}$이다.
- **같은 주기:** 원자 번호가 커질수록 ❶ [ ]가 증가하므로 원자 반지름이 감소한다.
- **같은 족:** 원자 번호가 커질수록 ❷ [ ] 수가 증가하므로 원자 반지름이 증가한다.

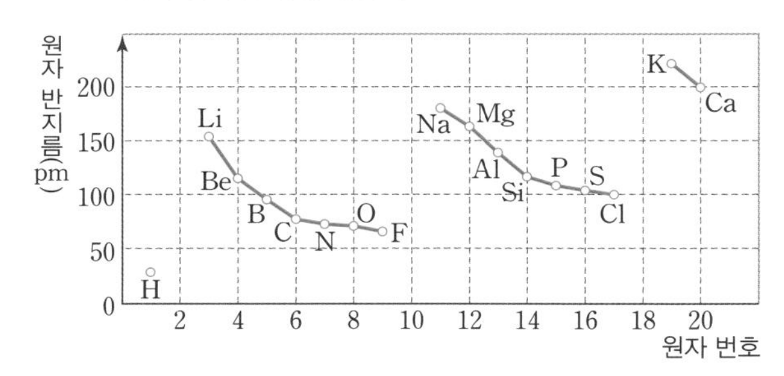

답 ❶ 유효 핵전하 ❷ 전자 껍질

핵심 정리 16 이온화 에너지의 주기성

- **이온화 에너지:** 기체 상태의 중성 원자 1몰에서 전자 1몰을 떼어 내는 데 필요한 에너지
- **같은 주기:** 원자 번호가 커질수록 원자핵과 전자 사이의 인력이 증가하므로 이온화 에너지는 대체로 ❶ [ ]한다.
- **같은 족:** 원자 번호가 커질수록 전자 껍질 수가 증가하여 원자핵과 전자 사이의 인력이 감소하므로 이온화 에너지는 ❷ [ ]한다.

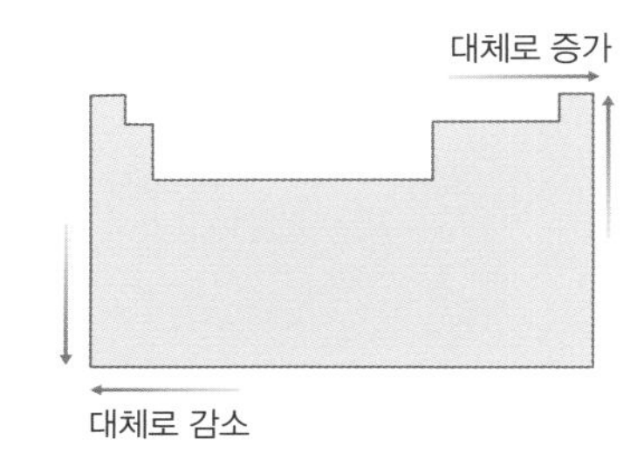

답 ❶ 증가 ❷ 감소

14 이것만은 꼭! 유효 핵전하의 주기성

예제 유효 핵전하에 대한 설명으로 옳지 않은 것은?

① 수소의 전자가 느끼는 핵전하는 +1이다.
② 같은 주기에서는 원자 번호가 클수록 크다.
③ 주기가 바뀔 때 유효 핵전하는 급격히 감소한다.
✓④ 핵전하를 가리는 효과는 같은 껍질에 있는 전자가 안쪽 껍질에 있는 전자보다 더 크다.
⑤ 다른 전자들에 의해 원자핵이 가려져 원자가 전자가 느끼는 핵전하는 양성자수에 따른 핵전하보다 작아진다.

★기억해요!

같은 주기에서는 원자 번호가 증가할수록 양성자수가 증가하므로 ______가 커져 핵과 전자 사이의 ______이 증가한다.

답 유효 핵전하, 인력

13 이것만은 꼭! 주기율표와 원소의 분류

예제 현대 주기율표에 대한 설명으로 옳지 않은 것은?

① 주기는 주기율표의 가로줄이다.
② 2주기에 속하는 원소는 8가지이다.
③ 15족 원소의 원자가 전자 수는 5이다.
④ 화학적 성질이 비슷한 원소가 같은 세로줄에 오도록 배열한 표이다.
✓⑤ 모즐리는 원소를 원자량 순서대로 배열하여 주기율표를 만들었다.

★기억해요!

주기율표에서 금속 원소는 주로 ______에, 비금속 원소는 주로 ______에 위치한다.

답 왼쪽, 오른쪽

16 이것만은 꼭! 이온화 에너지의 주기성

예제 이온화 에너지에 대한 설명으로 옳지 않은 것은?

✓① O의 이온화 에너지가 N보다 크다.
② Li의 이온화 에너지가 Na보다 크다.
③ Be의 이온화 에너지가 B보다 더 크다.
④ 같은 주기에서 이온화 에너지는 대체로 증가한다.
⑤ 원자에서 전자를 1개씩 떼어 낼 때마다 순차 이온화 에너지는 증가한다.

★기억해요!

쌍을 이룬 전자는 전자 사이에 반발력이 작용하여 ______보다 떼어 내기가 쉬우므로 산소(O)의 이온화 에너지는 질소(N)보다 ______다.

답 홀전자, 작

15 이것만은 꼭! 원자 반지름의 주기성

예제 그림은 2주기 원소 A~C의 원자 반지름과 안정한 이온 반지름을 상댓값으로 나타낸 것이다. 이에 대한 설명으로 옳은 것만을 〈보기〉에서 있는 대로 고르시오.

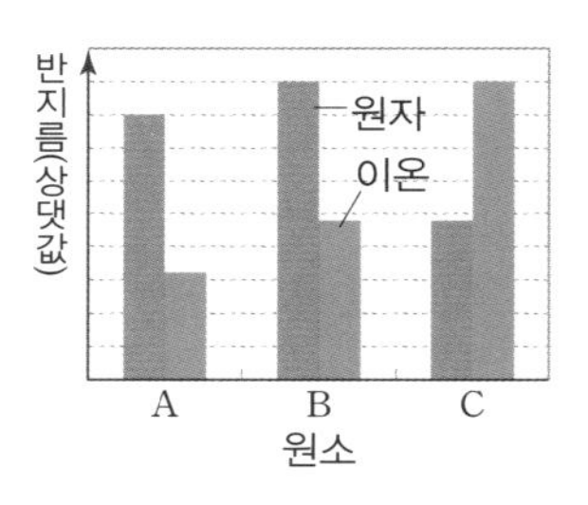

보기

✓ㄱ. A와 B는 금속 원소이다.
ㄴ. 원자 번호는 B가 가장 크다.
✓ㄷ. C는 비금속 원소이다.

★기억해요!

금속 원자가 전자를 잃고 ______이 되면 이온 반지름은 원자보다 크기가 ______진다.

답 양이온, 작아

자르는 선

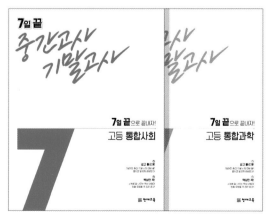

book.chunjae.co.kr

교재 내용 문의 ································ 교재 홈페이지 ▸ 고등 ▸ 교재상담
교재 내용 외 문의 ···························· 교재 홈페이지 ▸ 고객센터 ▸ 1:1문의
발간 후 발견되는 오류 ························ 교재 홈페이지 ▸ 고등 ▸ 학습지원 ▸ 학습자료실

7일 끝

중간고사 기말고사

7일 끝으로 끝내자!

고등 화학 I

BOOK 2

언제나 만점이고 싶은 친구들

Welcome!

숨 돌릴 틈 없이 찾아오는 시험과 평가,
성적과 입시 그리고 미래에 대한 걱정.
중·고등학교에서 보내는 6년이란 시간은
때때로 힘들고, 버겁게 느껴지곤 해요.

그런데 여러분, 그거 아세요?
지금 이 시기가 노력의 대가를
가장 잘 확인할 수 있는 시간이라는 걸요.

안 돼, 못하겠어, 해도 안 될 텐데-
어렵게 생각하지 말아요. 천재교육이 있잖아요.
첫 시작의 두려움을 첫 마무리의 뿌듯함으로 바꿔줄게요.

펜을 쥐고 이 책을 펼친 순간
여러분 앞에 무한한 가능성의 길이 열렸어요.

우리와 함께 꽃길을 향해 걸어가 볼까요?

#시험대비
#핵심정복

7일 끝
중간고사
기말고사

Chunjae
Makes
Chunjae

▼

개발총괄 김은숙
편집개발 김은송, 김용하, 박준우, 박유미
제작 황성진, 조규영

발행일 2021년 3월 15일 초판 2021년 3월 15일 1쇄
발행인 (주)천재교육
주소 서울시 금천구 가산로9길 54
신고번호 제2001-000018호
고객센터 1577-0902
교재 내용문의 (02)3282-8739

※ 정답 분실 시에는 천재교육 홈페이지에서 내려받으세요.

7일 끝으로 끝내자!

고등 화학 I

BOOK 2

2학기 중간·기말 대비

이 책의 구성과 활용

일차별 시험 공부

생각 열기

공부할 내용을 그림과 퀴즈로 가볍게 살펴보며 학습을 준비해 보세요.

❶ **그림으로 개념 잡기** | 학습할 개념을 그림과 만화로 재미있게 알아보세요.

❷ **Quiz** | 공부할 내용을 그림과 관련된 퀴즈 문제로 확인해 보세요.

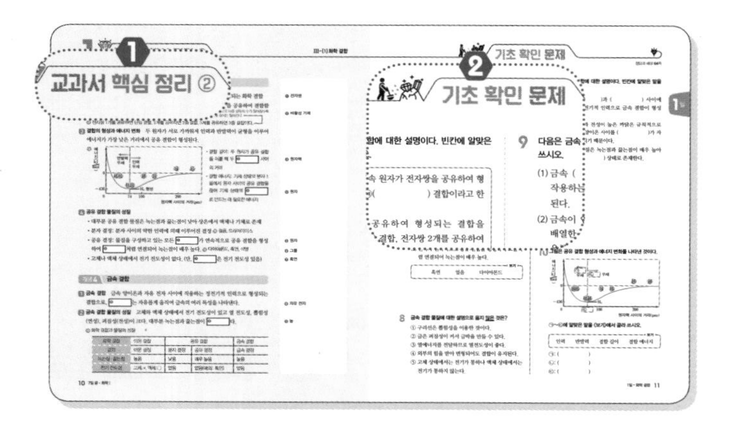

교과서 핵심 정리 + 기초 확인 문제

꼭 알아야 할 교과서 핵심 내용을 익히고 기초 확인 문제를 풀며 제대로 이해했는지 확인해 보세요.

❶ **교과서 핵심 정리** | 빈칸을 채워 보며 교과서 핵심 개념을 다시 한번 체크해 보세요.

❷ **기초 확인 문제** | 교과서 핵심 정리와 관련된 문제를 풀며 공부한 내용을 확인해 보세요.

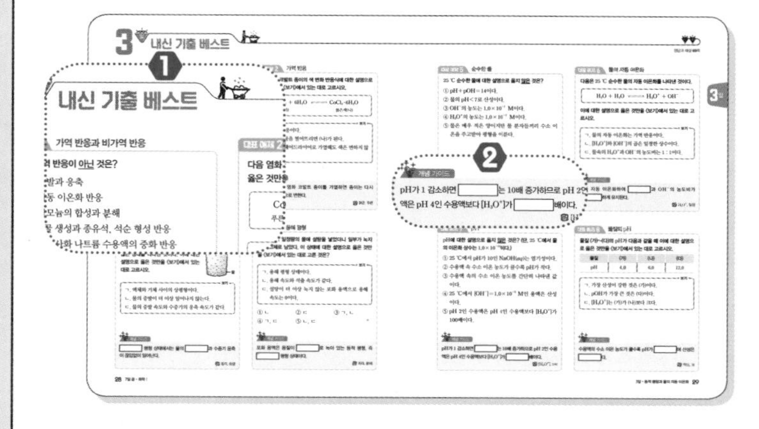

내신 기출 베스트

다양한 유형의 문제를 풀어 보며 공부한 내용을 점검해 보세요.

❶ **대표 예제** | 시험에 자주 나오는 빈출 유형 필수 문제를 풀어 보세요.

❷ **개념 가이드** | 대표 예제와 관련된 핵심 개념을 익혀 보세요.

시험 공부 마무리 테스트

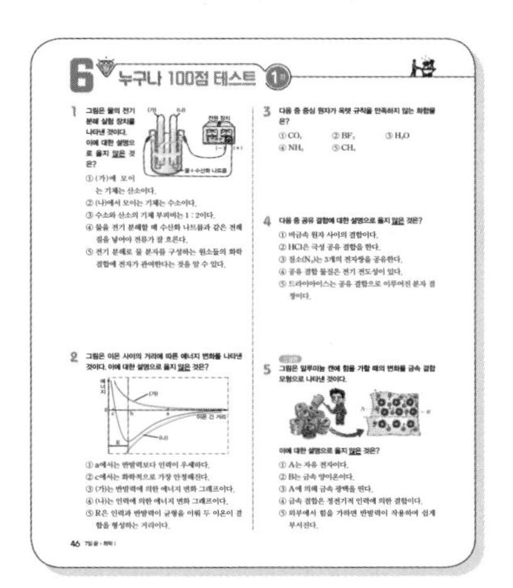

누구나 100점 테스트

5일 동안 공부한 내용을 바탕으로 기초 이해력을 점검해 보세요.

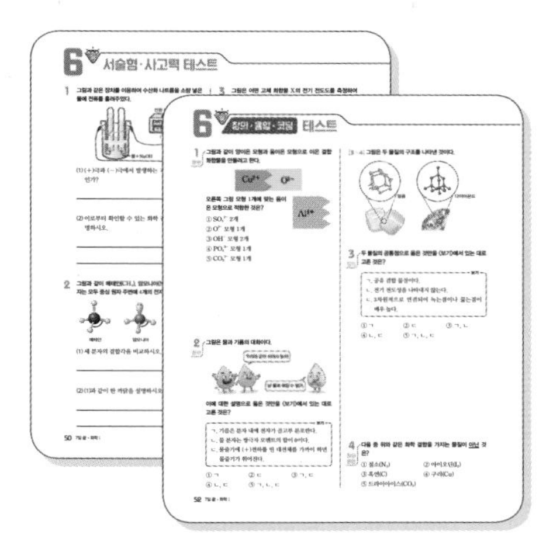

서술형·사고력 테스트
창의·융합·코딩 테스트

서술형·사고력 문제와 창의·융합·코딩 문제를 풀어 보면서 창의력과 문제 해결력을 높여 보세요.

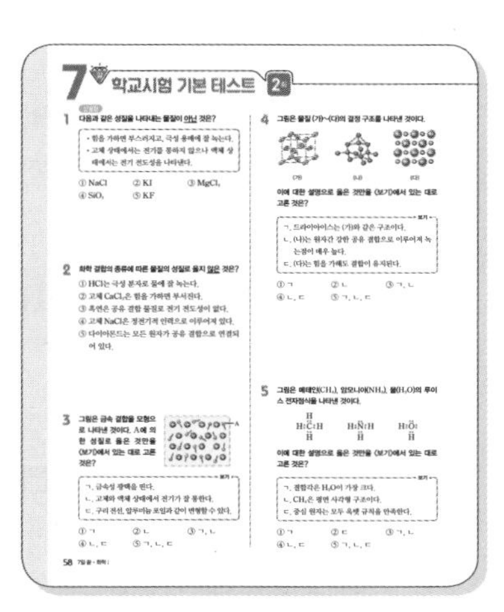

학교시험 기본 테스트

중간·기말고사 예상 문제를 최종으로 풀며 실전에 대비해 보세요.

시험 직전까지 챙겨야 할 부록

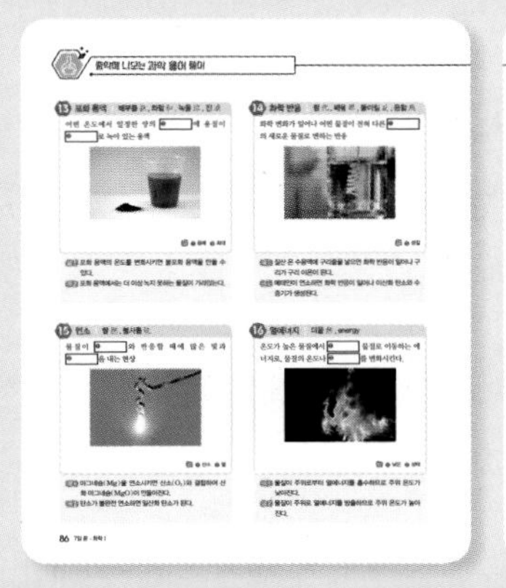

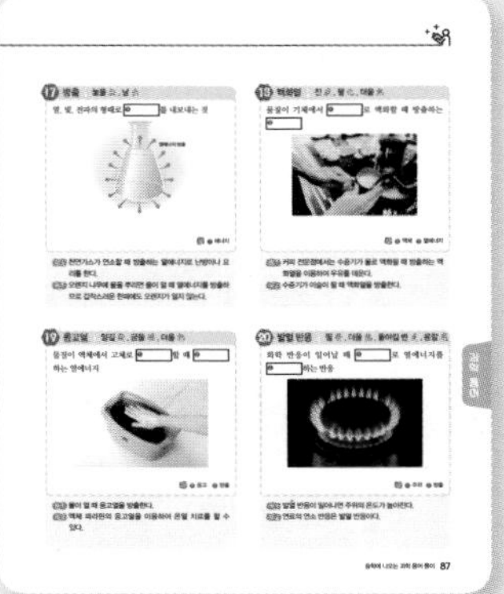

중학에 나오는 과학 용어 풀이

중학교에서 배운 과학 용어로 선수 학습을 확인할 수 있어요.

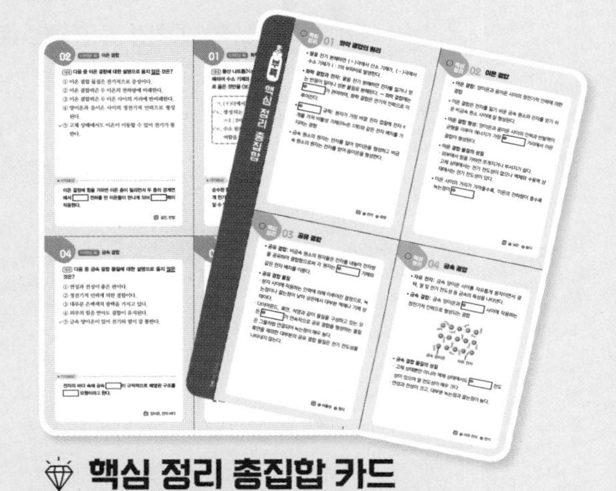

핵심 정리 총집합 카드

시험 직전이나 틈틈이 암기 카드를 휴대하여 활용해 보세요.

이 책의 차례

BOOK 1

BOOK
2

대단원 III. 화학 결합과 분자의 세계 ❶

화학 결합

Quiz 원자가 전자를 잃거나 얻어서 가장 바깥 전자 껍질의 전자가 8개가 되려는 경향을 ㅇ ㅌ ㄱ ㅊ 이라고 한다.

답 옥텟 규칙

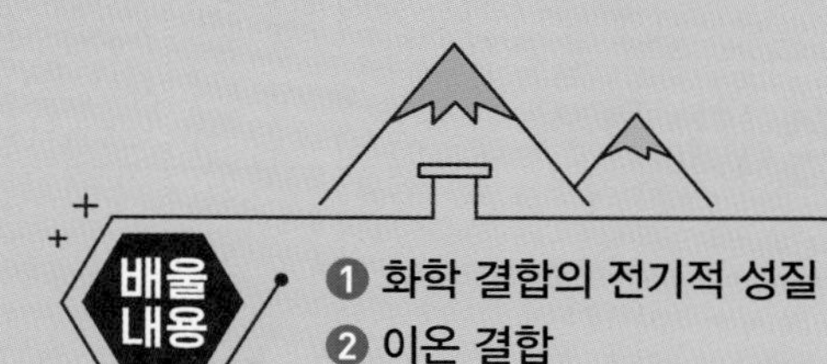

배울 내용

❶ 화학 결합의 전기적 성질
❷ 이온 결합
❸ 공유 결합
❹ 금속 결합

Quiz 이온 결합은 [ㅇ][ㅇ][ㅇ]과 [ㅇ][ㅇ][ㅇ] 사이에 정전기적 인력이 작용하여 이루어진 결합이다.

답 양이온, 음이온

Quiz 공유 결합은 비금속 원자들이 [ㅈ][ㅈ][ㅆ]을 서로 공유하여 안정한 화합물을 생성하는 결합이다.

답 전자쌍

1일 교과서 핵심 정리 ①

개념 1 화학 결합의 전기적 성질

1 물의 전기 분해 순수한 물은 전기가 통하지 않으므로 전해질을 녹여 전기 분해한다.

2 화학 결합과 전자 물을 전기 분해하면 성분 물질로 분해 ➡ 화학 결합은 전기적 인력으로 이루어지며 ❶ _____ 가 관여한다.

예 물을 전기 분해하면 (+)극에서는 ❷ _____ 기체가, (−)극에서는 ❸ _____ 기체가 1 : 2의 부피비로 발생 ➡ 결합에 전자 관여

❶ 전자
❷ 산소
❸ 수소

개념 2 이온 결합

1 ❹ _____ 규칙 비활성 기체 이외의 원자가 가장 바깥 전자 껍질에 전자 8개를 가져 비활성 기체(He은 2개)와 같은 전자 배치를 가지려는 경향

2 화학 결합의 원리 원소들은 화학 결합을 통해 ❺ _____ 규칙을 만족하는 가장 안정한 전자 배치 상태를 만들거나 유지한다.

예 금속 원자는 전자를 잃고 비금속 원자는 전자를 얻거나 전자쌍을 공유하여 옥텟 규칙을 만족한다.

3 이온 결합

정의	양이온과 음이온 사이의 정전기적 인력에 의한 결합으로, 주로 ❻ _____ 양이온과 ❼ _____ 음이온 사이에 형성된다.
결합의 형성과 에너지 변화	이온 결합은 양이온과 음이온 사이의 인력과 반발력이 균형을 이루어 에너지가 가장 ❽ _____ 거리에서 형성된다. 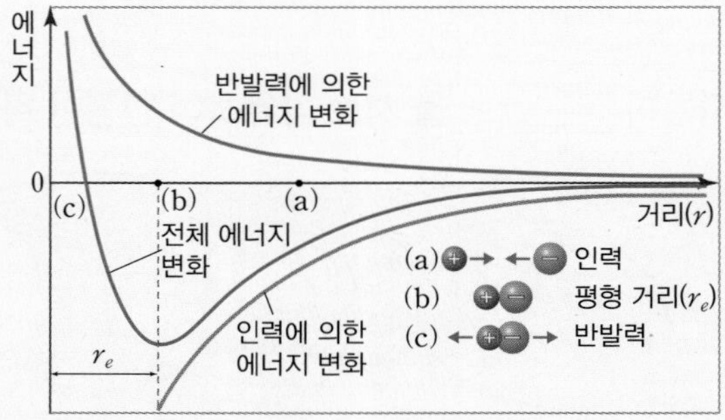
이온 결합 물질의 성질	• 외부에서 힘을 가하면 쉽게 쪼개지거나 부서진다. – 힘을 가하면 같은 전하의 이온끼리 마주하게 되어 반발력이 작용하기 때문이다. • ❾ _____ 상태에서는 전기 전도성이 없으나, 액체나 수용액 상태에서는 전기 전도성이 있다. • 녹는점이 높다. ➡ 이온 사이의 거리가 짧을수록, 이온의 전하량이 클수록 높다.

에너지 / 반발력에 의한 에너지 변화 / 0 / (c) / (b) / (a) / 거리(r) / 전체 에너지 변화 / 인력에 의한 에너지 변화 / r_e
(a) 인력
(b) 평형 거리(r_e)
(c) 반발력

예
나트륨 원자 + 염소 원자 → 염화 나트륨

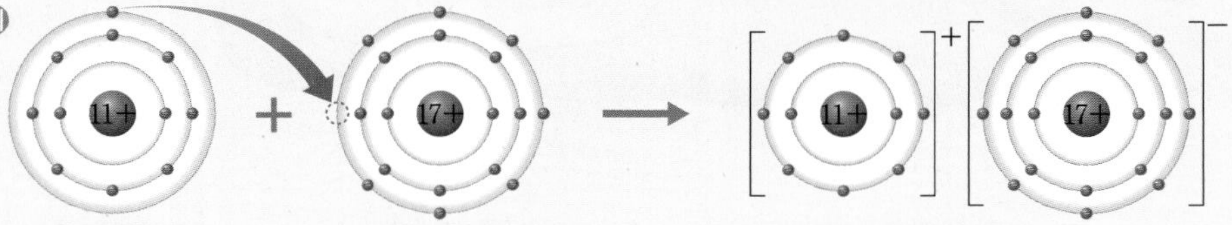

❹ 옥텟
❺ 옥텟
❻ 금속
❼ 비금속
❽ 낮은
❾ 고체

기초 확인 문제

정답과 해설 64쪽

1 물의 전기 분해에 관한 설명이다. (   ) 안에 알맞은 말이나 숫자를 쓰시오.

(1) 물을 전기 분해하면 수소 기체와 산소 기체가 (   ) : (   )의 부피비로 생성된다.

(2) (−)극에서는 (   ) 기체가 발생한다.

(3) 물이 전기 분해에 의해 성분 원소로 분해되는 것으로부터 화학 결합이 형성될 때 (   )가 관여함을 알 수 있다.

2 ⟨보기⟩의 용어를 사용하여 다음 설명의 ㉠~㉢에 알맞은 말을 쓰시오.

> 원자들이 전자를 잃거나 얻어서 ㉠(   )와 같은 안정한 ㉡(   )를 이루려는 경향을 ㉢(   )이라고 하며, 원자들은 이 규칙을 만족하면서 화학 결합을 이룬다.

보기

비활성 기체　　옥텟 규칙　　전자 배치

3 그림은 이온 결합이 형성될 때의 에너지 변화를 나타낸 것이다. (a)~(c) 중 이온 결합이 형성되는 거리를 쓰시오.

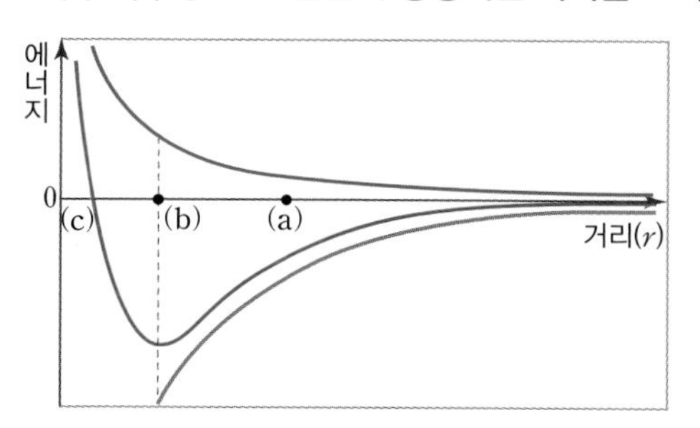

4 그림은 수산화 나트륨을 녹인 증류수를 전기 분해하는 장치를 나타낸 것이다.

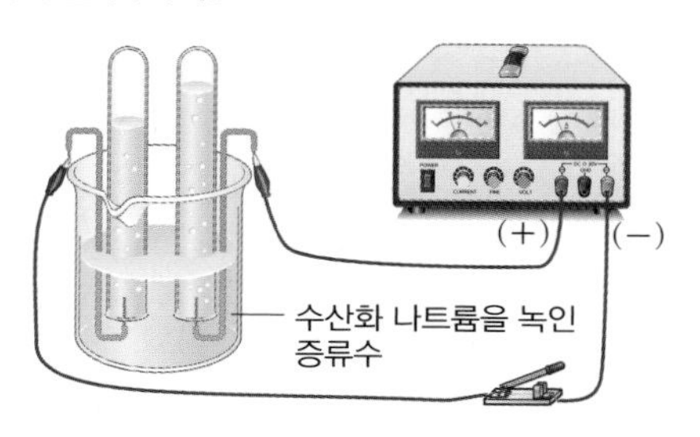

이에 대한 설명으로 알맞은 말을 (   )에서 고르시오.

(1) 순수한 물은 전기가 통하지 않으므로 전기 분해를 할 때에는 수산화 나트륨과 같은 (전해질 , 촉매)을(를) 넣어 전류가 잘 흐르게 한다.

(2) 물을 전기 분해할 때 (+)극에서 발생하는 기체는 (수소 , 산소)이다.

5 이온 결합 물질에 대한 설명으로 옳지 않은 것은?

① 이온 결합 물질이 형성될 때 전자가 관여한다.
② 액체 상태에서는 이온들이 자유롭게 움직일 수 있어 전류가 흐른다.
③ 고체 상태에서 서로 반대 전하를 띤 이온들이 단단히 결합되어 있다.
④ 상온에서 고체 상태로 존재하지만 외부에서 힘을 가하면 쉽게 부서진다.
⑤ 이온 결합 물질의 녹는점은 이온 사이의 거리가 멀수록, 이온의 전하량이 클수록 높다.

1일 교과서 핵심 정리 ②

개념 3 공유 결합

1 공유 결합 비금속 원소의 원자 사이에 ❶ [ ]을 공유하여 형성되는 화학 결합

2 공유 결합의 형성 비금속 원소의 원자들은 전자를 내놓아 전자쌍을 공유하여 결합함으로써 각 원자는 ❷ [ ]와 같은 전자 배치를 이룬다.

예 전자쌍 1개를 공유하면 단일 결합, 2개를 공유하면 2중 결합, 3개를 공유하면 3중 결합이다.

일반적으로 다중 결합의 수가 많아질수록 결합 길이는 짧아진다.

3 결합의 형성과 에너지 변화 두 원자가 서로 가까워져 인력과 반발력이 균형을 이루어 에너지가 가장 낮은 거리에서 공유 결합이 형성된다.

예

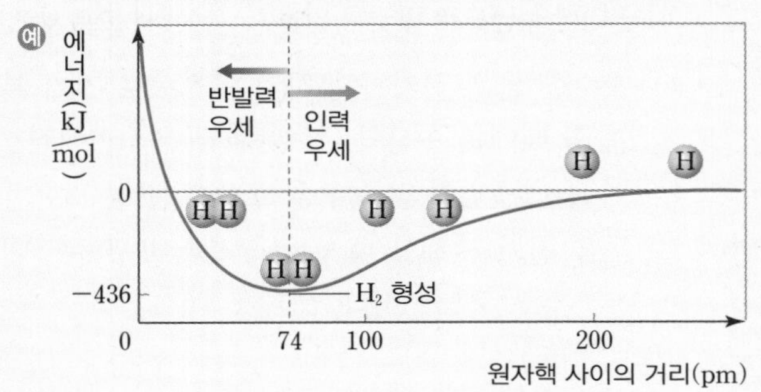

- 결합 길이: 두 원자가 공유 결합을 이룰 때 두 ❸ [ ] 사이의 거리
- 결합 에너지: 기체 상태의 분자 1몰에서 원자 사이의 공유 결합을 끊어 기체 상태의 ❹ [ ]로 만드는 데 필요한 에너지

4 공유 결합 물질의 성질

- 대부분 공유 결합 물질은 녹는점과 끓는점이 낮아 상온에서 액체나 기체로 존재
- 분자 결정: 분자 사이의 약한 인력에 의해 이루어진 결정 예 얼음, 드라이아이스
- 공유 결정: 물질을 구성하고 있는 모든 ❺ [ ]가 연속적으로 공유 결합을 형성하여 ❻ [ ]처럼 연결되어 녹는점이 매우 높다. 예 다이아몬드, 흑연, 석영
- 고체나 액체 상태에서 전기 전도성이 없다. (단, ❼ [ ]은 전기 전도성 있음)

개념 4 금속 결합

1 금속 결합 금속 양이온과 자유 전자 사이에 작용하는 정전기적 인력으로 형성되는 결합으로, ❽ [ ]는 자유롭게 움직여 금속의 여러 특성을 나타낸다.

2 금속 결합 물질의 성질 고체와 액체 상태에서 전기 전도성이 있고 열 전도성, 뽑힘성(연성), 펴짐성(전성)이 크다. 대부분 녹는점과 끓는점이 ❾ [ ]다.

예 화학 결합과 물질의 성질

화학 결합	이온 결합	공유 결합		금속 결합
결정	이온 결정	분자 결정	공유 결정	금속 결정
녹는점·끓는점	높음	낮음	매우 높음	높음
전기 전도성	고체:×, 액체:○	없음	없음(예외: 흑연)	있음

❶ 전자쌍
❷ 비활성 기체
❸ 원자핵
❹ 원자
❺ 원자
❻ 그물
❼ 흑연
❽ 자유 전자
❾ 높

정답과 해설 64쪽

6 다음은 어떤 화학 결합에 대한 설명이다. 빈칸에 알맞은 말이나 숫자를 쓰시오.

- 2개 이상의 비금속 원자가 전자쌍을 공유하여 형성되는 결합을 ㉠(   ) 결합이라고 한다.
- 전자쌍 1개를 공유하여 형성되는 결합을 ㉡(   ) 결합, 전자쌍 2개를 공유하여 형성되는 결합을 2중 결합, 전자쌍 ㉢(   )개를 공유하여 형성되는 결합을 3중 결합이라고 한다.

7 다음 설명에 해당하는 물질을 〈보기〉에서 골라 모두 쓰시오.

(1) 분자 결정으로 녹는점과 끓는점이 낮다.

(2) 공유 결정이지만 예외적으로 고체 상태에서 전기 전도성이 있다.

(3) 원자가 연속적으로 공유 결합을 형성하여 그물처럼 연결되어 녹는점이 매우 높다.

보기

흑연　　얼음　　다이아몬드

8 금속 결합 물질에 대한 설명으로 옳지 않은 것은?

① 구리선은 뽑힘성을 이용한 것이다.

② 금은 펴짐성이 커서 금박을 만들 수 있다.

③ 열에너지를 전달하므로 열전도성이 좋다.

④ 외부의 힘을 받아 변형되어도 결합이 유지된다.

⑤ 고체 상태에서는 전기가 통하나 액체 상태에서는 전기가 통하지 않는다.

9 다음은 금속 결합에 대한 설명이다. 빈칸에 알맞은 말을 쓰시오.

(1) 금속 (   )과 (   ) 사이에 작용하는 정전기적 인력으로 금속 결합이 형성된다.

(2) 금속이 연성과 전성이 높은 까닭은 규칙적으로 배열한 금속 양이온 사이를 (   )가 자유롭게 움직이기 때문이다.

(3) 금속 결합 물질은 녹는점과 끓는점이 매우 높아 대부분 (   ) 상태로 존재한다.

10 그림은 공유 결합 형성과 에너지 변화를 나타낸 것이다.

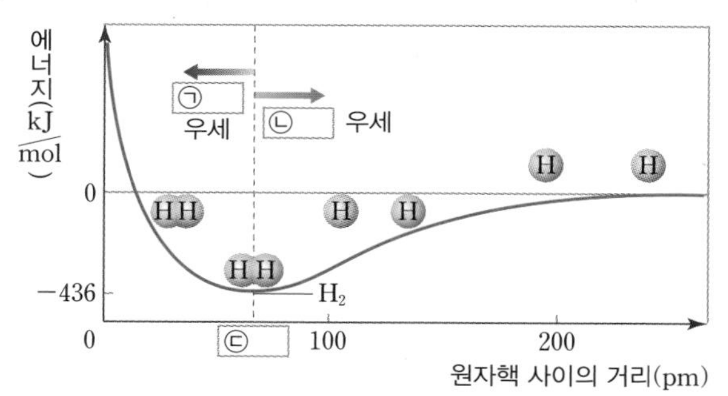

㉠~㉢에 알맞은 말을 〈보기〉에서 골라 쓰시오.

보기

인력　　반발력　　결합 길이　　결합 에너지

㉠: (   )

㉡: (   )

㉢: (   )

1일 내신 기출 베스트

대표 예제 1 물의 전기 분해

그림은 물을 전기 분해하는 장치이다. 이에 대한 설명으로 옳은 것만을 〈보기〉에서 있는 대로 고르시오.

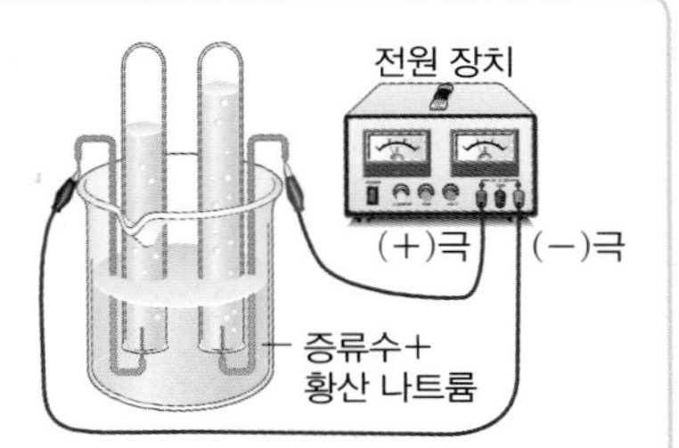

보기

ㄱ. (−)극에서는 수소 기체가 생성된다.
ㄴ. 순수한 물은 전기가 잘 통하지 않는다.
ㄷ. 황산 나트륨 대신 수산화 나트륨을 넣어도 물을 전기 분해할 수 있다.

개념 가이드

물을 전기 분해하면 (+)극에서는 [　　　] 기체가, (−)극에서는 [　　　] 기체가 생성된다.

답 산소, 수소

대표 예제 2 이온 결합 형성

그림은 염화 나트륨이 생성될 때의 이온 사이의 거리에 따른 에너지 변화이다. 이에 대한 설명으로 옳은 것만을 〈보기〉에서 있는 대로 고르시오.

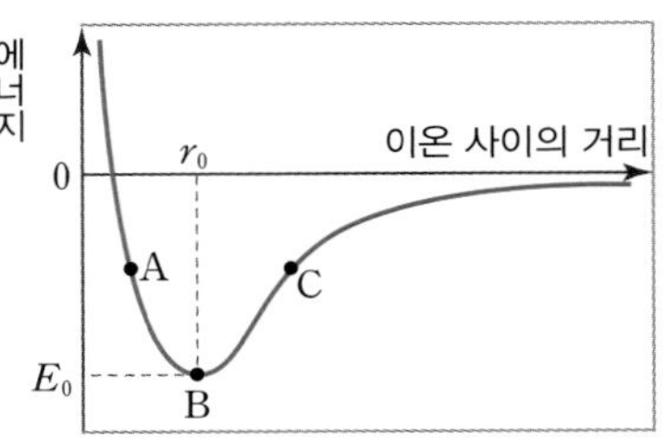

보기

ㄱ. A에서는 인력이 반발력보다 우세하다.
ㄴ. B에서 이온 결합이 형성된다.
ㄷ. C에서는 인력과 반발력이 균형을 이룬다.

개념 가이드

이온 결합은 양이온과 음이온 사이의 인력과 [　　　]이 균형을 이루어 에너지가 가장 [　　　]아지는 지점에서 형성된다.

답 반발력, 낮

대표 예제 3 이온 결합

다음 중 이온 결합 물질의 화학식으로 옳지 않은 것은?

① KF
② CH_4
③ MgO
④ NaCl
⑤ Al_2O_3

개념 가이드

이온 결합 물질은 (+)전하와 [　　　]전하의 양이 같아서 전기적으로 [　　　]이다.

답 (−), 중성

대표 예제 4 이온 결합 물질

이온 결합 물질에 대한 설명으로 옳지 않은 것은?

① 전기적으로 중성이다.
② 양이온과 음이온의 정전기적 인력으로 형성된다.
③ 녹는점이 높아 대부분 상온에서 고체 상태로 존재한다.
④ 고체 이온 결합 물질에 힘을 가하면 쉽게 부스러진다.
⑤ 액체 상태에서는 양이온과 음이온이 자유롭게 이동할 수 없다.

개념 가이드

이온 결합 물질은 [　　　] 상태에서 전기 전도성이 없으나 [　　　]나 수용액 상태에서는 전기 전도성이 있다.

답 고체, 액체

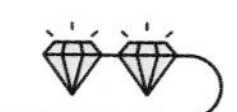

정답과 해설 64쪽

1일

대표 예제 5 공유 결합

그림은 수소 원자(H)와 산소 원자(O)의 결합으로 형성된 물 분자(H_2O)를 모형으로 나타낸 것이다. 이에 대한 설명으로 옳은 것만을 <보기>에서 있는 대로 고르시오.

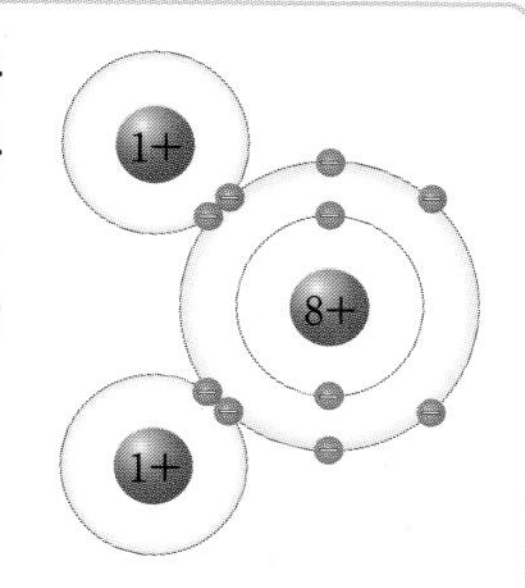

보기

ㄱ. 물 분자에서 공유 전자쌍은 2개이다.
ㄴ. H와 O 사이에는 2중 결합이 형성된다.
ㄷ. 공유 결합으로 산소 원자가 옥텟 규칙을 만족한다.

개념 가이드

산소 원자는 수소 원자와 [   ] 결합하여 [   ] 규칙을 만족한다.

답 공유, 옥텟

대표 예제 6 공유 결합 물질

공유 결합 물질에 대한 설명으로 옳지 않은 것은?

① 메테인은 공유 결합 물질이다.
② 대부분 녹는점과 끓는점이 낮다.
③ 고체 상태에서 전기 전도성이 있다.
④ 질소(N_2)는 3개의 전자쌍을 공유하여 형성된다.
⑤ 모든 원자들이 공유 결합으로 3차원적으로 연결된 물질도 있다.

개념 가이드

[   ]을 제외한 대부분의 공유 결합 물질은 전하를 운반할 수 있는 입자가 없어 [   ]을 나타내지 않는다.

답 흑연, 전기 전도성

대표 예제 7 금속 결합의 특징

그림은 금속 결합을 모형으로 나타낸 것이다. (가)에 의해 나타나는 금속의 특성이 아닌 것은?

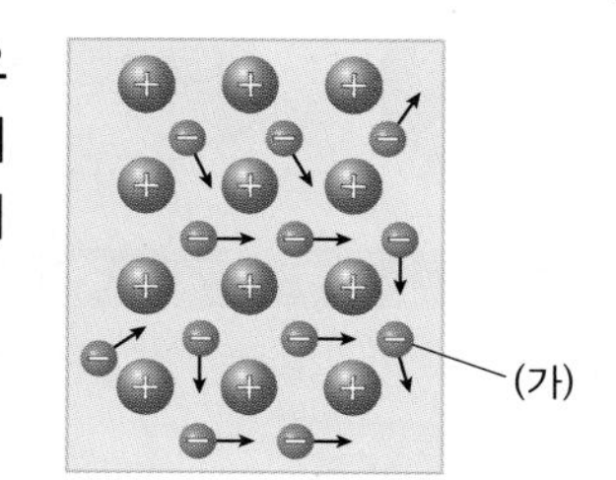

① 밀도가 크다.
② 연성이 크다.
③ 전성이 크다.
④ 광택을 띤다.
⑤ 열과 전기 전도성이 좋다.

개념 가이드

금속 결합에서 [   ]는 금속 [   ] 사이를 이동할 수 있어 결합을 유지해 준다.

답 자유 전자, 양이온

대표 예제 8 화학 결합

표는 물질 (가)~(다)의 전기 전도성을 조사한 것이다. 이에 대한 설명으로 옳은 것만을 <보기>에서 있는 대로 고르시오.

물질	(가)	(나)	(다)
고체/액체	있음/있음	없음/있음	없음/없음

보기

ㄱ. (가)는 이온 결합 물질이다.
ㄴ. (나)는 (+)전하와 (−)전하를 띠는 입자 사이의 인력에 의해 결합한다.
ㄷ. (다)는 원자들이 전자쌍을 공유하여 형성된다.

개념 가이드

이온 결합 물질은 고체 상태에서는 전기 전도성이 [   ]고, 액체 상태에서는 [   ]다.

답 없, 있

2 

대단원 III. 화학 결합과 분자의 세계 ❷

분자의 구조와 성질

Quiz 전기 음성도가 같은 원자 사이의 결합을 ㅁㄱㅅ 공유 결합, 전기 음성도가 다른 원자 사이의 공유 결합을 ㄱㅅ 공유 결합이라고 한다.

전자쌍이 치우치지 않아
우리는 무극성 공유 결합을 하지.
공유 전자쌍
전기 음성도가 가장 큰 플루오린(F)의 전기 음성도를 4.0으로 정하고, 이를 기준으로 나머지 원소의 전기 음성도 값을 상대적으로 정했지.
F > O > N > C ≃ H
4.0 3.5 3.0 2.5 2.1
H
폴링
전기 음성도가 작은 원소
큰 전기 음성도 차이로 전자쌍이 한쪽으로 쏠림
전기 음성도가 큰 원소
전자쌍이 한 원자 쪽에 치우친 결합은 극성 공유 결합이야.
H

답 무극성, 극성

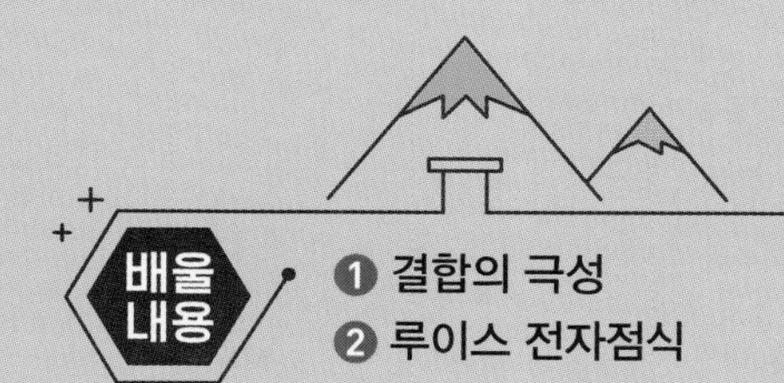

배울 내용

❶ 결합의 극성
❷ 루이스 전자점식
❸ 분자의 구조
❹ 분자의 극성

Quiz [ㅈ][ㅈ][ㅆ] [ㅂ][ㅂ] 이론은 원자가 전자의 전자쌍들은 서로 [ㅂ][ㅂ]하므로, 가능한 한 멀리 떨어지도록 배치된다는 것이다.

한쪽에 둘다 들어가려면
전자 사이에 반발이 생겨!
야!
저리 가!

훨씬 낫지? 전자쌍을
가능한 멀리 배치하는 것을
전자쌍 반발 이론이라고 해~

답 전자쌍 반발, 반발

Quiz 물질은 극성에 따라 용해성이 달라지는데, 극성 물질은 [ㄱ][ㅅ] 용매에 잘 녹고 무극성 물질은 [ㅁ][ㄱ][ㅅ] 용매에 잘 녹는다.

매운맛을 내는 성분은 무극성 분자야.
무극성 물질은 무극성 용매에 잘 녹으
니깐 극성 분자인 물보다 우유를 마시는
것이 좋아.
우유 주세요~
우유
MILK

답 극성, 무극성

2일 교과서 핵심 정리 ①

개념 1 결합의 극성

1 전기 음성도 공유 결합을 형성한 두 원자가 ❶ [ ] 을 끌어당기는 힘의 크기를 상대적으로 비교하여 정한 값

- 전기 음성도는 주기율표의 ❷ [ ] 위로 갈수록 대체로 증가하고 ❸ [ ] 아래로 갈수록 감소한다.
- 폴링은 ❹ [ ] 의 전기 음성도를 4.0으로 정하고 이를 기준으로 다른 원소들의 전기 음성도를 상대적으로 정하였다.

예 전기 음성도: F(4.0), O(3.5), N(3.0), C(2.5), H(2.1)

2 쌍극자 모멘트와 결합의 극성 결합의 극성은 전기 음성도 차가 클수록 대체로 증가한다.

쌍극자 모멘트	• 공유 결합에서 ❺ [ ] 의 정도를 나타내는 척도로, 크기는 전하량(q)과 두 전하 사이의 거리(r)를 곱한 값으로 나타낸다. - $\mu = q \times r$ • 전자의 치우침은 화살표로 나타내며, 부분 (+)전하에서 부분 (−)전하 방향으로 표시한다. 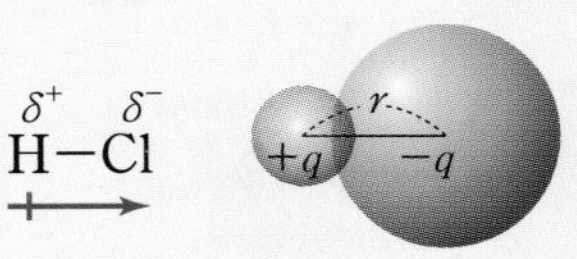
무극성 공유 결합	같은 원자 사이에 형성되는 공유 결합으로, 두 원자의 전기 음성도가 같아 공유 전자쌍의 치우침이 없으므로 쌍극자 모멘트가 ❻ [ ] 이다.
극성 공유 결합	서로 다른 원자 사이에 형성되는 공유 결합으로, 전기 음성도의 차이에 의해 공유 전자쌍이 한쪽으로 치우치므로 쌍극자 모멘트가 0이 아니다.

예 무극성 공유 결합: H−H, O=O, N≡N 등, 극성 공유 결합: H−Cl, O−H, C=O 등

개념 2 루이스 전자점식

1 루이스 전자점식 원소 기호에 ❼ [ ] 를 점으로 표시하여 나타낸 식

2 루이스 구조식 루이스 전자점식에서 공유 전자쌍을 선(—)으로 나타내고, 비공유 전자쌍은 1쌍의 점으로 나타내거나 생략한다.

- 홀전자: 루이스 전자점식에서 각 원자에 포함된 원자가 전자 중 ❽ [ ] 을 이루지 않은 전자
- 공유 전자쌍: 공유 결합에 참여하는 전자쌍
- 비공유 전자쌍: 공유 결합에 참여하지 않은 ❾ [ ]

예

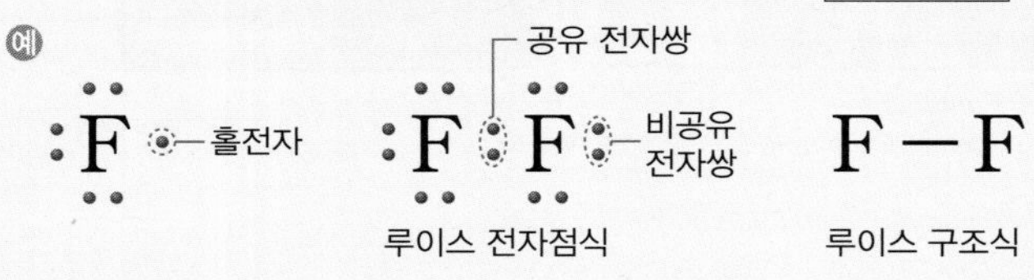

❶ 공유 전자쌍
❷ 오른쪽
❸ 왼쪽
❹ 플루오린(F)
❺ 극성
❻ 0
❼ 원자가 전자
❽ 쌍
❾ 전자쌍

기초 확인 문제

정답과 해설 66쪽

2일

1 전기 음성도에 대한 설명으로 알맞은 말을 고르시오.

(1) 주기율표의 오른쪽 위로 갈수록 대체로 (증가 , 감소)한다.

(2) 결합하는 두 원자의 전기 음성도 차이가 클수록 결합의 (극성 , 무극성)이 증가하고 부분 전하도 커진다.

(3) 전자쌍을 끌어당기는 힘이 가장 큰 (플루오린 , 염소) 원자의 전기 음성도를 4.0으로 정하고 다른 원소의 전기 음성도를 상대적으로 나타내었다.

2 빈칸에 알맞은 말을 〈보기〉에서 골라 쓰시오.

(1) 수소 분자와 같은 (　　　　　) 공유 결합에서는 쌍극자 모멘트가 0이다.

(2) (　　　　　) 모멘트의 크기는 전하량과 두 전하 사이의 거리에 비례한다.

(3) 염화 수소와 같은 (　　　　　) 공유 결합에서는 공유 전자쌍이 한쪽으로 치우친다.

보기

극성　　무극성　　쌍극자

3 극성 공유 결합으로 이루어진 분자를 〈보기〉에서 있는 대로 고른 것은?

보기

ㄱ. H_2　　ㄴ. H_2O　　ㄷ. O_2
ㄹ. CO_2　　ㅁ. HF

① ㄱ, ㄴ, ㄹ　② ㄱ, ㄹ, ㅁ　③ ㄴ, ㄷ, ㄹ
④ ㄴ, ㄹ, ㅁ　⑤ ㄴ, ㄷ, ㄹ, ㅁ

4 루이스 전자점식에 대한 설명이다. ㉠~㉢에 알맞은 말을 쓰시오.

- 원소 기호의 상하좌우 네 곳에 표시하며, 각 위치마다 전자를 ㉠(　　　　) 개씩 놓을 수 있다.
- 루이스 전자점식으로 공유 결합을 나타낼 때 결합하는 원자들이 ㉡(　　　　)족 원소와 같은 안정한 전자 배치가 되도록 전자를 배치한다.
- 공유 결합에 참여하지 않고 한 원자에만 속해 있는 전자쌍을 ㉢(　　　　)이라고 한다.

㉠: (　　　　　)
㉡: (　　　　　)
㉢: (　　　　　)

5 다음 결합을 루이스 전자점식으로 완성하시오.

(1) :Ö· + ·Ö: →
(2) :Ṅ· + ·Ṅ: →
(3) :F̤̈· + ·F̤̈: →

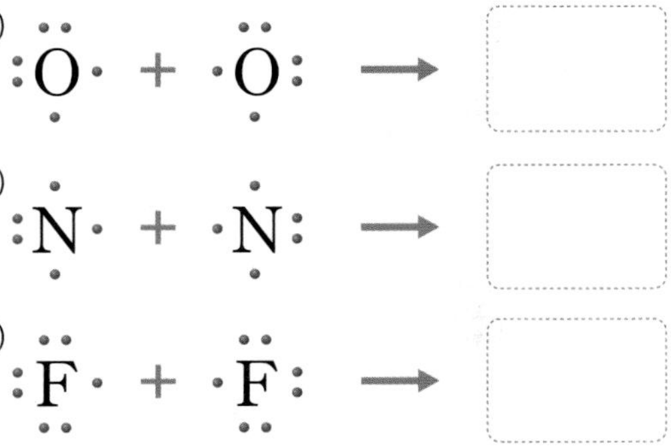

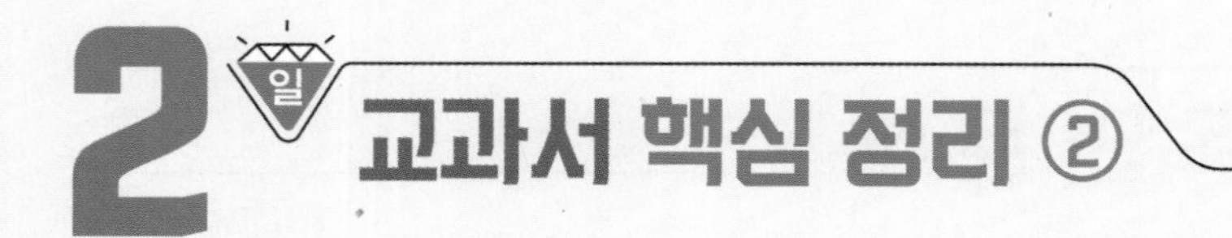

개념 3 분자의 구조

1 전자쌍 반발 이론 분자의 중심 원자를 둘러싸고 있는 전자쌍들이 정전기적 반발력을 ❶ [ ] 하기 위해 서로 멀리 떨어져 있으려고 한다는 이론

└ 전자쌍들은 (−)전하를 띠고 있으므로 서로 반발한다.

2 중심 원자에 공유 전자쌍만 있는 경우 공유 전자쌍 수에 따라 구조가 다르다.

공유 전자쌍 수	2	3	4
분자 구조 / 결합각	선형 / 180°	평면 삼각형 / 120°	정사면체 / 109.5°

3 중심 원자에 비공유 전자쌍이 있는 경우 비공유 전자쌍 사이의 반발력은 공유 전자쌍 사이의 반발력보다 ❷ [ ].

예

분자	메테인(CH_4)	암모니아(NH_3)	물(H_2O)
분자 구조	정사면체	삼각뿔형	❸ [ ]
분자 모형	H, C, H, H, H, 109.5°	N, H, H, H, 107°	O, H, H, 104.5°

개념 4 분자의 극성

1 극성 분자와 무극성 분자

무극성 분자	극성 분자
쌍극자 모멘트의 합이 ❹ [ ] 인 분자로, 분자 내 전하가 고르게 분포되어 부분 전하를 가지지 않는 분자 예 H_2, CO_2, CH_4	쌍극자 모멘트의 합이 0이 아닌 분자로, 분자 내 전하의 분포가 고르지 않아 부분 ❺ [ ] 를 갖는 분자 예 HCl, H_2O, NH_3, CH_3Cl

2 극성 분자와 무극성 분자의 성질

용해성	극성 분자는 ❻ [ ] 용매에, 무극성 분자는 ❼ [ ] 용매에 잘 용해
녹는점과 끓는점	❽ [ ] 이 비슷한 경우, 극성 분자는 무극성 분자보다 녹는점과 끓는점이 높다.
전기적 성질	극성 분자는 부분적인 전하를 띠고 있으므로 전기장에서 일정하게 배열되며, 액체 줄기에 대전체를 가까이하면 대전체 종류에 관계없이 대전체에 끌린다.

❶ 최소화
❷ 크다
❸ 굽은 형
❹ 0
❺ 전하
❻ 극성
❼ 무극성
❽ 분자량

정답과 해설 66쪽

6 중심 원자 주위에 공유 전자쌍만 있을 때 공유 전자쌍 수에 따른 분자 구조를 〈보기〉에서 골라 기호를 쓰시오.

(1) 공유 전자쌍이 2개인 경우

(2) 공유 전자쌍이 3개인 경우

(3) 공유 전자쌍이 4개인 경우

보기

ㄱ. 선형　　ㄴ. 정사면체

ㄷ. 평면 삼각형

7 공유 전자쌍과 비공유 전자쌍 사이의 반발력의 크기를 등호나 부등호로 표시하시오.

비공유 전자쌍 사이의 반발력	㉠	비공유 전자쌍과 공유 전자쌍 사이의 반발력	㉡	공유 전자쌍 사이의 반발력

8 다음은 전자쌍 반발 이론과 분자 구조에 대한 설명이다. (　　)에 들어갈 알맞은 말을 고르시오.

(1) 중심 원자 주위에 공유 전자쌍만 4개 있을 때, 분자 구조는 (정사각형 , 정사면체)이다.

(2) 중심 원자 주위의 (공유 전자쌍 수 , 공유 전자쌍 수와 비공유 전자쌍 수)에 따라 분자 구조가 달라진다.

(3) 암모니아(NH_3)는 공유 전자쌍이 3개, 비공유 전자쌍이 1개이므로 분자 구조는 (삼각뿔형 , 평면 삼각형)이다.

9 (가)~(다) 분자 중에서 물음에 해당하는 것을 있는 대로 골라 쓰시오.

F—Be—F　　H—O—H　　BCl_3

(가)　　(나)　　(다)

(1) 분자의 쌍극자 모멘트의 합이 0이다. (　　　)

(2) 분자의 쌍극자 모멘트의 합이 0이 아니다. (　　　)

(3) 결합각이 가장 크다. (　　　)

(4) 중심 원자에 비공유 전자쌍이 있다. (　　　)

10 극성 분자와 무극성 분자의 성질과 관련된 설명으로 알맞은 말을 빈칸에 쓰시오.

(1) 무극성 분자는 쌍극자 모멘트의 합이 (　　　　)이다.

(2) 가늘게 흐르는 물줄기에 (+)전하를 띠는 물체를 가까이하면 물줄기가 (　　　　)다.

(3) 분자량이 비슷할 때 극성 분자의 녹는점이나 끓는점은 무극성 분자보다 (　　　　)다.

(4) 극성 분자는 (　　　　) 용매에 잘 용해되고, 무극성 분자는 (　　　　) 용매에 잘 용해된다.

내신 기출 베스트

대표 예제 1 전기 음성도와 결합의 극성

표는 몇 가지 원소의 전기 음성도를 나타낸 것이다.

원소	H	C	N	O
전기 음성도	2.1	2.5	3.0	3.5

다음 공유 결합 중에서 결합의 극성이 가장 큰 것은?

① H−C ② H−N ③ H−O
④ C−O ⑤ N−O

개념 가이드

결합의 [　　　]은 전기 음성도 차이가 클수록 대체로 [　　　]한다.

답 극성, 증가

대표 예제 2 루이스 전자점식

그림은 2주기에 속하는 임의의 원자 A~C의 루이스 전자점식을 나타낸 것이다. 이에 대한 설명으로 옳은 것만을 〈보기〉에서 있는 대로 고르시오.

·A·(점 4개)　　·B·(점 5개)　　:C·(점 6개)

보기

ㄱ. B에는 홀전자가 3개 있다.
ㄴ. C_2 분자에는 2중 결합이 존재한다.
ㄷ. 가장 많은 수의 공유 결합을 할 수 있는 원자는 A이다.

개념 가이드

비금속 원소들은 [　　　]를 서로 내놓아 전자쌍을 만들고, 이 전자쌍을 [　　　]한다.

답 홀전자, 공유

대표 예제 3 쌍극자 모멘트

그림에 대한 설명으로 옳은 것만을 〈보기〉에서 있는 대로 고르시오.

(가)

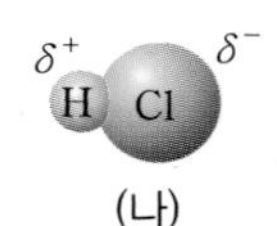

(나)

보기

ㄱ. (가)는 무극성 공유 결합으로 이루어져 있다.
ㄴ. (나)는 극성 공유 결합으로 H의 전기 음성도는 Cl보다 크다.
ㄷ. (나)에서 쌍극자 모멘트는 $\overset{\delta^+}{\text{H}}-\overset{\delta^-}{\text{Cl}}$ (⟶)와 같이 표시한다.

개념 가이드

쌍극자에서 발생한 전자의 치우침은 부분 [　　　]전하에서 부분 [　　　]전하 방향으로 표시한다.

답 (+), (−)

대표 예제 4 루이스 전자점식

그림 (가)~(라)에 대한 설명으로 옳은 것만을 〈보기〉에서 있는 대로 고르시오.

:F:F:	:O::O:	:N⋮⋮N:	:O=C=O:
(가)	(나)	(다)	(라)

보기

ㄱ. (가)에는 비공유 전자쌍이 없다.
ㄴ. (나)는 2중 결합, (다)는 3중 결합이 있다.
ㄷ. (라)는 극성 공유 결합만으로 이루어져 있다.

개념 가이드

전기 음성도의 차이로 [　　　] 전자쌍이 한 원자 쪽으로 치우친 결합을 [　　　]이라고 한다.

답 공유, 극성 공유 결합

2일

대표 예제 5 전자쌍 반발 이론

분자 모양에 대한 설명으로 옳지 않은 것은?

① 중심 원자에 공유 전자쌍만 2개이면 선형이다.
② 전자쌍 반발 이론으로 분자 모양을 판단할 수 있다.
③ 17족 원소가 수소와 결합한 화합물의 분자 모양은 같다.
④ 중심 원자 주위의 전자쌍 수가 같으면 분자 모양은 같다.
⑤ 비공유 전자쌍 사이의 반발력은 공유 전자쌍 사이의 반발력보다 크다.

개념 가이드

[ ] 전자쌍 사이의 반발력은 [ ] 전자쌍 사이의 반발력보다 크다.

답 비공유, 공유

대표 예제 6 분자 모양

분자식과 분자 모양이 바르게 연결된 것은?

① CO_2 – 선형
② HF – 굽은 형
③ BCl_3 – 삼각뿔형
④ CCl_4 – 정사각형
⑤ NH_3 – 평면 삼각형

개념 가이드

분자 구조를 예측할 때 다중 결합에 포함된 공유 전자쌍을 [ ] 결합과 같이 공유 전자쌍 [ ]개로 취급한다.

답 단일, 1

대표 예제 7 전자쌍 수와 분자의 극성

표에 대한 설명으로 옳지 않은 것은?

분자	CH_4	NH_3	H_2O
공유 / 비공유 전자쌍 수	4 / 0	3 / 1	2 / 2
결합각	109°	107°	104.5°

① NH_3는 입체 구조이다.
② 무극성 분자는 1개이다.
③ H_2O은 굽은 형으로 극성 분자이다.
④ CH_4은 극성 공유 결합으로 이루어졌다.
⑤ 비공유 전자쌍 수가 많을수록 결합각이 커진다.

개념 가이드

메테인은 [ ] 공유 결합으로 이루어졌지만 쌍극자 모멘트의 합이 0이므로 [ ] 분자이다.

답 극성, 무극성

대표 예제 8 극성 분자의 성질

분자의 극성에 대한 설명으로 옳은 것만을 〈보기〉에서 있는 대로 고른 것은?

보기

ㄱ. 극성 물질인 에탄올은 물에 대한 용해도가 크다.
ㄴ. 분자량이 비슷할 때 극성 분자는 무극성 분자보다 끓는점이 높다.
ㄷ. 물줄기에 (−)로 대전된 물체를 가까이하면 물줄기가 밀려난다.

① ㄴ ② ㄷ ③ ㄱ, ㄴ
④ ㄱ, ㄷ ⑤ ㄴ, ㄷ

개념 가이드

극성 물질은 대전체를 가까이하면 액체 줄기가 [ ]지고, [ ] 용매에 잘 녹는다.

답 휘어, 극성

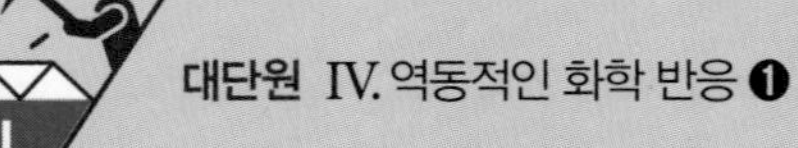

3일

대단원 IV. 역동적인 화학 반응 ❶

동적 평형과 물의 자동 이온화

공부할 핵심 개념이 무엇인지 퀴즈를 통해 알아보자.

Quiz 정반응과 역반응이 모두 일어날 수 있는 반응을 ㄱ ㅇ 반응이라고 한다.

모든 반응이 한 방향으로만 일어날까?

나무를 태우거나 달걀을 프라이로 만들면 다시 거꾸로 돌아가지 않아~ 이런 반응을 비가역 반응이라고 해.

물은 얼음이 되었다가 다시 물로 될 수 있어. 이런 반응을 가역 반응이라고 해.

답 가역

Quiz 겉보기에 반응이 일어나지 않는 것처럼 보이지만, 실제로는 정반응과 역반응이 같은 속도로 일어나고 있는 상태를 ㄷ ㅈ ㅍ ㅎ이라고 한다.

색판 뒤집기 놀이를 하다 보면 어느 순간부터 각 색판의 수가 일정하게 유지돼. 화학 반응에서도 이와 비슷한 일이 있어.
겉보기에는 아무 변화가 없는 것처럼 보이지만
포화 용액에서는 소금의 용해 속도와 석출 속도가 같아 동적 평형을 이루지.
포화 용액
소금

답 동적 평형

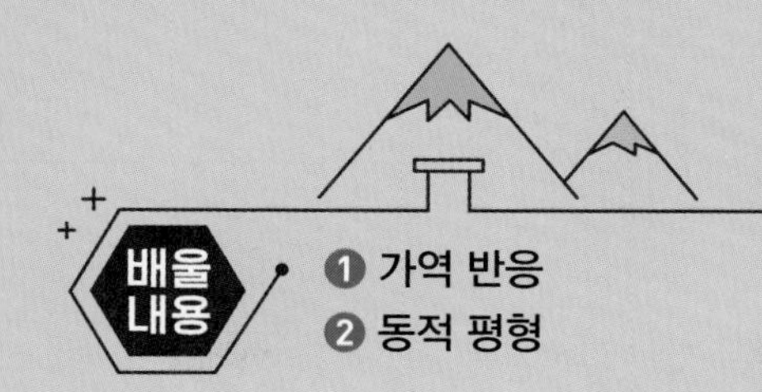

배울 내용

❶ 가역 반응
❷ 동적 평형
❸ 물의 자동 이온화
❹ 수소 이온 농도 지수

Quiz ㅅ ㅅ ㅇ ㅇ 농도 지수인 pH가 작을수록 산성이 크다.

답 수소 이온

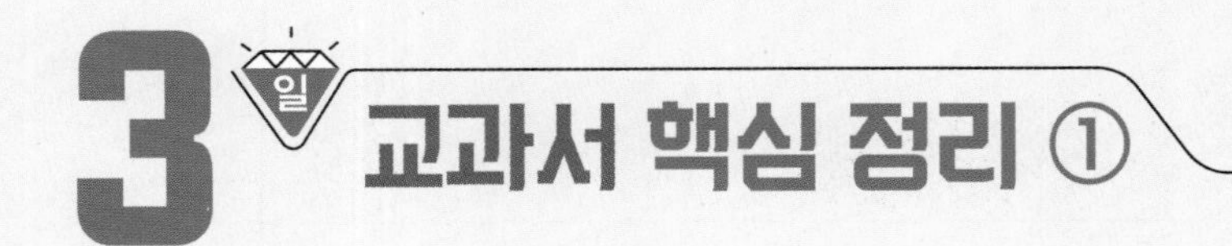

3일 교과서 핵심 정리 ①

개념 1 가역 반응

1 정반응과 역반응 화학 반응식에서 오른쪽으로 진행되는 반응(반응물 → 생성물)을 ❶ [　　] 이라 하고, 왼쪽으로 진행되는 반응(생성물 → 반응물)을 ❷ [　　] 이라고 한다.

2 가역 반응 조건에 따라 정반응과 ❸ [　　] 이 모두 일어날 수 있는 반응

예 물의 증발과 응축, 염화 암모늄의 합성과 분해, 염화 코발트 종이의 색 변화, 석회 동굴 생성 반응

3 비가역 반응 정반응만 일어나거나 역반응이 거의 일어나지 않는 반응

예 연소 반응, 기체 발생 반응, 강산과 강염기의 중화 반응, 앙금 생성 반응

❶ 정반응
❷ 역반응
❸ 역반응

개념 2 동적 평형

1 동적 평형 가역 반응에서 정반응 속도와 역반응 속도가 같아서 ❹ [　　] 에 변화가 없는 것처럼 보이는 상태

- 동적 평형 상태에서는 반응물과 생성물이 함께 존재한다.
- 반응물과 생성물의 ❺ [　　] 가 일정하게 유지된다.

상평형	일정한 온도에서 밀폐 용기에 물을 담아 놓으면 물의 양이 줄어들다가 어느 순간 일정해져 변화가 일어나지 않는 것처럼 보인다. ➡ 액체의 ❻ [　　] 속도와 기체의 ❼ [　　] 속도가 같아서 겉보기에 변화가 일어나지 않는 것처럼 보이는 동적 평형 상태에 도달하기 때문
용해 평형	일정한 온도에서 일정량의 물에 설탕을 계속 넣으면 설탕이 녹다가 어느 순간부터는 녹지 않고 가라앉아 설탕이 더 이상 녹지 않는 것처럼 보인다. ➡ 용질의 용해 속도와 석출 속도가 같아서 겉보기에 변화가 일어나지 않는 것처럼 보이는 ❽ [　　] 상태에 도달하기 때문

예

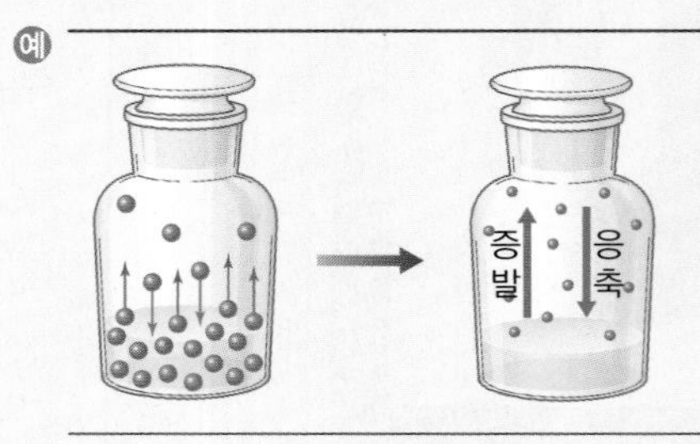

물 $\underset{\text{응축}}{\overset{\text{증발}}{\rightleftarrows}}$ 수증기

- 증발 속도 > 응축 속도 ➡ 물의 양 감소
- 증발 속도 ❾ [　　] 응축 속도 ➡ 동적 평형 상태

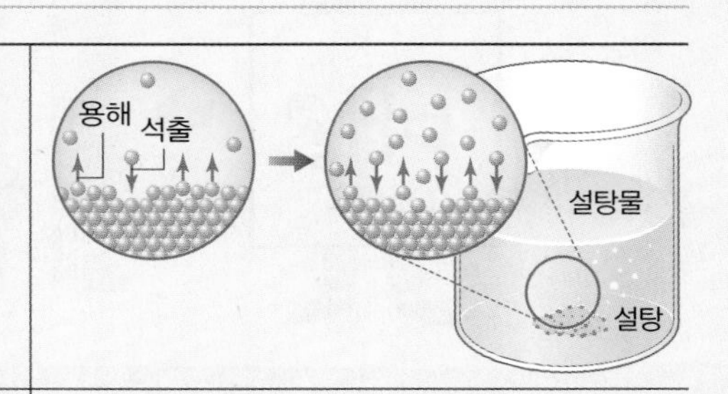

설탕 + 물 $\underset{\text{석출}}{\overset{\text{용해}}{\rightleftarrows}}$ 설탕물

- 용해 속도 > 석출 속도 ➡ 설탕이 계속 녹음
- 용해 속도 = 석출 속도 ➡ 동적 평형 상태

❹ 겉보기
❺ 농도
❻ 증발
❼ 응축
❽ 동적 평형
❾ =

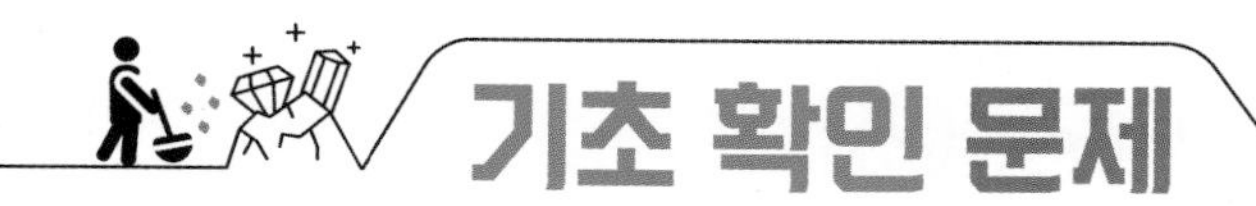

기초 확인 문제

정답과 해설 68쪽

1 다음 빈칸에 알맞은 말을 〈보기〉에서 골라 쓰시오.

(1) 정반응과 역반응이 모두 일어날 수 있는 반응을 (　　　　　)이라고 한다.

(2) 정반응과 역반응의 속도가 같아서 겉보기에 변화가 없는 것처럼 보이는 상태를 (　　　　　) 상태라고 한다.

(3) 연소 반응, 기체 발생 반응 등은 역반응이 일어나지 않는 (　　　　　)이다.

(4) 동적 평형 상태에서는 반응물과 생성물의 (　　　　　)가 일정하게 유지된다.

보기

농도	가역 반응
동적 평형	비가역 반응

2 그림과 같이 닫힌 용기에 물을 조금 담아 두었다. 이에 대한 설명으로 옳은 것은?

① 물이 증발하는 반응만 일어난다.
② 기체 상태의 수증기가 계속 많아진다.
③ 시간이 지나면 더 이상 증발이 일어나지 않는다.
④ 물 분자의 응축 속도는 시간이 지날수록 느려지다가 0이 된다.
⑤ 충분한 시간이 지나면 증발 속도와 응축 속도가 같아 물의 양이 일정해진다.

3 그림은 밀폐된 용기 속에서 일어나는 물의 증발과 응축 현상을 모형으로 나타낸 것이다. 등호나 부등호를 사용하여 증발 속도와 응축 속도를 비교하시오.

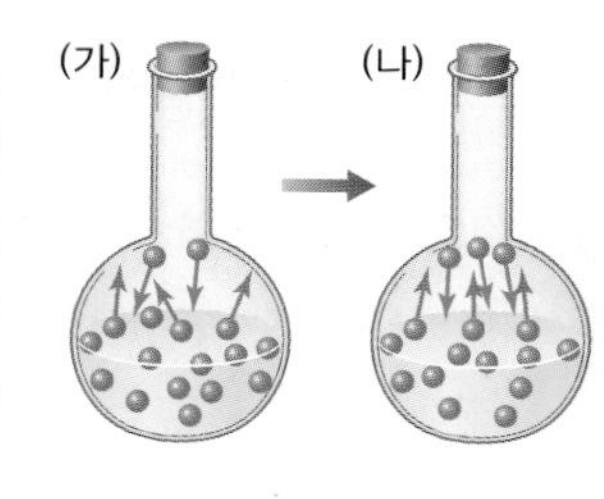

(가) 증발 속도 ☐ 응축 속도

(나) 증발 속도 ☐ 응축 속도

4 동적 평형에 대한 설명으로 옳지 않은 것은?

① 생성물만 존재한다.
② 정반응 속도와 역반응 속도가 같다.
③ 겉보기에 반응이 멈춘 것처럼 보인다.
④ 반응물과 생성물의 농도가 일정하게 유지된다.
⑤ 물질의 두 가지 이상의 상태가 동적 평형을 이루는 것을 상평형이라고 한다.

5 설탕을 물에 녹일 때에 대한 설명이다. ㉠~㉢에 알맞은 말을 쓰시오.

> 일정량의 물에 설탕을 계속 넣으면 설탕이 녹다가 어느 순간부터는 녹지 않고 가라앉아 겉보기에 더 이상 녹지 않는 것처럼 보인다. 이와 같이 용질의 ㉠(　　　　　) 속도와 ㉡(　　　　　) 속도가 같아서 겉보기에 용해가 일어나지 않는 것처럼 보이는 동적 평형 상태를 ㉢(　　　　　) 평형이라고 한다.

개념 3 물의 자동 이온화

1 물의 자동 이온화 순수한 물에서 아주 적은 양이지만 물 분자끼리 H^+을 주고받아 ❶ [ ] 이온(H_3O^+)과 수산화 이온(OH^-)으로 이온화하는 현상

❶ 하이드로늄

$$H_2O(l) + H_2O(l) \rightleftharpoons H_3O^+(aq) + OH^-(aq)$$

예 ❷ [ ]

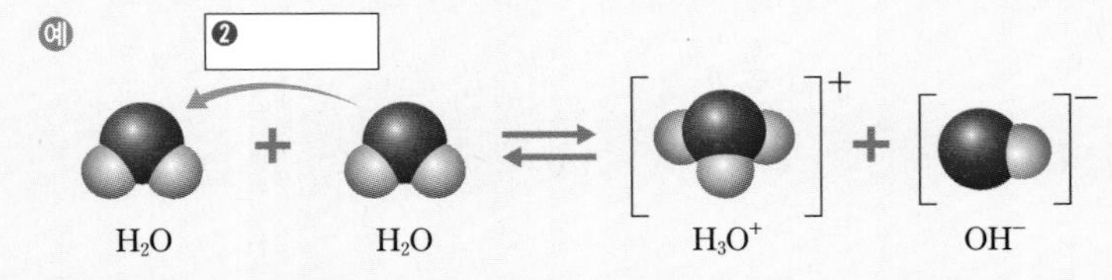

❷ H^+

2 물의 이온화 상수(K_w) 물이 자동 이온화하여 동적 평형을 이루었을 때 H_3O^+과 OH^-의 농도 ❸ [ ]으로, 25 ℃에서 물의 이온화 상수는 1.0×10^{-14}으로 일정하다.

❸ 곱

$$K_w = [H_3O^+][OH^-] = 1.0 \times 10^{-14} \ (25 ℃)$$

예 순수한 물에서는 H_3O^+과 OH^-의 ❹ [ ]가 같으므로 25 ℃에서 $[H_3O^+]$와 $[OH^-]$는 각각 1.0×10^{-7} M이다.

❹ 농도

개념 4 수소 이온 농도 지수

1 pH 수용액 속 ❺ [ ]의 농도를 간단히 나타내기 위해 사용하는 값

❺ H_3O^+

$$pH = \log\frac{1}{[H_3O^+]} = -\log[H_3O^+], \ pOH = -\log[OH^-]$$

예 수용액의 $[H_3O^+]$가 커지면 pH는 ❻ [ ].

❻ 작아진다

2 pH와 pOH의 관계 (pOH: 수산화 이온 농도 지수) pH + pOH = ❼ [ ] (25 ℃)

❼ 14

3 수용액의 액성과 pH, pOH의 관계(25 ℃) pH가 작을수록 수용액의 산성은 강해지고 염기성은 약해지며 pOH는 ❽ [ ]진다. – 용액의 pH 측정할 때는 지시약, pH 시험지 등을 이용한다.

❽ 커

예

액성	$[H_3O^+]$와 $[OH^-]$의 농도	pH
산성	$[H_3O^+] > 1.0 \times 10^{-7} M > [OH^-]$	pH < ❾ [ ], pOH > 7
중성	$[H_3O^+] = 1.0 \times 10^{-7} = [OH^-]$	pH = 7, pOH = 7
염기성	$[H_3O^+] < 1.0 \times 10^{-7} M < [OH^-]$	pH > 7, pOH < 7

❾ 7

6 그림은 25 ℃ 순수한 물의 자동 이온화 반응을 나타낸 것이다.

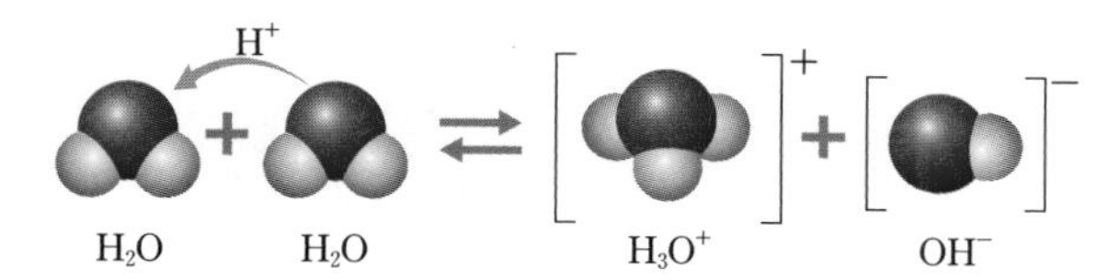

이에 대한 설명으로 빈칸에 알맞은 말을 쓰시오.

(1) 물 분자끼리 H^+을 주고받아 (　　　　　　)한다.

(2) 순수한 물에서는 H_3O^+과 OH^-의 농도가 (　　　　　　)다.

(3) 물 분자가 수소 이온을 얻으면 (　　　　　　) 이온이 된다.

7 다음은 물의 이온화 상수를 나타낸 것이다.

$$K_w = [H_3O^+][OH^-] = 1.0 \times 10^{-14} \ (25\ ℃)$$

이에 대한 설명으로 옳지 <u>않은</u> 것은?

① K_w는 $[H_3O^+]$와 $[OH^-]$의 곱이다.

② 순수한 물이 이온화하는 정도는 매우 작다.

③ 25 ℃ 순수한 물에서 $[H_3O^+]$는 1.0×10^{-7} M이다.

④ 25 ℃에서 수용액의 K_w는 $[H_3O^+]$에 따라 달라진다.

⑤ 화학식 주위의 대괄호 [ ]는 그 물질의 몰 농도를 뜻한다.

8 그림은 25 ℃ 수용액의 액성을 비교한 모형이다. 빈칸에 알맞은 부등호를 쓰시오.

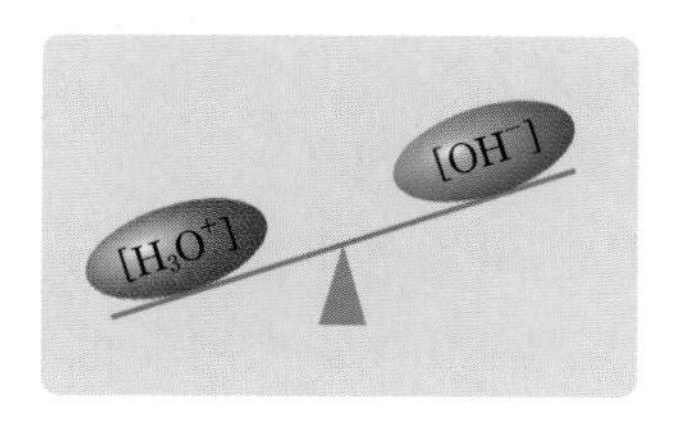

(1) $[H_3O^+]$ ☐ 1.0×10^{-7} M

(2) $[OH^-]$ ☐ 1.0×10^{-7} M

9 다음은 용액의 액성과 pH에 대한 설명이다. (　　)에 들어갈 알맞은 말을 고르시오.

(1) 용액 속의 $[H_3O^+]$가 클수록 pH는 (커진다 , 작아진다).

(2) 25 ℃에서 pH가 7보다 크면 (산성 , 염기성) 용액을 나타낸다.

(3) pH의 값이 1만큼 커지면 H_3O^+의 농도는 (10 , $\frac{1}{10}$)배로 된다.

10 25 ℃에서 0.01 M 수산화 나트륨(NaOH) 수용액의 pH와 pOH를 옳게 짝 지은 것은?

	pH	pOH
①	2	2
②	2	12
③	2	14
④	14	2
⑤	12	2

3일 내신 기출 베스트

대표 예제 1 가역 반응과 비가역 반응

다음 중 가역 반응이 아닌 것은?

① 물의 증발과 응축
② 물의 자동 이온화 반응
③ 염화 암모늄의 합성과 분해
④ 석회동굴 생성과 종유석, 석순 형성 반응
⑤ 염산과 수산화 나트륨 수용액의 중화 반응

개념 가이드

정반응만 일어나거나 [　　　]이 거의 일어나지 않는 반응을 [　　　] 반응이라고 한다.

답 역반응, 비가역

대표 예제 2 가역 반응

다음 염화 코발트 종이의 색 변화 반응식에 대한 설명으로 옳은 것만을 〈보기〉에서 있는 대로 고르시오.

$$CoCl_2 + 6H_2O \rightleftharpoons CoCl_2 \cdot 6H_2O$$

푸른색(가)　　　붉은색(나)

보기

ㄱ. 가역 반응이다.
ㄴ. (가)에 물을 떨어뜨리면 (나)가 된다.
ㄷ. (나)를 헤어드라이어로 가열해도 색은 변하지 않는다.

개념 가이드

[　　　]색 염화 코발트 종이를 가열하면 종이는 다시 [　　　]색으로 변한다.

답 붉은, 푸른

대표 예제 3 상평형

그림은 밀폐된 용기에 물을 넣고 오랜 시간이 지난 후 수면 높이가 더 변하지 않는 상태를 나타낸 것이다. 이에 대한 설명으로 옳은 것만을 〈보기〉에서 있는 대로 고르시오.

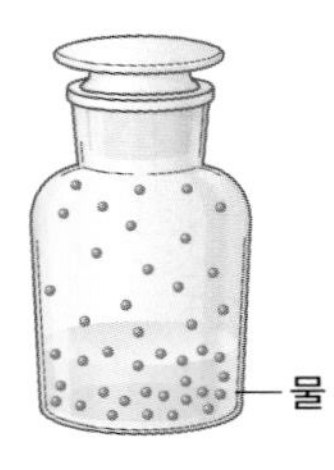

보기

ㄱ. 액체와 기체 사이의 상평형이다.
ㄴ. 물의 증발이 더 이상 일어나지 않는다.
ㄷ. 물의 증발 속도와 수증기의 응축 속도가 같다.

개념 가이드

[　　　] 평형 상태에서는 물의 [　　　]과 수증기 응축이 끊임없이 일어난다.

답 동적, 증발

대표 예제 4 용해 평형

25 ℃에서 일정량의 물에 설탕을 넣었더니 일부가 녹지 않고 고체로 남았다. 이 상태에 대한 설명으로 옳은 것만을 〈보기〉에서 있는 대로 고른 것은?

보기

ㄱ. 용해 평형 상태이다.
ㄴ. 용해 속도와 석출 속도가 같다.
ㄷ. 설탕이 더 이상 녹지 않는 포화 용액으로 용해 속도는 0이다.

① ㄴ　② ㄷ　③ ㄱ, ㄴ
④ ㄱ, ㄷ　⑤ ㄴ, ㄷ

개념 가이드

포화 용액은 용질이 [　　　]로 녹아 있는 등적 평형, 즉 [　　　] 평형 상태이다.

답 최대, 용해

대표 예제 5 순수한 물

25 ℃ 순수한 물에 대한 설명으로 옳지 않은 것은?

① pH+pOH=14이다.
② 물의 pH<7로 산성이다.
③ OH^-의 농도는 1.0×10^{-7} M이다.
④ H_3O^+의 농도는 1.0×10^{-7} M이다.
⑤ 물은 매우 적은 양이지만 물 분자들끼리 수소 이온을 주고받아 평형을 이룬다.

개념 가이드

25 ℃의 순수한 물에서 물의 [ ] 상수 값은 일정하며 H_3O^+과 OH^-의 농도는 [ ]다.

답 이온화, 같

대표 예제 6 물의 자동 이온화

다음은 25 ℃ 순수한 물의 자동 이온화를 나타낸 것이다.

$$H_2O + H_2O \rightleftharpoons H_3O^+ + OH^-$$

이에 대한 설명으로 옳은 것만을 〈보기〉에서 있는 대로 고르시오.

보기

ㄱ. 물의 자동 이온화는 가역 반응이다.
ㄴ. $[H_3O^+]$와 $[OH^-]$의 곱은 일정한 상수이다.
ㄷ. 물속의 H_3O^+과 OH^-의 농도비는 1 : 1이다.

개념 가이드

물은 자동 이온화하여 [ ]과 OH^-의 농도비가 [ ]하게 유지된다.

답 H_3O^+, 일정

대표 예제 7 pH

pH에 대한 설명으로 옳지 않은 것은? (단, 25 ℃에서 물의 이온화 상수는 1.0×10^{-14}이다.)

① 25 ℃에서 pH가 10인 NaOH(*aq*)는 염기성이다.
② 수용액 속 수소 이온 농도가 클수록 pH가 작다.
③ 수용액 속의 수소 이온 농도를 간단히 나타낸 값이다.
④ 25 ℃에서 $[OH^-]=1.0 \times 10^{-5}$ M인 용액은 산성이다.
⑤ pH 2인 수용액은 pH 4인 수용액보다 $[H_3O^+]$가 100배이다.

개념 가이드

pH가 1 감소하면 [ ]는 10배 증가하므로 pH 2인 수용액은 pH 4인 수용액보다 $[H_3O^+]$가 [ ]배이다.

답 $[H_3O^+]$, 100

대표 예제 8 물질의 pH

물질 (가)~(다)의 pH가 다음과 같을 때 이에 대한 설명으로 옳은 것만을 〈보기〉에서 있는 대로 고르시오.

물질	(가)	(나)	(다)
pH	4.0	6.0	12.0

보기

ㄱ. 가장 산성이 강한 것은 (가)이다.
ㄴ. pOH가 가장 큰 것은 (다)이다.
ㄷ. $[H_3O^+]$는 (가)가 (나)보다 크다.

개념 가이드

수용액의 수소 이온 농도가 클수록 pH가 [ ]며 산성은 [ ]다.

답 작으, 크

4

대단원 Ⅳ. 역동적인 화학 반응 ❷

산 염기와 중화 반응

Quiz 브뢴스테드와 로리는 다른 물질에게 H^+을 주는 물질을 ㅅ, 다른 물질로부터 H^+을 받는 물질을 ㅇ ㄱ 라고 정의하였다.

답 산, 염기

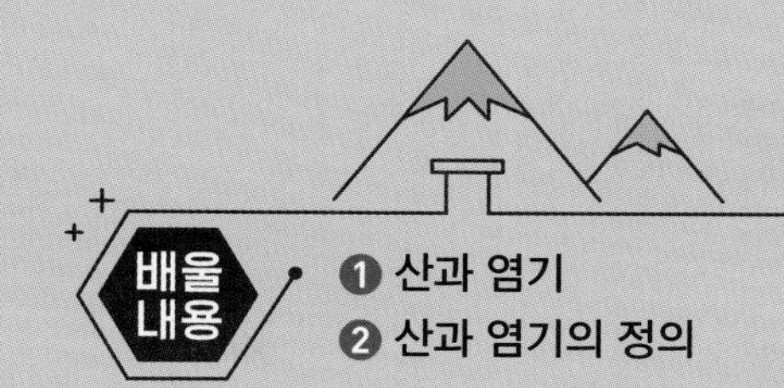

배울 내용

❶ 산과 염기
❷ 산과 염기의 정의
❸ 중화 반응
❹ 중화 반응의 양적 관계

Quiz H^+을 내놓는 산이나 H^+을 받아들이는 염기로 모두 작용할 수 있는 물질을 ㅇㅉㅅ ㅁㅈ이라고 한다.

답 양쪽성 물질

Quiz 산과 염기의 ㅈㅎ 반응이 완결되려면 산이 내놓는 H^+과 염기가 내놓는 OH^-의 양(mol)이 같아야 한다.

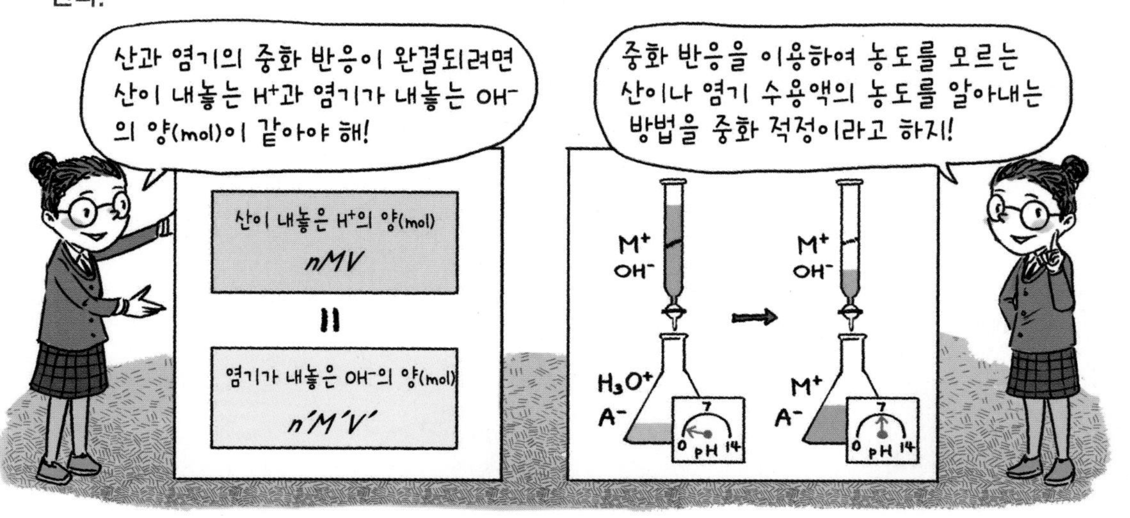

답 중화

4일 교과서 핵심 정리 ①

개념 1 산과 염기

산성(산의 공통적 성질)	염기성(염기의 공통적 성질)
• 신맛 • 금속과 반응하여 ❶ ______ 기체 발생 • 탄산 칼슘과 반응하여 이산화 탄소 기체 발생 • 푸른색 리트머스 종이를 붉게 변색 • 산 수용액에 ❸ ______ 이 있어 전류가 흐름	• 쓴맛 • 단백질을 녹이는 성질 • 붉은색 리트머스 종이를 푸르게 변색 • 페놀프탈레인 용액을 ❷ ______ 으로 변색 • 염기 수용액에 이온이 있어 전류가 흐름

예 페놀프탈레인 용액은 산성과 중성에서 무색, 염기성에서 붉은색을 띤다.

❶ 수소
❷ 붉은색
❸ 이온

개념 2 산과 염기의 정의

1 아레니우스 정의

산	수용액에서 ❹ ______ 을 내놓는 물질 예 $HCl(aq) \longrightarrow H^+(aq) + Cl^-(aq)$
염기	수용액에서 ❺ ______ 을 내놓는 물질 예 $NaOH(aq) \longrightarrow Na^+(aq) + OH^-(aq)$

❹ 수소 이온(H^+)
❺ 수산화 이온(OH^-)

2 브뢴스테드·로리 정의 수용액 이외의 상태에서 일어나는 반응에도 적용된다.

산	다른 물질에 양성자(H^+)를 주는 물질(❻ ______ 주개)
염기	다른 물질로부터 양성자(H^+)를 받는 물질(양성자－받개)
양쪽성 물질	조건에 따라 산으로 작용할 수도 있고, ❼ ______ 로 작용할 수도 있는 물질 예 H_2O, HCO_3^- 등 – 양성자(H^+)를 내놓을 수도 있고 받을 수도 있는 물질이다.
짝산－짝염기	❽ ______ 의 이동으로 산과 염기가 되는 한 쌍의 물질 짝염기－짝산 $HF + H_2O \rightleftharpoons F^- + H_3O^+$ 산 염기 염기 산 짝산－짝염기

❻ 양성자
❼ 염기
❽ H^+

예 암모니아와 물의 반응에서 브뢴스테드·로리 산 염기

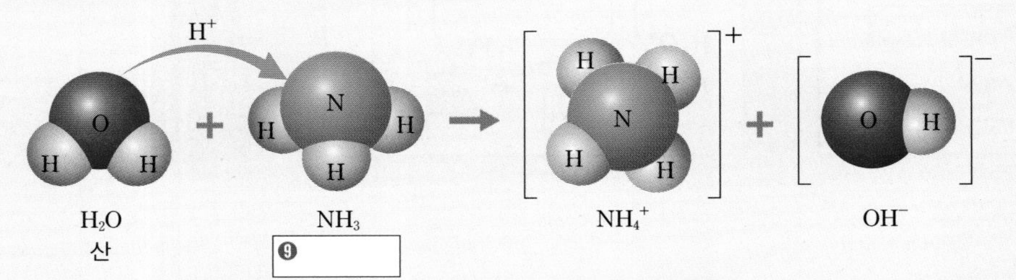

❾ 염기

기초 확인 문제

정답과 해설 69쪽

1 산과 염기의 성질에 대한 설명이다. 빈칸에 알맞은 말을 쓰시오.

(1) 염산과 황산이 공통된 성질을 나타내는 것은 (   ) 이온 때문이다.

(2) 묽은 염산에 마그네슘을 넣으면 (   ) 기체가 발생한다.

(3) 푸른색 리트머스 종이에 산 수용액을 묻히면 (   )색으로 변한다.

(4) 염기 수용액에 페놀프탈레인 용액을 떨어뜨리면 (   )색으로 변한다.

2 물에 녹아 이온화할 때의 이온화 반응식으로 옳지 <u>않은</u> 것은?

① $HCl \longrightarrow H^+ + Cl^-$
② $NaOH \longrightarrow Na^+ + OH^-$
③ $H_2SO_4 \longrightarrow 2H^+ + SO_4^{2-}$
④ $Ca(OH)_2 \longrightarrow Ca^{2+} + 2OH^-$
⑤ $CH_3COOH \longrightarrow CH_3CO^+ + OH^-$

3 다음 반응의 반응물에서 브뢴스테드·로리 산으로 작용한 물질을 각각 쓰시오.

(1) $NH_3(g) + H_2O(l) \longrightarrow NH_4^+(aq) + OH^-(aq)$

(2) $HCN(aq) + H_2O(l) \longrightarrow CN^-(aq) + H_3O^+(aq)$

(3) $H_2CO_3(aq) + H_2O(l) \longrightarrow HCO_3^-(aq) + H_3O^+(aq)$

4 다음은 HCl가 물에 녹았을 때의 변화를 나타낸 화학 반응식이다.

$$HCl + H_2O \longrightarrow Cl^- + H_3O^+$$

이에 대한 설명 중 옳지 <u>않은</u> 것은?

① HCl의 짝산은 Cl^-이다.
② H_2O은 양성자 받개로 염기이다.
③ H_2O은 브뢴스테드·로리 염기이다.
④ HCl는 H_2O에 수소 이온을 주므로 산이다.
⑤ 물 분자는 양성자를 받아 하이드로늄 이온(H_3O^+)이 된다.

5 다음과 같은 세 가지 화학 반응식이 있다.

(가) $HF + H_2O \rightleftharpoons H_3O^+ + F^-$
(나) $NH_3 + H_2O \rightleftharpoons NH_4^+ + OH^-$
(다) $HCl + NH_3 \rightleftharpoons NH_4^+ + Cl^-$

이에 대한 설명 중 옳지 <u>않은</u> 것은?

① H_2O은 (가)에서 염기로 작용한다.
② H_2O은 (나)에서 H^+을 받는다.
③ (나)에서 NH_3의 짝산은 NH_4^+이다.
④ (다)에서 HCl은 브뢴스테드·로리 산이다.
⑤ (다)에서 NH_3은 브뢴스테드·로리 염기이다.

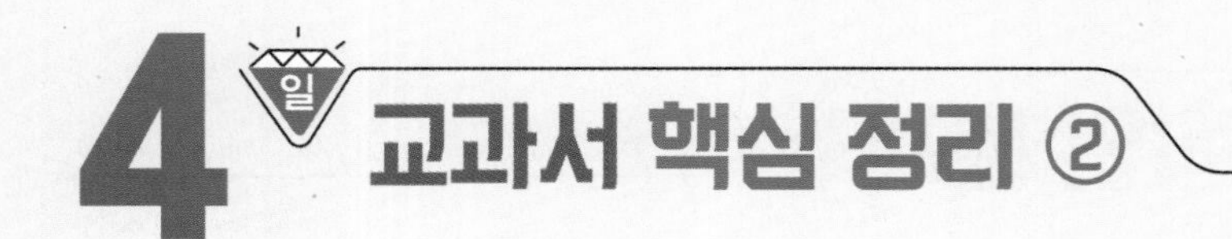

교과서 핵심 정리 ②

개념 3 중화 반응

1 중화 반응 산 수용액과 염기 수용액을 섞을 때 H^+과 OH^-이 반응하여 ❶ [ ]을 생성하고, 산의 음이온과 염기의 양이온이 반응하여 ❷ [ ]을 생성하는 반응

2 알짜 이온 반응식 산의 H^+과 염기의 OH^-이 반응하여 물이 생성된다.

예 $H^+(aq) + OH^-(aq) \longrightarrow H_2O(l)$

❶ 물(H_2O)
❷ 염

개념 4 중화 반응의 양적 관계

1 중화 반응의 양적 관계 H^+과 OH^-은 ❸ [ ]의 몰비로 반응하므로, 산과 염기가 완전히 중화하려면 산의 H^+과 염기의 OH^-의 양(mol)이 같아야 한다.

$n_1M_1V_1 = n_2M_2V_2$ (n: 가수, M: 몰 농도, V: 부피)

2 중화 적정 양적 관계를 이용해 농도를 모르는 산 또는 염기 농도를 알아내는 방법

- 표준 용액: 중화 적정에서 농도를 알고 있는 산 수용액이나 염기 수용액
- 중화점: 산의 H^+과 염기의 OH^- 개수가 같아져 완전히 ❹ [ ]되는 지점 ➡ 지시약으로 확인 가능

3 중화 적정 방법

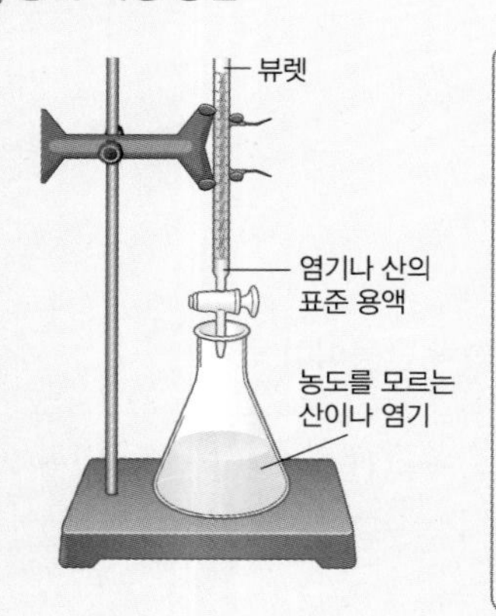

❶ 농도를 모르는 산(염기) 용액 일정량을 ❺ [ ]으로 취해 삼각 플라스크에 옮긴다.
❷ 삼각 플라스크에 ❻ [ ]을 1~2방울 떨어뜨린다.
❸ 표준 용액인 염기(산)를 ❼ [ ]에 넣고 처음 눈금을 읽은 후, ❷의 삼각 플라스크에 천천히 떨어뜨린다.
❹ 지시약이 변색되는 순간 뷰렛의 꼭지를 잠그고, 눈금을 읽어 사용된 표준 용액의 부피를 구한다.
❺ 양적 관계를 이용해 산(염기)의 농도를 구한다.

예 HCl(aq)을 NaOH(aq)으로 중화 적정할 때

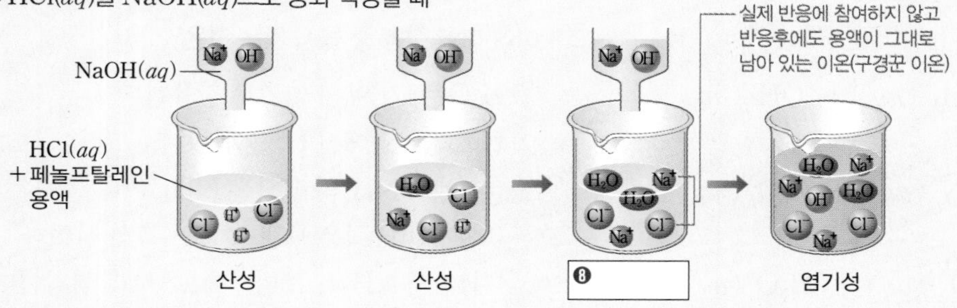

❸ 1 : 1
❹ 중화
❺ 피펫
❻ 지시약
❼ 뷰렛
❽ 중성

6 **다음은 중화 반응에 대한 설명이다. 알맞은 말을 고르시오.**

(1) 산의 H^+과 염기의 OH^-이 반응하여 (물 , 염)이 생성된다.

(2) H^+과 OH^-은 항상 1 : 1의 (질량비 , 몰비)로 반응한다.

(3) (알짜 이온 , 구경꾼 이온) 반응식은 $H^+(aq)+OH^-(aq) \longrightarrow H_2O(l)$이다.

(4) 묽은 염산과 수산화 나트륨 수용액의 중화 반응에서 Na^+과 Cl^-은 (알짜 이온 , 구경꾼 이온)이다.

7 **그림과 같이 0.1 M $H_2SO_4(aq)$ 50 mL를 완전히 중화하는 데 필요한 0.2 M NaOH(aq)의 부피(mL)를 구하려고 한다.**

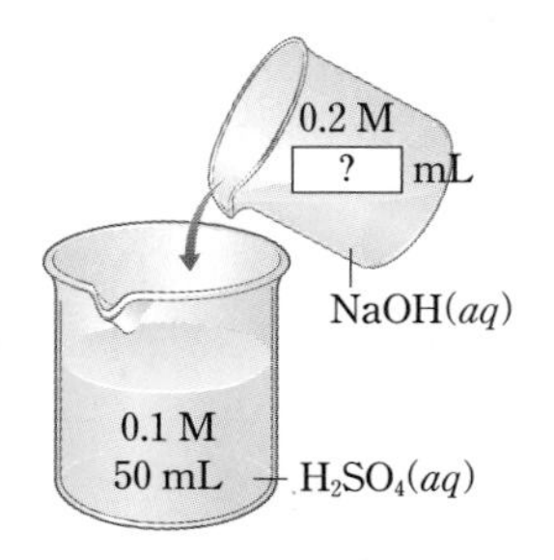

다음과 같이 NaOH 수용액의 부피를 구할 때 ㉠~㉢에 알맞은 수를 쓰시오.

- H_2SO_4 1몰은 H^+ [㉠]몰을 내놓을 수 있고, NaOH 1몰은 OH^- 1몰을 내놓을 수 있다.
- 중화 반응의 양적 관계 $n_1M_1V_1=n_2M_2V_2$를 이용하여 NaOH 수용액의 부피를 구한다.

  [㉡] × 0.1 M × 50 mL
  = 1 × 0.2 M × V_2
  ∴ V_2 = [㉢] mL

8 **그림은 0.1 M 수산화 나트륨(NaOH) 수용액을 이용하여 어떤 산 수용액의 몰 농도를 알아내기 위한 실험 장치이다. 이에 대한 설명으로 옳지 않은 것은? (단, 지시약은 페놀프탈레인 용액을 사용한다.)**

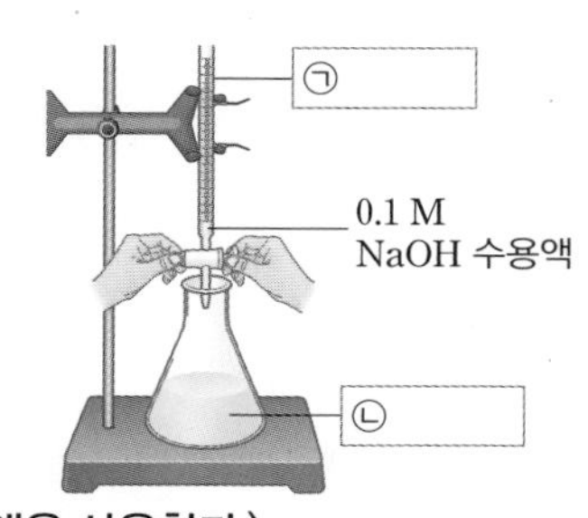

① ㉠은 뷰렛이다.
② 지시약은 ㉡에 넣는다.
③ ㉡에는 산 수용액이 들어 있다.
④ 삼각 플라스크를 흔들어 색이 사라질 때가 중화점이다.
⑤ 0.1 M 수산화 나트륨과 같이 농도를 아는 용액을 표준 용액이라고 한다.

9 **그림은 묽은 염산에 페놀프탈레인 지시약을 1~2방울 떨어뜨린 후 수산화 나트륨 수용액으로 중화 적정할 때의 반응 모형이다. (가)~(라)의 액성을 쓰시오.**

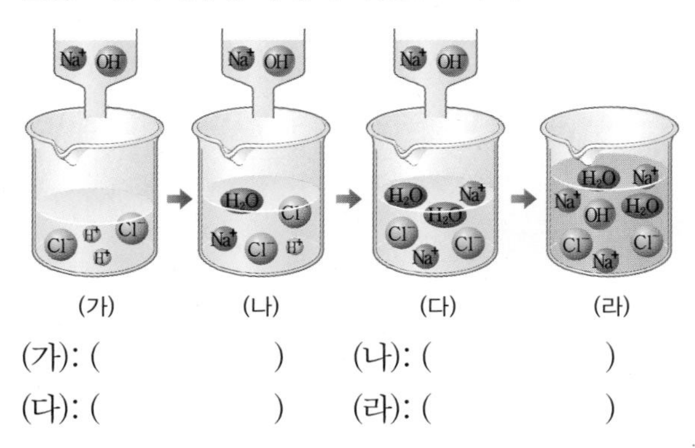

(가): (　　　　　)　(나): (　　　　　)
(다): (　　　　　)　(라): (　　　　　)

4일 내신 기출 베스트

대표 예제 1 산의 성질

다음은 물질 A와 B 수용액의 공통적인 성질이다.

- 푸른색 리트머스 종이를 붉게 변화시킨다.
- 마그네슘과 반응하여 수소 기체를 발생시킨다.

25 ℃에서 A 수용액에 대한 설명으로 옳은 것만을 〈보기〉에서 있는 대로 고르시오.

보기

ㄱ. pH가 7보다 크다.
ㄴ. 공통적인 성질은 H^+ 때문이다.
ㄷ. 탄산 칼슘과 반응하면 CO_2 기체가 발생한다.

개념 가이드

푸른색 리트머스 종이를 붉게 변화시키는 것은 [　　　]의 성질로, 산은 pH가 7보다 [　　　]다.

답 산, 작

대표 예제 2 산 염기 정의

산과 염기에 대한 설명으로 옳은 것만을 〈보기〉에서 있는 대로 고르시오.

보기

ㄱ. 아레니우스 산 염기 정의는 수용액에서만 적용된다.
ㄴ. 아레니우스 염기는 수용액에서 H^+을 받는 물질이다.
ㄷ. 브뢴스테드·로리 산과 염기로는 아레니우스 산과 염기를 설명할 수 없다.

개념 가이드

브뢴스테드·로리는 양성자 주개를 [　　　], 양성자 받개를 [　　　]로 정의했다.

답 산, 염기

대표 예제 3 브뢴스테드·로리 정의

그림은 염화 수소와 암모니아의 반응을 나타낸 것이다.

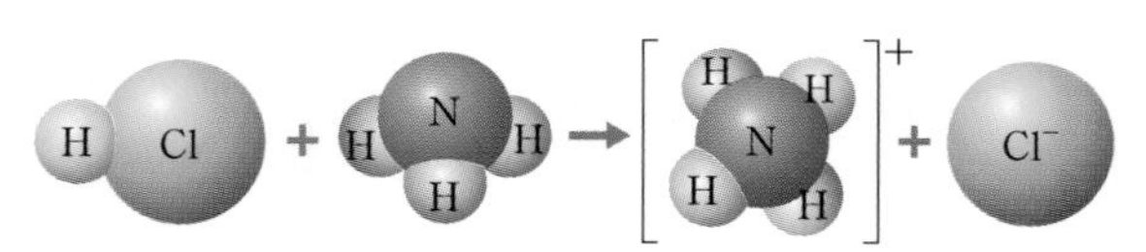

이 반응에 대한 설명으로 옳은 것만을 〈보기〉에서 있는 대로 고르시오.

보기

ㄱ. NH_3는 브뢴스테드·로리 염기이다.
ㄴ. HCl는 브뢴스테드·로리 산으로 작용한다.
ㄷ. OH^-을 내놓는 물질이 없으므로 염기는 없다.

개념 가이드

NH_3는 [　　　]을 받으므로 브뢴스테드·로리 [　　　]이다.

답 수소 이온(H^+), 염기

대표 예제 4 양쪽성 물질

다음은 두 가지 반응을 나타낸 것이다.

(가) $H_2CO_3 + H_2O \rightleftharpoons HCO_3^- + H_3O^+$
(나) $NH_3 + H_2O \rightleftharpoons NH_4^+ + OH^-$

이에 대한 설명으로 옳지 않은 것은?

① H_2O은 양쪽성 물질이다.
② (가)의 정반응에서 H_2O은 H^+을 얻는다.
③ (나)의 정반응에서 H_2O은 H^+을 내놓는다.
④ (나)에서 NH_3의 짝산은 NH_4^+이다.
⑤ (가)에서 H_3O^+은 H_2CO_3의 짝염기이다.

개념 가이드

H_2O과 같이 [　　　]으로도 염기로도 작용할 수 있는 물질을 [　　　] 물질이라고 한다.

답 산, 양쪽성

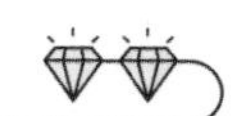

정답과 해설 71쪽

대표 예제 5 중화 반응

중화 반응에 대한 설명으로 옳지 않은 것은?

① 산과 염기가 반응하여 물과 염을 생성한다.
② 중화 반응에서 H^+과 OH^-은 구경꾼 이온이다.
③ 산의 음이온과 염기의 양이온이 결합하여 염을 생성한다.
④ 완전히 중화 반응하려면 산과 염기의 양(mol)이 같아야 한다.
⑤ 중화 반응에서 넣어 준 지시약의 색이 변하는 지점이 중화점이다.

개념 가이드

중화 반응에서 H^+과 OH^-은 [　　　] 이온으로 1 : 1로 반응하여 [　　　]을 생성한다.

답 알짜, 물

대표 예제 6 중화 반응

다음 반응에 대한 설명으로 옳은 것만을 〈보기〉에서 있는 대로 고르시오.

$$H_2SO_4(aq) + 2NaOH(aq) \longrightarrow 2H_2O(l) + Na_2SO_4(aq)$$

보기

ㄱ. 알짜 이온은 Na^+과 SO_4^{2-}이다.
ㄴ. 반응에서 생성된 염은 Na_2SO_4이다.
ㄷ. H_2SO_4 1몰을 완전히 중화시키려면 NaOH 2몰이 필요하다.

개념 가이드

중화 반응에 참여하지 않고 [　　　] 속에 그대로 남아있는 이온을 [　　　] 이온이라고 한다.

답 수용액, 구경꾼

대표 예제 7 중화 반응의 양적 관계

몰 농도가 같은 두 수용액을 표와 같이 부피를 달리하여 혼합하였다. 이에 대한 설명으로 옳은 것만을 〈보기〉에서 있는 대로 고르시오.

혼합 용액	(가)	(나)	(다)
HCl(aq)(mL)	10	20	30
NaOH(aq)(mL)	30	20	10

보기

ㄱ. 용액의 pH는 (가)가 가장 크다.
ㄴ. (나)에서는 남아 있는 H^+이 없다.
ㄷ. 생성되는 물 분자 수는 (다)에서 가장 많다.

개념 가이드

같은 개수의 [　　　]과 OH^-이 반응할 때 중화 반응이 완전히 일어나며 이때 [　　　]이 생성된다.

답 H^+, 물

대표 예제 8 중화 적정

중화 적정 실험이다. 밑줄 친 부분이 잘못된 것은?

(가) ① 피펫으로 식초 10 mL를 취해 삼각 플라스크에 넣고 페놀프탈레인 용액을 넣는다.
(나) 0.2 M 수산화 나트륨 수용액을 ② 뷰렛에 넣고 스탠드에 고정한 후 눈금을 정확히 읽는다.
(다) 수산화 나트륨 수용액을 (가)의 삼각 플라스크에 천천히 ③ 떨어뜨리면서 흔들어 준다.
(라) 삼각 플라스크 속 ④ 용액 전체가 푸른색으로 변하는 순간까지 ⑤ 소모된 수산화 나트륨 수용액의 부피를 측정한다.

개념 가이드

중화 반응의 [　　　] 관계를 이용하여 농도를 모르는 산이나 염기의 농도를 알아내는 방법을 [　　　]이라고 한다.

답 양적, 중화 적정

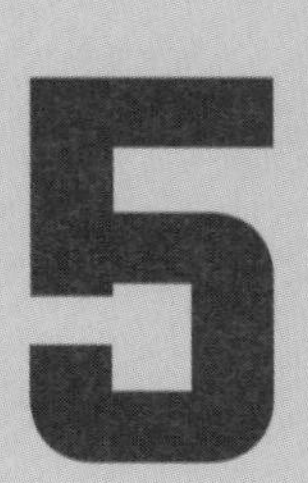

대단원 IV. 역동적인 화학 반응 ❸

5일 산화 환원 반응과 화학 반응에서 열의 출입

공부할 핵심 개념이 무엇인지 퀴즈를 통해 알아보자.

Quiz 전자를 잃는 것을 ㅅ ㅎ, 전자를 얻는 것을 ㅎ ㅇ이라고 한다.

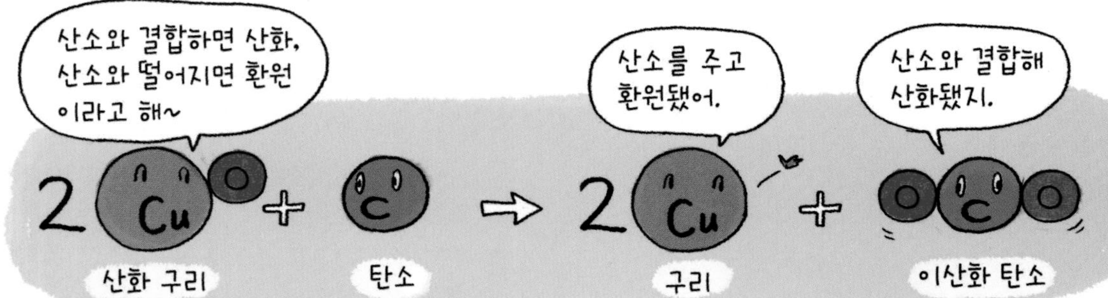

산소와 결합하면 산화, 산소와 떨어지면 환원 이라고 해~
산소를 주고 환원됐어.
산소와 결합해 산화됐지.
2 Cu O + C → 2 Cu + O C O
산화 구리
탄소
구리
이산화 탄소

전자를 잃으면 산화, 전자를 받으면 환원 이라고 해~
Cu2+
Zn
산화와 환원은 동시에 일어나지~
원소를 구성하는 원자의 산화수는 0이야!
산화수 증가 : 산화
0
+1
H2 + F2 ⇌ 2HF
0
-1
산화수 감소 : 환원
화합물에서 플루오린(F)의 산화수는 항상 -1이야.

답 산화, 환원

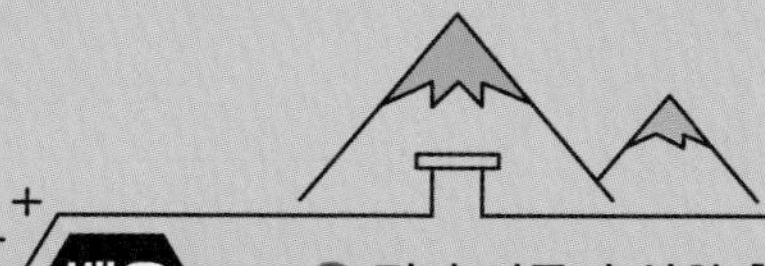

배울 내용

❶ 전자 이동과 산화 환원
❷ 산화수
❸ 산화제와 환원제
❹ 산화 환원 반응식
❺ 화학 반응에서 열의 흡입

Quiz 산화 환원 반응에서 산화되는 물질은 다른 물질을 환원시키므로 ㅎ ㅇ ㅈ 라고 하고, 환원되는 물질은 다른 물질을 산화시키므로 ㅅ ㅎ ㅈ 라고 한다.

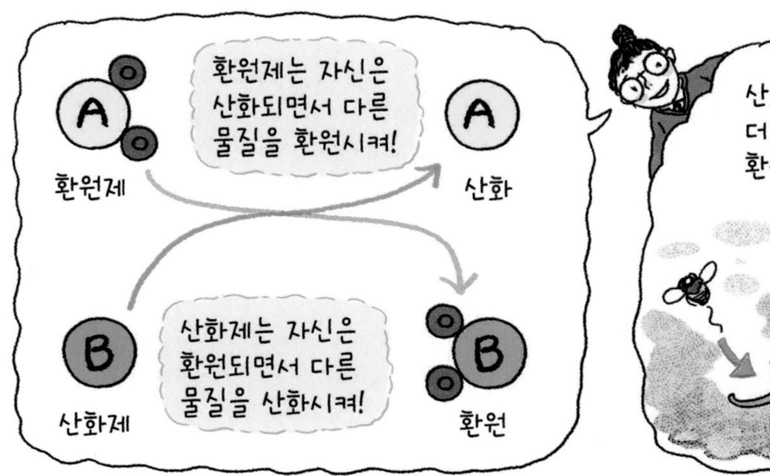

답 환원제, 산화제

Quiz 화학 반응이 일어날 때 주위로 열을 방출하는 반응을 ㅂ ㅇ 반응, 주위로부터 열을 흡수하는 반응을 ㅎ ㅇ 반응이라고 한다.

답 발열, 흡열

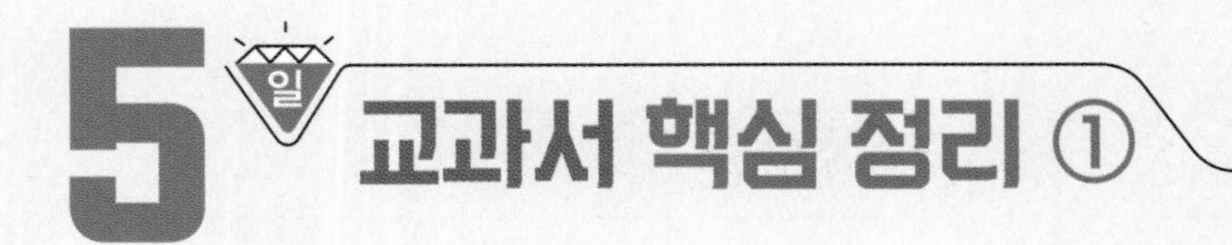

개념 1 전자 이동과 산화 환원

1 전자 이동과 산화 환원 전자를 잃는 반응은 ❶ ______, 전자를 얻는 반응은 ❷ ______

예 아연과 황산 구리(Ⅱ) 수용액의 산화 환원 반응

$$Zn(s) \longrightarrow Zn^{2+}(aq) + 2e^- \cdots \text{산화}$$
$$Cu^{2+}(aq) + 2e^- \longrightarrow Cu(s) \cdots \text{환원}$$
$$Zn(s) + Cu^{2+}(aq) \longrightarrow Zn^{2+}(aq) + Cu(s)$$

2 산화 환원 반응의 동시성 한 반응에서 전자를 잃는 물질이 있으면 반드시 전자를 얻는 물질이 있어야 한다.

개념 2 산화수

1 산화수 어떤 물질에서 각 원자가 어느 정도 ❸ ______ 되었는지를 나타내는 가상적인 전하 ➡ 원소를 구성하는 원자의 산화수는 0, 화합물에서 F의 산화수는 항상 -1, 화합물에서 각 원자의 산화수 합은 0

• 이온 결합 물질의 산화수: 원자의 산화수는 각 이온의 전하와 같다.

예 NaCl: ➡ Na의 산화수: $+1$, Cl의 산화수: -1 — 이온 결합 화합물이 생성될 때 전자는 금속 원소에서 비금속 원소로 이동한다.

• 공유 결합 물질의 산화수: 전기 음성도가 큰 원자 쪽으로 공유 전자쌍이 모두 이동한다고 가정할 때, 각 원자가 가지는 전하가 그 원자의 산화수이다.

예 H_2O ➡ H의 산화수: ❹ ______, O의 산화수: -2 (단, 과산화물에서 O의 산화수는 -1).

2 산화수와 산화 환원 산화수가 증가하면 ❺ ______, 산화수가 감소하면 ❻ ______

예 아이오딘화 칼륨(KI)과 염소(Cl_2)의 산화 환원 반응

$$2KI(aq) + Cl_2(g) \longrightarrow 2KCl(aq) + I_2(s)$$

(I: -1 → 0 산화수 증가: 산화, Cl: 0 → -1 산화수 감소: 환원)

개념 3 산화제와 환원제

1 산화제 자신은 ❼ ______ 되면서 다른 물질을 산화시키는 물질

2 환원제 자신은 ❽ ______ 되면서 다른 물질을 환원시키는 물질

3 산화제와 환원제의 상대적 세기 산화 환원 반응에서 전자를 잃거나 얻는 경향은 서로 ❾ ______ 이다.

예 이산화 황(SO_2)은 황화 수소(H_2S)와 반응할 때는 산화제로 작용하고, 염소(Cl_2)와 반응할 때는 환원제로 작용한다.

❶ 산화
❷ 환원
❸ 산화
❹ $+1$
❺ 산화
❻ 환원
❼ 환원
❽ 산화
❾ 상대적

기초 확인 문제

정답과 해설 72쪽

1 **다음 빈칸에 들어갈 알맞은 말을 〈보기〉에서 골라 쓰시오.**

(1) 어떤 물질이 전자를 얻으면 ㉠(　　　　　), 전자를 잃으면 ㉡(　　　　　) 반응이라고 한다.

(2) 어떤 물질에서 각 원자가 어느 정도 산화되었는지를 나타내는 가상적인 전하를 (　　　　　) (이)라고 한다.

(3) 산화수가 증가하는 반응은 ㉠(　　　　　)이고, 산화수가 감소하는 반응은 ㉡(　　　　　)이다.

보기

산화　　환원　　이온　　산화수

2 **다음 물질에서 밑줄 친 원자의 산화수를 구하시오.**

(1) $\underline{O}_2$ (　　　　　)

(2) $\underline{C}O_2$ (　　　　　)

(3) $H_2\underline{O}_2$ (　　　　　)

(4) $\underline{Al}^{3+}$ (　　　　　)

(5) $Na\underline{H}$ (　　　　　)

(6) $H_2\underline{S}O_4$ (　　　　　)

3 **다음 ㉠, ㉡에 알맞은 말을 쓰시오.**

산화 환원 반응에서 자신이 환원되면서 다른 물질을 산화시키는 물질을 ㉠(　　　　　)라고 하고, 자신이 산화되면서 다른 물질을 환원시키는 물질을 ㉡(　　　　　)라고 한다.

4 **다음의 ㉠, ㉡에 산화 또는 환원을 옳게 쓰시오.**

(1) $2Na + Cl_2 \longrightarrow 2NaCl$ (Na → NaCl: (㉠), Cl_2 → NaCl: (㉡))

㉠: (　　　　　) ㉡: (　　　　　)

(2) $2CuO + C \longrightarrow 2Cu + CO_2$ (CuO → Cu: (㉠), C → CO_2: (㉡))

㉠: (　　　　　) ㉡: (　　　　　)

(3) $2Fe_2O_3 + 3C \longrightarrow 4Fe + 3CO_2$ (Fe_2O_3 → Fe: (㉠), C → CO_2: (㉡))

㉠: (　　　　　) ㉡: (　　　　　)

(4) $Cl_2 + H_2O \longrightarrow HCl + HClO$ (Cl_2 → HCl: (㉠), Cl_2 → HClO: (㉡))

㉠: (　　　　　) ㉡: (　　　　　)

5 **산화 환원 반응에 대한 설명 중 옳지 않은 것은?**

① 산화와 환원은 항상 동시에 일어난다.

② 원소를 구성하는 원자의 산화수는 0이다.

③ 전기 음성도가 큰 원소일수록 산화되기 쉽다.

④ 화합물에서 각 원자의 산화수를 모두 더한 값은 0이다.

⑤ 아연과 황산 구리(Ⅱ) 수용액의 반응에서 아연은 전자를 잃고 산화된다.

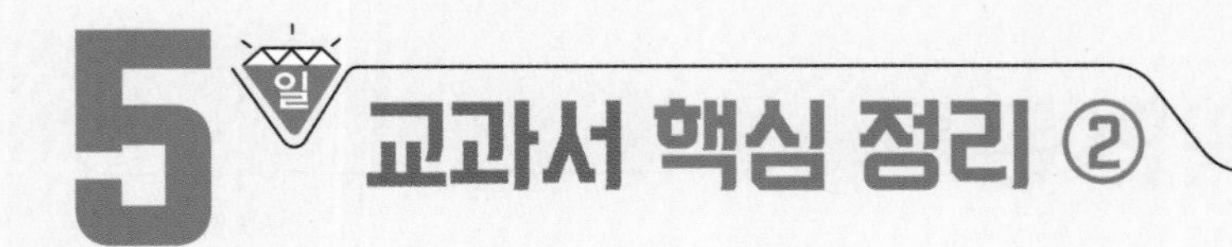

개념 4 산화 환원 반응식

1 산화 환원 반응식 완성하기

		예
1단계	각 원자의 ❶ [　　] 를 구하여, 반응 전후 ❷ [　　] 가 증가하거나 감소한 원자의 산화수 변화를 계산한다.	Fe_2O_3 (+3 −2) + CO (+2 −2) ⟶ Fe (0) + CO_2 (+4 −2) 3 감소, 2 증가
2단계	증가한 산화수와 감소한 산화수가 같도록 ❸ [　　] 를 맞춘다.	Fe_2O_3 + 3CO ⟶ 2Fe + $3CO_2$ 3×2, 2×3
3단계	산화수 변화가 없는 원자들의 수가 같아지도록 계수를 맞춘다.	Fe_2O_3 + 3CO ⟶ 2Fe + $3CO_2$

2 산화 환원 반응의 양적 관계

완성된 산화 환원 반응식으로부터 산화나 환원에 필요한 환원제나 산화제의 양을 알 수 있다.

예 위 반응식에서 산화제인 ❹ [　　] 과 환원제인 CO는 1 : 3의 몰비로 반응한다.

❶ 산화수
❷ 산화수
❸ 계수
❹ Fe_2O_3

개념 5 화학 반응에서 열의 출입

1 발열 반응과 흡열 반응

발열 반응	화학 반응이 일어날 때 ❺ [　　] 을 방출하는 반응 ➡ 주위의 온도 ❻ [　　] 예 연소 반응, 중화 반응, 산과 금속의 반응 등
흡열 반응	화학 반응이 일어날 때 열을 ❼ [　　] 하는 반응 ➡ 주위의 온도 하강 예 탄산수소 나트륨의 열분해, 물의 전기 분해, 식물의 광합성 등

발열 반응: 반응물과 생성물의 에너지 차이만큼이 열로 방출된다.
흡열 반응: 반응물과 생성물의 에너지 차이만큼이 열로 흡수된다.

2 화학 반응에서 출입하는 열의 측정

열량계	화학 반응에서 출입하는 ❽ [　　] 을 측정하는 장치
통열량계	• 단열이 잘 되므로 열 손실이 거의 없어, 비교적 정확히 열량 측정 가능 • 주로 연소 반응에서 출입하는 열량 측정에 사용
간이 열량계	• 구조가 간단하며, 열 손실이 있어 정밀한 실험에는 사용할 수 없다. • 주로 용해 과정이나 중화 반응에서 출입하는 열량 측정에 사용

예 간이 열량계를 이용한 열량의 측정

발생한 열량(Q)=용액이 흡수한 열량$=c\times m\times \Delta t$

(c: 용액의 ❾ [　　], m: 용액의 질량, Δt: 용액의 온도 변화)

❺ 열
❻ 상승
❼ 흡수
❽ 열량
❾ 비열

기초 확인 문제

정답과 해설 72쪽

6 **다음은 철광석을 제련하는 과정에서 일어나는 산화 환원 반응식을 완성하는 과정이다. (1)~(3)의 ㉠~㉢에 알맞은 수나 기호를 넣으시오.**

(1) 각 원자의 산화수를 구한다.

$Fe_2O_3 + CO \longrightarrow Fe + CO_2$

(Fe: ㉠, O: −2 / C: +2, O: −2 / Fe: 0 / C: ㉡, O: −2)

㉠: (　　　　) ㉡: (　　　　)

(2) 반응 전후의 산화수 변화를 확인한다.

$Fe_2O_3 + CO \longrightarrow Fe + CO_2$

(Fe: ㉠ → 0, 3 감소 / C: +2 → ㉢, ㉡ 증가)

㉠: (　　　　) ㉡: (　　　　)

㉢: (　　　　)

(3) 증가한 산화수와 감소한 산화수가 같게 계수를 맞춘다.

$Fe_2O_3 + 3CO \longrightarrow 2Fe + 3CO_2$

(3×㉠ / ㉡×3)

㉠: (　　　　) ㉡: (　　　　)

(4) 산화수 변화가 없는 원자들의 수가 같게 계수를 맞추어 산화 환원 반응식을 완성한다.

$Fe_2O_3 + 3CO \longrightarrow 2Fe + 3CO_2$

7 **다음 반응 중 발열 반응에 해당하는 것은 '발', 흡열 반응에 해당하는 것은 '흡'이라고 쓰시오.**

(1) 메테인의 연소: (　　　　)

(2) 질산 암모늄의 용해: (　　　　)

(3) 아연과 염산의 반응: (　　　　)

(4) 탄산수소 나트륨의 열분해: (　　　　)

8 **다음은 화학 반응에서 일어나는 열의 출입에 대한 설명이다. 옳지 않은 것은?**

① 물의 전기 분해는 발열 반응이다.

② 발열 반응이 일어나면 주위의 온도가 높아진다.

③ 주위로 열을 방출하는 반응을 발열 반응이라고 한다.

④ 화학 반응이 일어날 때는 항상 열이 방출되거나 흡수된다.

⑤ 열을 흡수하는 반응이 일어나면 주위의 온도가 낮아진다.

9 **다음 설명에서 알맞은 말을 고르시오.**

(1) 열량계는 화학 반응에서 출입하는 (온도 , 열량)을(를) 측정하는 장치이다.

(2) (간이 열량계 , 통열량계)는 열 손실이 거의 없어 비교적 정확하게 열량을 측정할 수 있다.

(3) (간이 열량계 , 통열량계)는 열 손실이 있어 정밀한 실험에는 사용할 수 없다.

(4) (비열 , 열용량)은 어떤 물질 1 g의 온도를 1 ℃ 높이는 데 필요한 열량이다.

10 **다음은 화학 반응에서 발생하는 열량을 간이 열량계를 이용하여 계산하는 식이다. ㉠과 ㉡에 알맞은 말을 쓰시오.**

발생한 열량(Q)
= 용액이 흡수한 열량
$= c \times m \times \Delta t$
= 용액의 [㉠] × 용액의 질량 × 용액의 [㉡] 변화)

㉠: (　　　　) ㉡: (　　　　)

5일 내신 기출 베스트

대표 예제 1 산화 환원 반응

그림은 푸른색의 황산 구리($CuSO_4$) 수용액에 철못(Fe)을 넣었을 때 일어나는 반응을 모형으로 나타낸 것이다. 이에 대한 설명 중 옳은 것은?

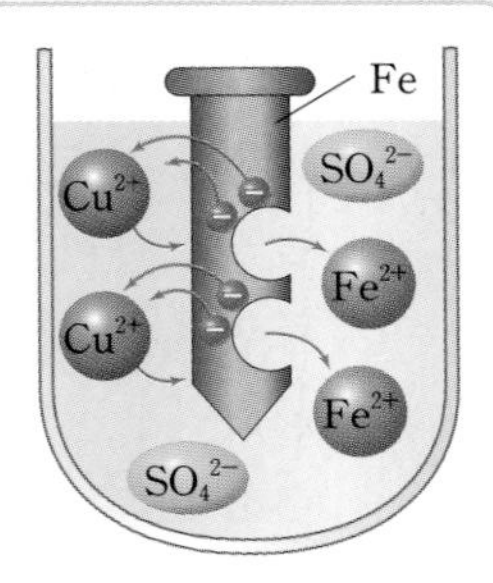

① 철은 전자를 얻는다.
② 용액의 푸른색이 진해진다.
③ 철못 표면에 구리가 석출된다.
④ 황산 이온은 전자를 얻고 환원된다.
⑤ 용액 중 구리 이온의 수는 일정하다.

개념 가이드

철은 전자를 [   ]고 산화되고, 구리 이온은 전자를 얻어 [   ]된다.

답 잃, 환원

대표 예제 2 산화수

산화수에 대한 설명으로 옳지 <u>않은</u> 것은?

① O_2에서 O의 산화수는 -2이다.
② 화합물에서 플루오린(F)의 산화수는 항상 -1이다.
③ 화합물에서 알칼리 금속 원자의 산화수는 항상 $+1$이다.
④ 화합물에서는 전기 음성도가 큰 원자가 (−) 값을 갖는다.
⑤ 질소(N)는 결합하는 원자에 따라 여러 가지 산화수를 가질 수 있다.

개념 가이드

1족 금속 원소의 산화수는 [   ]이고, 전기 음성도가 큰 원자가 [   ] 값을 갖는다.

답 +1, (−)

대표 예제 3 산화 환원 반응

다음 중 산화 환원 반응이 <u>아닌</u> 것은?

① $2Na(s) + 2H_2O(l) \longrightarrow 2NaOH(aq) + H_2(g)$
② $CH_4(g) + 2O_2(g) \longrightarrow CO_2(g) + 2H_2O(g)$
③ $2KI(aq) + Cl_2(g) \longrightarrow 2KCl(aq) + I_2(s)$
④ $Mg(s) + H_2SO_4(aq) \longrightarrow H_2(g) + MgSO_4(aq)$
⑤ $NaCl(aq) + AgNO_3(aq) \longrightarrow AgCl(s) + NaNO_3(aq)$

개념 가이드

화학 반응 전후에 [   ]가 변하는 원자가 있어야 산화 환원 반응이다. 앙금 생성 반응은 [   ] 반응이 아니다.

답 산화수, 산화 환원

대표 예제 4 산화제와 환원제

다음은 이산화 황(SO_2)과 황화 수소(H_2S)의 반응을 나타낸 것이다. 이에 대한 설명으로 옳은 것만을 〈보기〉에서 있는 대로 고르시오.

$$SO_2 + 2H_2S \longrightarrow 2H_2O + 3S$$

보기

ㄱ. H_2S는 S으로 환원된다.
ㄴ. SO_2은 산화제로 작용한다.
ㄷ. SO_2에서 S의 산화수는 $+4$이다.

개념 가이드

자신은 [   ]되면서 다른 물질을 [   ]시키는 물질은 산화제이다.

답 환원, 산화

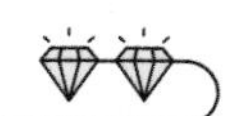

정답과 해설 72쪽

5일

대표 예제 5 산화 환원 반응식 완성

다음은 아황산(H_2SO_3)과 아이오딘(I_2)의 산화 환원 반응식이다. 이에 대한 설명으로 옳은 것만을 〈보기〉에서 있는 대로 고르시오.

$$H_2SO_3(aq) + I_2(s) + H_2O(l) \longrightarrow H_2SO_4(aq) + \square I^-(aq) + \square H^+$$

보기

ㄱ. I_2은 산화되므로 환원제이다.
ㄴ. □에는 공통으로 2가 들어간다.
ㄷ. H_2SO_3과 I_2은 1 : 1의 몰비로 반응한다.

개념 가이드

산화수가 감소하면 [　　　]되는 것이므로 [　　　]제로 작용한다.

답 환원, 산화

대표 예제 6 흡열 반응

다음 중 흡열 반응을 이용한 것으로 옳지 않은 것은?

① 더운 여름철 마당에 물을 뿌린다.
② 식물이 광합성을 하여 양분을 만든다.
③ 눈이 내린 도로에 염화 칼슘을 뿌린다.
④ 질산 암모늄의 용해 반응을 이용하여 냉각팩을 만든다.
⑤ 빵을 만들 때 탄산수소 나트륨이 주성분인 베이킹파우더를 넣어 부풀린다.

개념 가이드

염화 칼슘은 물에 용해될 때 열을 [　　　]하므로 눈을 녹이는 [　　　]로 사용된다.

답 방출, 제설제

대표 예제 7 발열 반응과 흡열 반응

다음 중 반응이 일어날 때 주위의 온도가 낮아지는 경우는?

① 메테인의 연소 반응
② 아연과 묽은 염산의 반응
③ 물이 얼음으로 응고되는 과정
④ 수산화 바륨과 염화 암모늄의 반응
⑤ 수산화 나트륨과 묽은 황산의 중화 반응

개념 가이드

금속과 산의 반응은 [　　　] 반응으로 주위의 온도가 [　　　]진다.

답 발열, 높아

대표 예제 8 간이 열량계

간이 열량계에 증류수를 넣고 염화 칼슘을 녹일 때 발생하는 열량을 구하려고 한다. 이때 반드시 측정하거나 조사해야 하는 자료가 아닌 것은?

① 용액의 비열
② 증류수의 질량
③ 증류수의 밀도
④ 염화 칼슘의 질량
⑤ 반응 후 용액의 최고 온도

개념 가이드

염화 칼슘이 물에 녹을 때 방출한 [　　　]은 간이 열량계 속의 [　　　]이 흡수한 열량과 같다고 가정한다.

답 열량, 용액

1 그림은 물의 전기 분해 실험 장치를 나타낸 것이다. 이에 대한 설명으로 옳지 않은 것은?

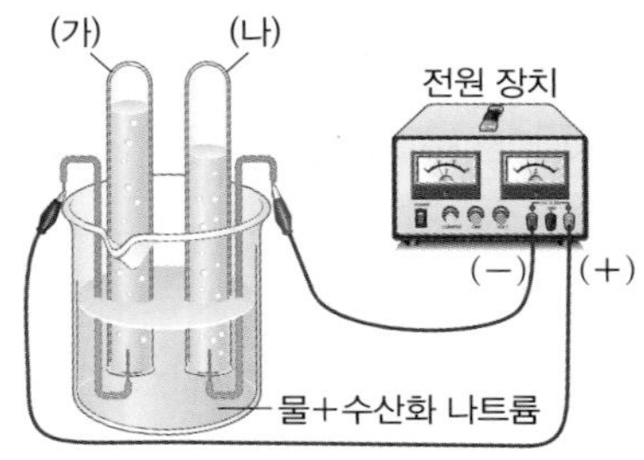

① (가)에 모이는 기체는 산소이다.
② (나)에서 모이는 기체는 수소이다.
③ 수소와 산소의 기체 부피비는 1 : 2이다.
④ 물을 전기 분해할 때 수산화 나트륨과 같은 전해질을 넣어야 전류가 잘 흐른다.
⑤ 전기 분해로 물 분자를 구성하는 원소들의 화학 결합에 전자가 관여한다는 것을 알 수 있다.

2 그림은 이온 사이의 거리에 따른 에너지 변화를 나타낸 것이다. 이에 대한 설명으로 옳지 않은 것은?

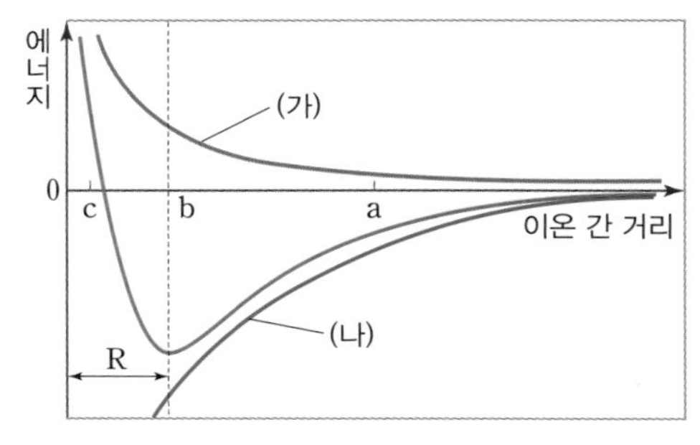

① a에서는 반발력보다 인력이 우세하다.
② c에서는 화학적으로 가장 안정해진다.
③ (가)는 반발력에 의한 에너지 변화 그래프이다.
④ (나)는 인력에 의한 에너지 변화 그래프이다.
⑤ R은 인력과 반발력이 균형을 이뤄 두 이온이 결합을 형성하는 거리이다.

3 다음 중 중심 원자가 옥텟 규칙을 만족하지 않는 화합물은?

① CO_2　② BF_3　③ H_2O
④ NH_3　⑤ CH_4

4 다음 중 공유 결합에 대한 설명으로 옳지 않은 것은?

① 비금속 원자 사이의 결합이다.
② HCl은 극성 공유 결합을 한다.
③ 질소(N_2)는 3개의 전자쌍을 공유한다.
④ 공유 결합 물질은 전기 전도성이 있다.
⑤ 드라이아이스는 공유 결합으로 이루어진 분자 결정이다.

신경향

5 그림은 알루미늄 캔에 힘을 가할 때의 변화를 금속 결합 모형으로 나타낸 것이다.

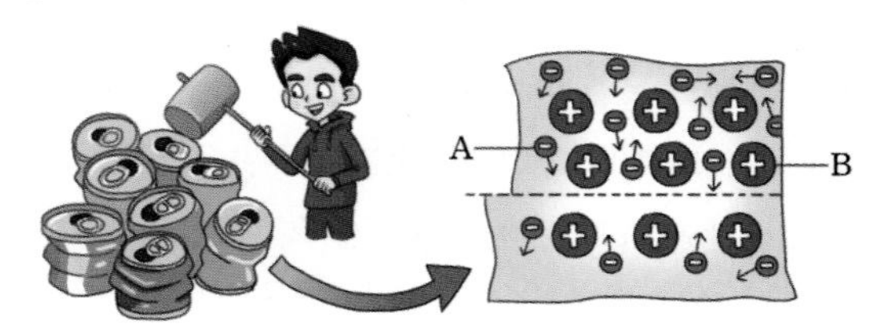

이에 대한 설명으로 옳지 않은 것은?

① A는 자유 전자이다.
② B는 금속 양이온이다.
③ A에 의해 금속 광택을 띤다.
④ 금속 결합은 정전기적 인력에 의한 결합이다.
⑤ 외부에서 힘을 가하면 반발력이 작용하여 쉽게 부서진다.

정답과 해설 73쪽

6 그림 (가)~(다)는 2주기 원소 X, Y, Z를 중심으로 전자쌍이 배치된 수소 화합물을 나타낸 것이다.

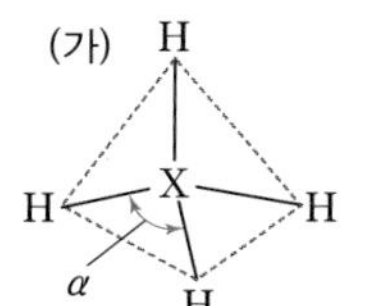

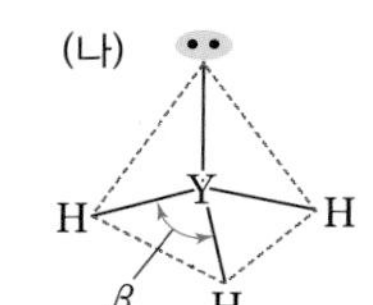

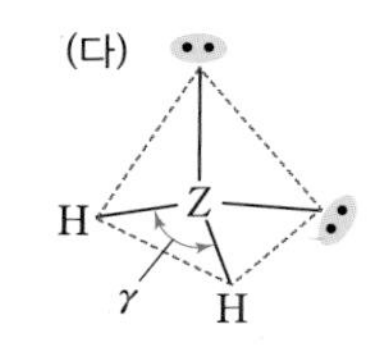

이에 대한 설명으로 옳은 것만을 〈보기〉에서 있는 대로 고른 것은? (단, X~Z는 임의의 원소 기호이다.)

보기
ㄱ. 결합각은 $\alpha < \beta < \gamma$이다.
ㄴ. (가)는 공유 전자쌍만 있어 정사면체형이다.
ㄷ. 비공유 전자쌍 사이의 반발력이 공유 전자쌍 사이의 반발력보다 크다.

① ㄱ ② ㄴ ③ ㄱ, ㄴ
④ ㄴ, ㄷ ⑤ ㄱ, ㄴ, ㄷ

신경향

7 그림은 분류 기준 (가)~(다)에 따라 CH_4, H_2O, CO_2를 분류하여 벤다이어그램으로 나타낸 것이다.

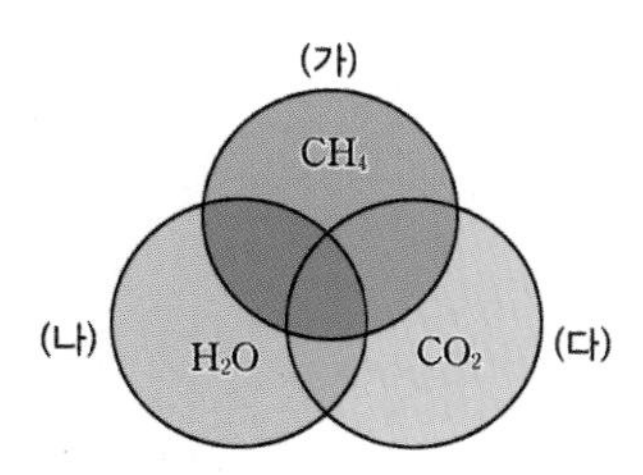

권역	분류 기준
(가)	입체 구조이다.
(나)	중심 원자는 비공유 전자쌍을 가진다.
(다)	?

(다)에 적합한 분류 기준으로 옳은 것은?

① 굽은 형이다. ② 평면 구조이다.
③ 다중 결합이 있다. ④ 극성 공유 결합을 가진다.
⑤ 무극성 공유 결합을 가진다.

8 그림은 결합을 형성하는 두 원자 간의 전기 음성도 차이에 따른 전하 분포를 나타낸 것이다. (가)~(다)에 해당하는 물질을 〈보기〉에서 골라 각각 쓰시오.

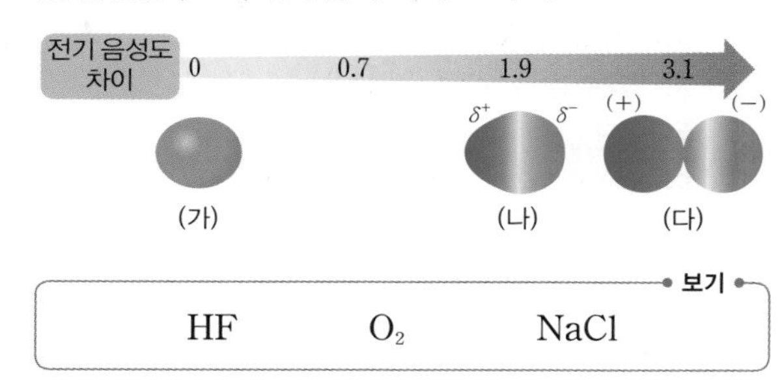

보기
HF O_2 NaCl

9 그림은 1~2주기에 속하는 비금속 원소 A~D의 루이스 전자점식이다.

·A ·B· ·C· :D·

이에 대한 설명으로 옳은 것만을 〈보기〉에서 있는 대로 고른 것은? (단, A~D는 임의의 원소 기호이다.)

보기
ㄱ. D_2에는 다중 결합이 있다.
ㄴ. BA_3와 CA_4는 무극성 분자이다.
ㄷ. A와 D가 결합하면 A_2D가 된다.

① ㄱ ② ㄱ, ㄴ ③ ㄱ, ㄷ
④ ㄴ, ㄷ ⑤ ㄱ, ㄴ, ㄷ

10 동적 평형에 대한 설명으로 옳은 것은?

① 정반응의 속도가 0이다.
② 비가역 반응에서도 일어난다.
③ 용기 속에는 반응물만 존재한다.
④ 정반응 속도와 역반응 속도가 같다.
⑤ 반응물과 생성물의 몰 농도가 항상 같다.

1 그림은 25 ℃에서 물질 A~C 수용액의 pH이다. 이에 대한 설명으로 옳은 것만을 〈보기〉에서 있는 대로 고른 것은? (단, 25 ℃에서 물의 이온화 상수는 1.0×10^{-14}이다.)

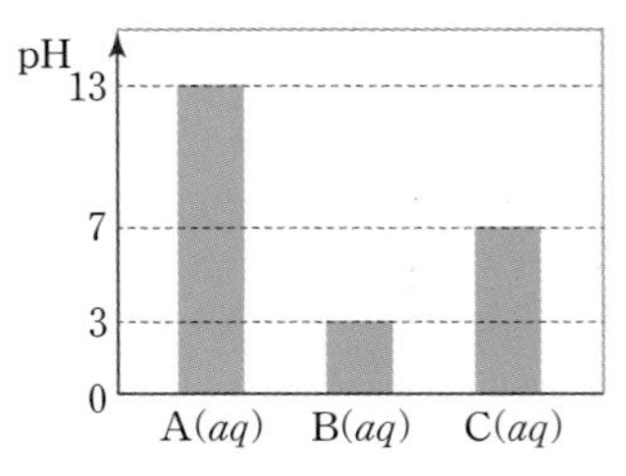

보기
ㄱ. A 수용액에서 $[H_3O^+] > [OH^-]$이다.
ㄴ. B 수용액에서 $[H_3O^+] = 1.0 \times 10^{-3}$ M이다.
ㄷ. C 수용액의 액성은 중성이다.

① ㄱ ② ㄷ ③ ㄱ, ㄴ
④ ㄴ, ㄷ ⑤ ㄱ, ㄴ, ㄷ

신경향

2 그림은 묽은 염산(HCl) 10 mL에 수산화 칼슘($Ca(OH)_2$) 수용액 10 mL를 넣었을 때, 혼합 전후 수용액에 존재하는 이온을 입자 모형으로 나타낸 것이다.

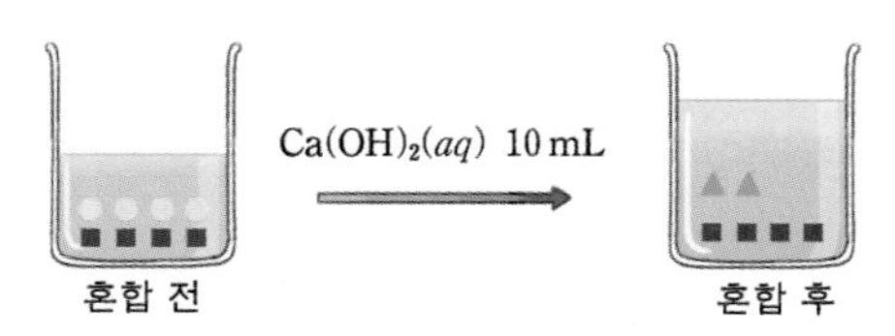

이에 대해 옳게 말한 학생을 있는 대로 쓰시오.

현숙
●는 수소 이온이야.
숙희
■는 혼합 후에도 남아 있으니깐 구경꾼 이온이야.
지은
▲는 OH⁻ 이야.

3 다음은 몇 가지 산 염기의 화학 반응식이다.

(가) $HCl + NH_3 \longrightarrow NH_4^+ + Cl^-$
(나) $NH_3 + H_2O \longrightarrow NH_4^+ + OH^-$
(다) $HCO_3^- + H_2O \longrightarrow CO_3^{2-} + H_3O^+$

이에 대한 설명으로 옳은 것만을 〈보기〉에서 있는 대로 고른 것은?

보기
ㄱ. (가)에서 HCl는 브뢴스테드·로리 산이다.
ㄴ. (나)에서 NH_3는 브뢴스테드·로리 염기이다.
ㄷ. (다)에서 HCO_3^-는 아레니우스 산이다.

① ㄱ ② ㄷ ③ ㄱ, ㄴ
④ ㄴ, ㄷ ⑤ ㄱ, ㄴ, ㄷ

4 농도를 모르는 묽은 염산(HCl) 200 mL를 완전히 중화하는 데 0.2 M 수산화 칼륨(KOH) 수용액 100 mL가 사용되었다. 묽은 염산의 몰 농도는 얼마인가?

① 0.01 M ② 0.05 M ③ 0.1 M
④ 0.15 M ⑤ 0.2 M

신경향

5 그림은 화합물에서 질소와 산소의 산화수를 나타낸 것이다.

7 N 질소	NH_3	N_2	N_2O	NO
	(가)	0	(나)	(다)

8 O 산소	H_2O	H_2O_2	O_2	OF_2
	(라)	(마)	0	(바)

(가)~(바)에서 같은 산화수를 갖는 것은?

① (가), (바) ② (나), (라) ③ (나), (마)
④ (다), (라) ⑤ (다), (바)

정답과 해설 75쪽

6 다음은 질산 은($AgNO_3$) 수용액에 구리판을 넣고 관찰한 결과이다.

> (가) 구리 표면에 은백색 물질이 달라붙었다.
> (나) 수용액이 푸른색으로 변했다.

이에 대한 설명으로 옳은 것만을 〈보기〉에서 있는 대로 고른 것은?

보기
ㄱ. 산화된 것은 구리이다.
ㄴ. 은백색 물질은 질산 구리이다.
ㄷ. 수용액이 푸른색으로 변하는 것은 구리 이온이 생성되기 때문이다.

① ㄷ ② ㄱ, ㄴ ③ ㄱ, ㄷ
④ ㄴ, ㄷ ⑤ ㄱ, ㄴ, ㄷ

7 다음에서 산화 환원 반응을 이용하는 것을 있는 대로 고른 것은?

> (가) 석회수에 날숨을 불어 넣으면 뿌옇게 흐려진다.
> (나) 정수장의 물을 염소 기체를 사용하여 소독한다.
> (다) 철광석을 제련하기 위해 철광석과 함께 코크스(C)를 용광로에 넣는다.

① (가) ② (나) ③ (가), (다)
④ (나), (다) ⑤ (가), (나), (다)

8 간이 열량계에 25 ℃의 증류수 100 g과 염화 칼슘 5 g을 넣고 젓개로 저어 완전히 녹인 뒤 온도를 측정하였더니 28 ℃가 되었다. 이때 발생한 열의 양은 몇 J인지 쓰시오. (단, 용액의 비열은 4 J/g·℃이다.)

9 그림은 0.2 M $KOH(aq)$ 20 mL가 들어 있는 비커에 $H_2SO_4(aq)$을 조금씩 넣었을 때 혼합 용액에 들어 있는 이온 수의 변화를 나타낸 것이다.

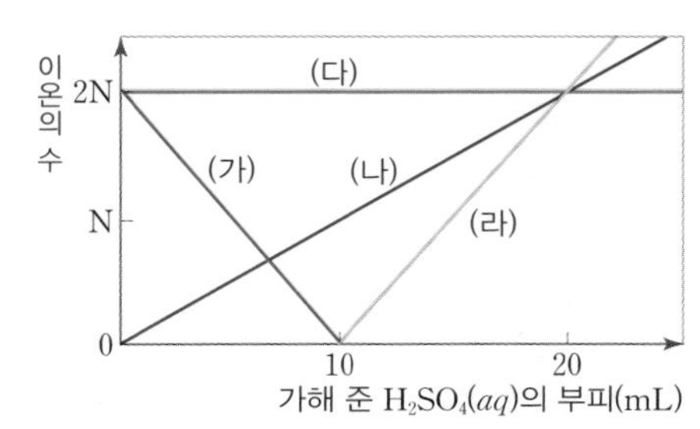

이에 대한 설명으로 옳지 않은 것은?

① (가)는 OH^-이다.
② (나)는 구경꾼 이온이다.
③ (다)는 K^+이다.
④ 가해 준 $H_2SO_4(aq)$의 농도는 0.1 M이다.
⑤ $H_2SO_4(aq)$ 20 mL를 가했을 때 혼합 용액은 산성이다.

10 다음은 아황산(H_2SO_3)과 아이오딘 (I_2)의 반응을 산화 환원 반응식으로 나타낸 것이다.

$$H_2SO_3(aq) + I_2(s) + H_2O(l) \longrightarrow H_2SO_4(aq) + 2HI(aq)$$

이에 대한 설명으로 옳은 것만을 〈보기〉에서 있는 대로 고른 것은?

보기
ㄱ. H_2SO_3은 산화제이다.
ㄴ. I_2에서 I는 산화수가 감소한다.
ㄷ. S의 산화수는 +4에서 +6으로 증가한다.

① ㄱ ② ㄷ ③ ㄱ, ㄴ
④ ㄴ, ㄷ ⑤ ㄱ, ㄴ, ㄷ

6일 서술형·사고력 테스트

1 그림과 같은 장치를 이용하여 수산화 나트륨을 소량 넣은 물에 전류를 흘려주었다.

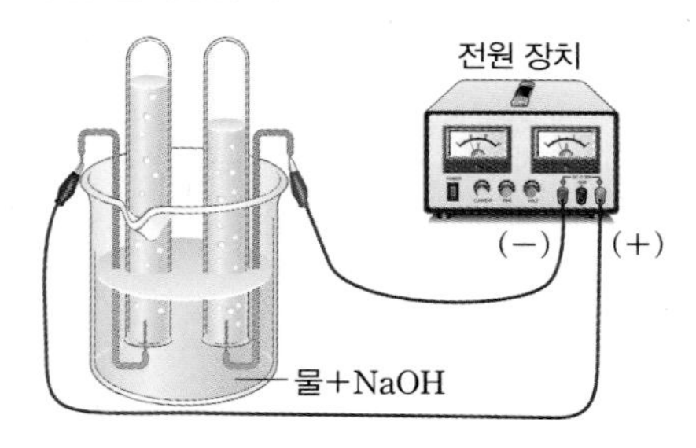

(1) (+)극과 (−)극에서 발생하는 기체는 각각 무엇인가?

(2) 이로부터 확인할 수 있는 화학 결합의 성질을 설명하시오.

2 그림과 같이 메테인(CH_4), 암모니아(NH_3), 물(H_2O) 분자는 모두 중심 원자 주변에 4개의 전자쌍이 존재한다.

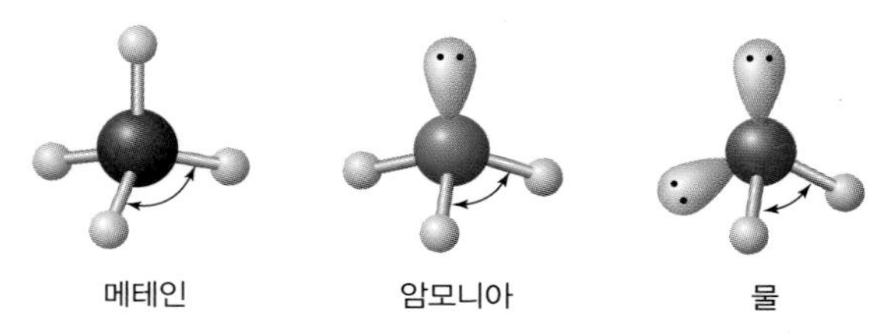

(1) 세 분자의 결합각을 비교하시오.

(2) (1)과 같이 한 까닭을 설명하시오.

3 그림은 어떤 고체 화합물 X의 전기 전도도를 측정하여 얻은 결과를 나타낸 것이다.

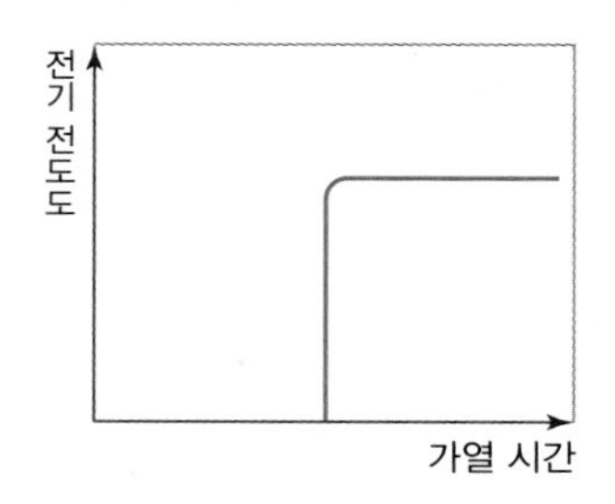

(1) 화합물 X의 화학 결합의 종류는?

(2) 화합물 X를 충분한 시간 동안 가열한 이후부터 전기 전도도가 증가하는 까닭은?

4 표는 1기압에서 CH_4와 NH_3의 녹는점과 끓는점을 나타낸 것이다.

물질	분자량	녹는점(℃)	끓는점(℃)
CH_4	16	−183	−161
NH_3	17	−78	−33

NH_3의 녹는점이나 끓는점이 분자량이 비슷한 CH_4보다 훨씬 높은 까닭을 설명하시오.

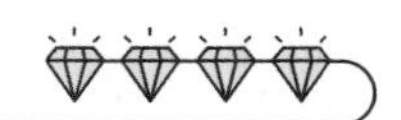

정답과 해설 76쪽

5 그림은 일정량의 물에 염화 나트륨을 넣고 충분한 시간이 지난 뒤 녹지 않은 염화 나트륨이 가라앉은 모습이다.

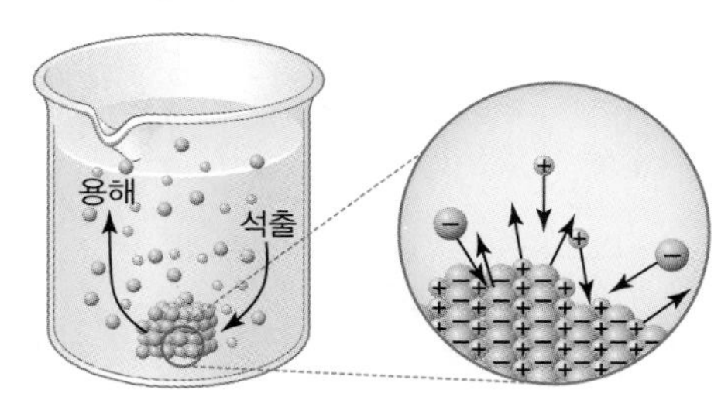

이 상태를 무엇이라 하는지 쓰고, 염화 나트륨의 용해와 석출을 이용하여 설명하시오. (단, 온도는 일정하고, 물의 증발은 무시한다.)

6 그림은 일정량의 수산화 나트륨(NaOH) 수용액에 묽은 염산(HCl)을 일정량씩 넣어줄 때 혼합 용액에 존재하는 이온 수의 비율을 원 그래프로 나타낸 것이다.

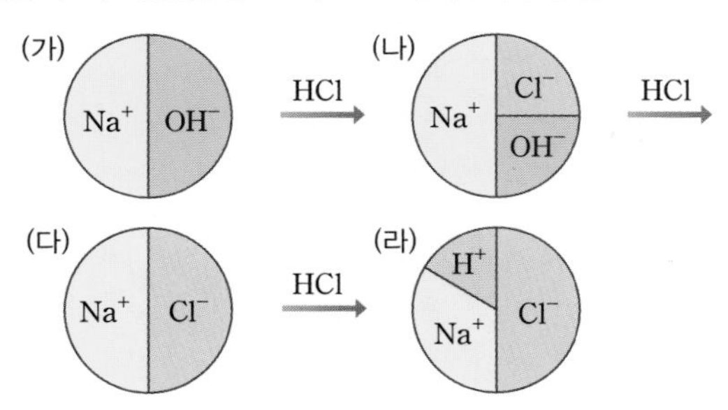

(나)~(라) 중에서 완전 중화된 상태를 고르고 그 이유를 설명하시오.

7 다음은 이산화 황(SO_2)의 두 가지 반응이다.

(가) $SO_2 + 2H_2S \longrightarrow 2H_2O + 3S$

(나) $SO_2 + Cl_2 + 2H_2O \longrightarrow H_2SO_4 + 2HCl$

(1) (가) 반응에서 산화된 물질과 환원된 물질을 쓰시오.

(2) (나)에서 산화된 물질은 무엇인가?

(3) (가)와 (나)에서 SO_2이 산화제와 환원제 중 무엇으로 작용하는지를 각각 쓰고, 그 이유를 다음 용어를 사용하여 설명하시오.

산화　　환원　　상대적 세기

6일

1 창의

그림과 같이 양이온 모형과 음이온 모형으로 이온 결합 화합물을 만들려고 한다.

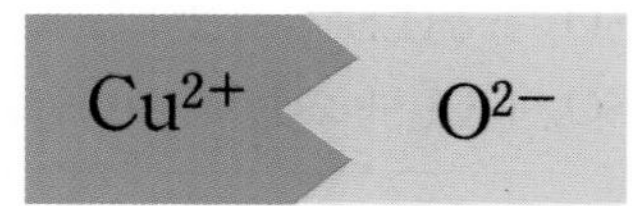

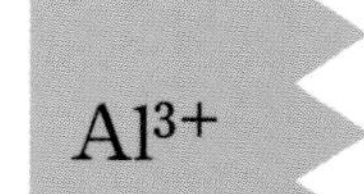

오른쪽 그림 모형 1개에 맞는 음이온 모형으로 적합한 것은?

① SO_4^{2-} 2개
② O^{2-} 모형 1개
③ OH^- 모형 2개
④ PO_4^{3-} 모형 1개
⑤ CO_3^{2-} 모형 1개

2 창의

그림은 물과 기름의 대화이다.

우리와 같이 섞여서 놀자!

난 물과 섞일 수 없어.

이에 대한 설명으로 옳은 것만을 〈보기〉에서 있는 대로 고른 것은?

보기

ㄱ. 기름은 분자 내에 전자가 골고루 분포한다.
ㄴ. 물 분자는 쌍극자 모멘트의 합이 0이다.
ㄷ. 물줄기에 (+)전하를 띤 대전체를 가까이 하면 물줄기가 휘어진다.

① ㄱ　② ㄷ　③ ㄱ, ㄷ
④ ㄴ, ㄷ　⑤ ㄱ, ㄴ, ㄷ

[3~4] 그림은 두 물질의 구조를 나타낸 것이다.

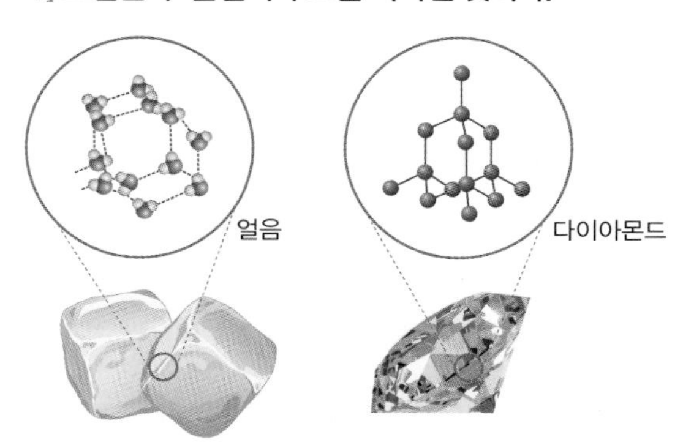

3 창의

두 물질의 공통점으로 옳은 것만을 〈보기〉에서 있는 대로 고른 것은?

보기

ㄱ. 공유 결합 물질이다.
ㄴ. 전기 전도성을 나타내지 않는다.
ㄷ. 3차원적으로 연결되어 녹는점이나 끓는점이 매우 높다.

① ㄱ　② ㄷ　③ ㄱ, ㄴ
④ ㄴ, ㄷ　⑤ ㄱ, ㄴ, ㄷ

4 창의 융합

다음 중 위와 같은 화학 결합을 가지는 물질이 아닌 것은?

① 질소(N_2)　② 아이오딘(I_2)
③ 흑연(C)　④ 구리(Cu)
⑤ 드라이아이스(CO_2)

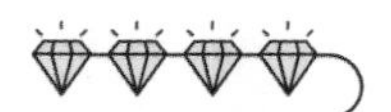

정답과 해설 77쪽

5 창의 코딩

그림과 같은 순서도를 이용하여 물질을 분류했다.

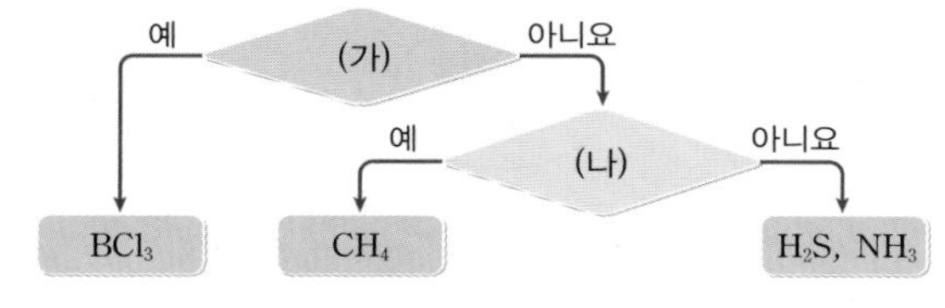

(가), (나)에 적합한 질문을 〈보기〉에서 고르시오.

보기

ㄱ. 입체 구조인가?
ㄴ. 분자 구조가 굽은 형인가?
ㄷ. 분자 구조가 평면 삼각형인가?
ㄹ. 쌍극자 모멘트의 합이 0인가?

6 창의 융합

다음은 자외선의 양에 따라 색이 변하는 광변색 렌즈에 대한 정보이다.

광변색 렌즈에는 자외선에 반응하는 염화 은($AgCl$)과 염화 구리($CuCl$)가 들어 있다. 실외에서 자외선이 흡수되어 $AgCl$이 분해되고 금속 Ag이 짙은 색을 띠므로 렌즈의 색이 어두워진다. 관련 반응은 다음과 같다.

(가) $Ag^+ + Cl^- \longrightarrow Ag + Cl$
(나) $Cu^+ + Cl \longrightarrow Cu^{2+} + Cl^-$

(가)와 (나) 반응에서 환원되는 것을 옳게 짝지은 것은?

① $Ag^+ - Cl^-$
② $Ag^+ - Cu^+$
③ $Ag^+ - Cl$
④ $Cl^- - Cu^+$
⑤ $Cl^- - Cl$

7 창의 융합

그림은 0.1 M 묽은 염산 100 mL와 0.2 M 수산화 나트륨 수용액의 중화 반응을 나타낸 것이다.

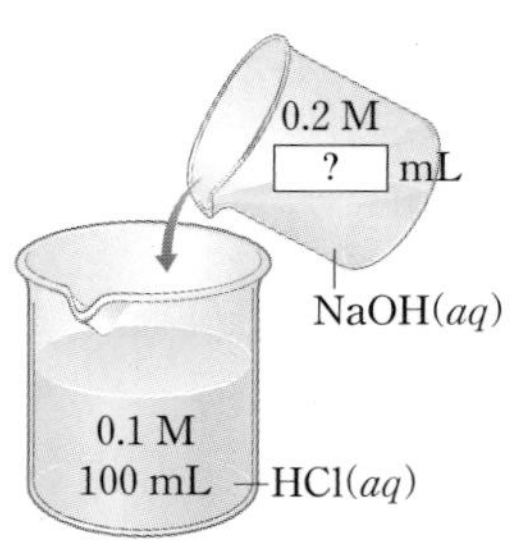

다음은 묽은 염산을 완전 중화하기 위해 필요한 수산화 나트륨 수용액의 부피를 구하는 과정에 대한 학생들의 대화이다. 옳게 설명한 학생만을 있는 대로 고른 것은?

① 지혜, 세빈
② 세빈, 정화
③ 정화, 성민
④ 지혜, 세빈, 정화
⑤ 지혜, 세빈, 성민

6일

7일 학교시험 기본 테스트 1회

1 화학 결합에 대한 설명으로 옳은 것만을 〈보기〉에서 있는 대로 고른 것은?

보기
ㄱ. 나트륨은 옥텟 규칙을 만족하기 위해 전자 1개를 잃으려는 경향이 있다.
ㄴ. 이온 결합은 양이온과 음이온 사이에 작용하는 인력이 가장 커지는 거리에서 형성된다.
ㄷ. 대부분의 원자들은 비활성 기체와 같은 안정한 전자 배치를 가지기 위해 화학 결합을 한다.

① ㄴ ② ㄱ, ㄴ ③ ㄱ, ㄷ
④ ㄴ, ㄷ ⑤ ㄱ, ㄴ, ㄷ

2 화합물 A는 그림과 같이 외부에서 힘을 가하면 쉽게 부서지는 성질이 있다.

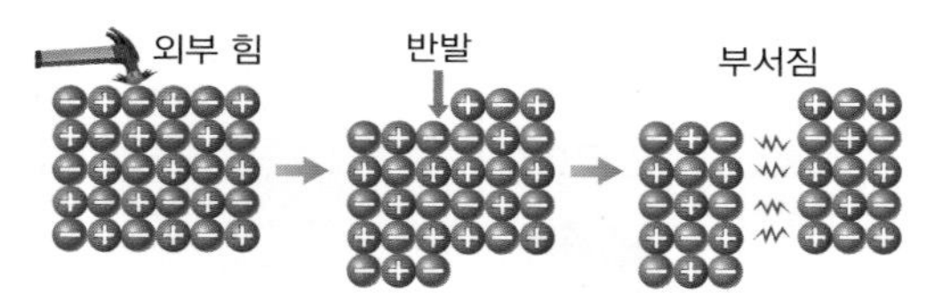

A와 같은 종류의 화학 결합으로 이루어진 물질은?

① C(흑연) ② Fe ③ CO_2
④ KCl ⑤ SiO_2

3 CO_2, BeF_2 분자의 공통점만을 〈보기〉에서 있는 대로 고른 것은?

보기
ㄱ. 분자 구조는 모두 선형이다.
ㄴ. 분자 내에 다중 결합이 존재한다.
ㄷ. 극성 공유 결합으로 극성 분자이다.

① ㄱ ② ㄷ ③ ㄱ, ㄴ
④ ㄴ, ㄷ ⑤ ㄱ, ㄴ, ㄷ

신경향

4 그림에 해당하는 물질이 이루는 결합으로 옳은 것은?

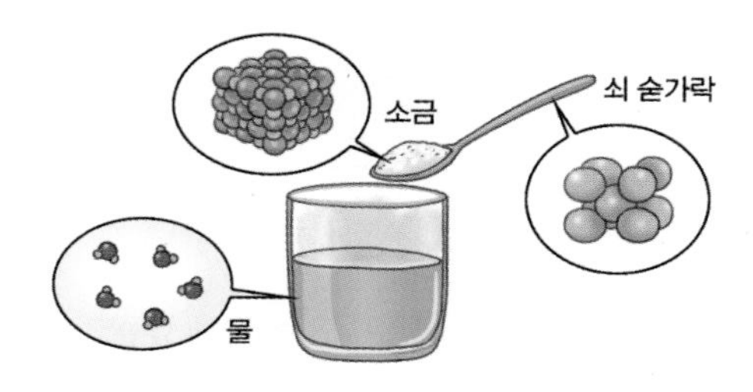

	물	소금	쇠 숟가락
①	공유 결합	금속 결합	이온 결합
②	공유 결합	이온 결합	금속 결합
③	이온 결합	금속 결합	공유 결합
④	이온 결합	공유 결합	금속 결합
⑤	금속 결합	이온 결합	공유 결합

5 그림은 N, O, F의 루이스 전자점식이다.

$$\cdot\ddot{\underset{\cdot}{N}}\cdot \quad :\ddot{\underset{\cdot\cdot}{O}}\cdot \quad :\ddot{\underset{\cdot\cdot}{F}}\cdot$$

질소 분자(N_2), 산소 분자(O_2), 플루오린 분자(F_2)의 결합 에너지는 각각 945, 498, 159 kJ/mol이다. N_2, O_2, F_2에 대한 설명으로 옳은 것만을 〈보기〉에서 있는 대로 고른 것은?

보기
ㄱ. 모두 무극성 공유 결합을 한다.
ㄴ. 공유 전자쌍의 수는 N_2가 가장 많다.
ㄷ. 결합이 가장 강한 것은 전기 음성도가 가장 큰 F_2이다.

① ㄱ ② ㄷ ③ ㄱ, ㄴ
④ ㄴ, ㄷ ⑤ ㄱ, ㄴ, ㄷ

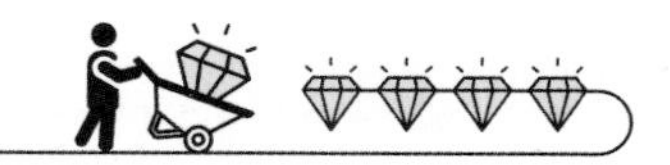

정답과 해설 78쪽

신경향

6 다음은 몇 가지 분자의 분자식이다.

BF_3 CCl_4 H_2O NH_3

이에 대한 설명으로 옳은 것만을 〈보기〉에서 있는 대로 고른 것은?

보기

ㄱ. 평면 구조는 두 가지이다.
ㄴ. 사염화 탄소(CCl_4)는 H_2O과 잘 섞인다.
ㄷ. 중심 원자는 모두 옥텟 규칙을 만족한다.

① ㄱ ② ㄱ, ㄴ ③ ㄱ, ㄷ
④ ㄴ, ㄷ ⑤ ㄱ, ㄴ, ㄷ

7 그림은 원소 X~Z 사이의 결합으로 생성된 화합물에서 결합의 종류에 따른 전하의 분포를 나타낸 것이다.

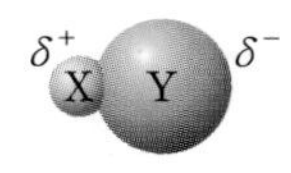

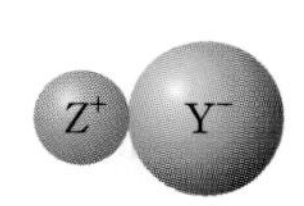

X~Z의 전기 음성도의 크기를 옳게 비교한 것은? (단, X~Z는 임의의 원소 기호이다.)

① X>Y>Z ② X>Z>Y ③ Y>X>Z
④ Y>Z>X ⑤ Z>Y>X

8 다음 분자들의 비공유 전자쌍 개수의 총합은?

NH_3 HCl N_2

① 4 ② 5 ③ 6
④ 7 ⑤ 8

9 그림은 메테인, 물, 암모니아의 쌍극자 모멘트를 표시한 것이다.

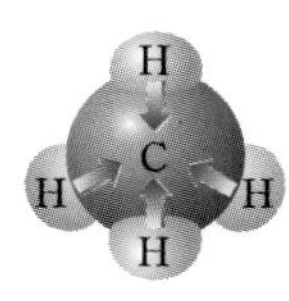

메테인

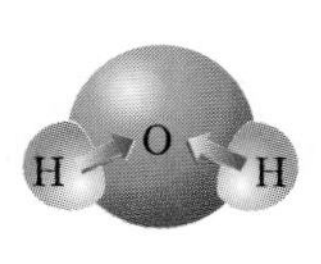

물

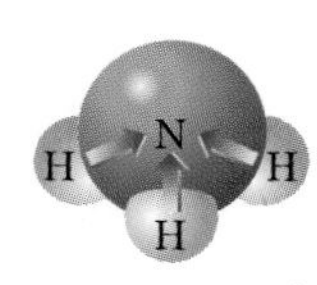

암모니아

이에 대한 설명으로 옳은 것만을 〈보기〉에서 있는 대로 고른 것은?

보기

ㄱ. 중심 원자에는 공유 전자쌍이 4개 있다.
ㄴ. 모두 극성 공유 결합으로 이루어져 있다.
ㄷ. 수소 원자는 탄소, 산소, 질소 원자보다 전기 음성도가 작다.

① ㄱ ② ㄱ, ㄴ ③ ㄱ, ㄷ
④ ㄴ, ㄷ ⑤ ㄱ, ㄴ, ㄷ

10 그림과 같이 액체 A를 뷰렛에 넣고 가늘게 흘러내리게 하면서 (−)전하로 대전된 풍선을 가까이했더니 끌리며 휘어졌다. 이에 대한 설명으로 옳은 것만을 〈보기〉에서 있는 대로 고른 것은?

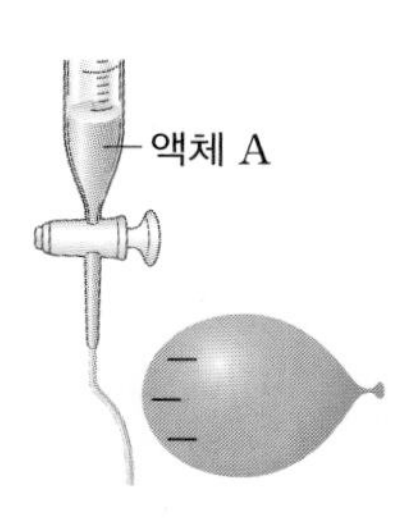

보기

ㄱ. A는 극성 분자이다.
ㄴ. A 대신 기름을 넣어도 휘어진다.
ㄷ. (+)전하로 대전된 풍선을 가까이하면 액체 줄기는 풍선에서 멀어진다.

① ㄱ ② ㄱ, ㄴ ③ ㄱ, ㄷ
④ ㄴ, ㄷ ⑤ ㄱ, ㄴ, ㄷ

7일

신경향

11 다음은 25 ℃에서 몇 가지 물질 (가)~(다)와 이에 대한 세 학생의 대화이다.

(가) pOH가 6.0인 암모니아수
(나) pH가 3.0인 아세트산 수용액
(다) [H₃O⁺]=0.00001 M인 탄산음료
(가)의 pH가 가장 커
(나)의 [H⁺]는 10⁻³ M이야.
(다)의 pOH는 9야.
정화
성민
세빈

제시한 의견이 옳은 학생만을 있는 대로 고른 것은?

① 정화 ② 성민 ③ 정화, 성민
④ 성민, 세빈 ⑤ 정화, 성민, 세빈

신경향

12 그림은 부피가 동일한 산 또는 염기 수용액 (가)~(다)를 이온 모형으로 나타낸 것이다.

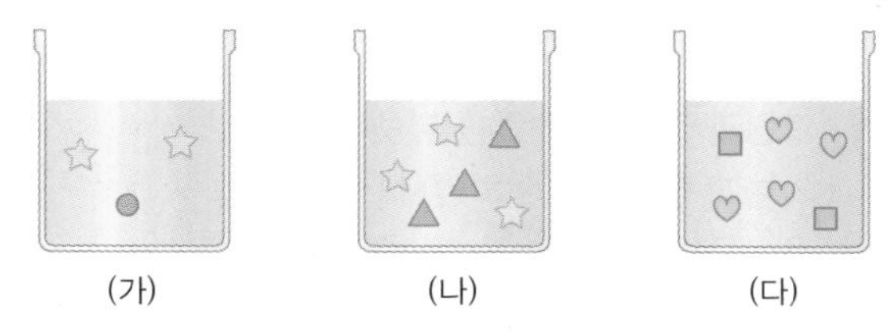

이에 대한 설명으로 옳은 것만을 〈보기〉에서 있는 대로 고른 것은? (단, (가)~(다) 중 산 수용액은 2가지이며 물에서 완전히 이온화된다.)

보기
ㄱ. ☆는 H^+이다.
ㄴ. ●와 ♡의 이온 1개당 전하량의 비는 2 : 1이다.
ㄷ. (가), (나), (다)를 혼합하면 용액은 중성이 된다.

① ㄱ ② ㄱ, ㄴ ③ ㄱ, ㄷ
④ ㄴ, ㄷ ⑤ ㄱ, ㄴ, ㄷ

13 그림은 25 ℃에서 물질의 pH를 나타낸 것이다.

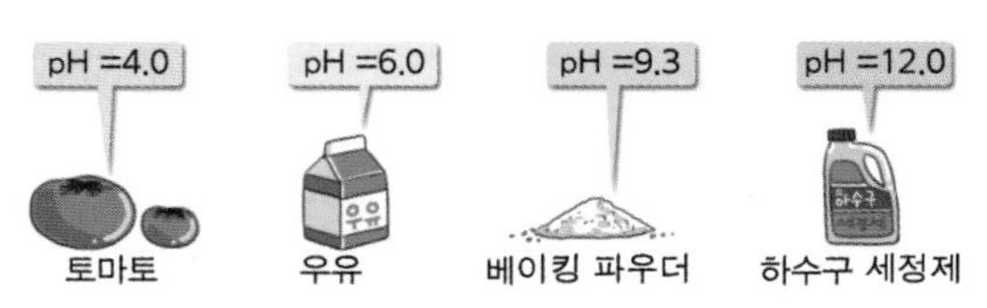

이 물질들에 대한 설명으로 옳은 것만을 〈보기〉에서 있는 대로 고른 것은?

보기
ㄱ. pH가 클수록 pOH는 작다.
ㄴ. 하수구 세정제의 산성이 가장 크다.
ㄷ. 우유의 $[H_3O^+]$는 토마토의 100배이다.

① ㄱ ② ㄱ, ㄴ ③ ㄱ, ㄷ
④ ㄴ, ㄷ ⑤ ㄱ, ㄴ, ㄷ

14 다음 (가)~(다)의 화학 반응식에 대한 설명으로 옳은 것만을 〈보기〉에서 있는 대로 고른 것은?

(가) $HNO_3 + H_2O \longrightarrow NO_3^- + H_3O^+$
(나) $CH_3NH_2 + H_2O \rightleftharpoons CH_3NH_3^+ + OH^-$
(다) $H_2SO_4 + 2NaOH \longrightarrow Na_2SO_4 + 2H_2O$

보기
ㄱ. H_2O은 양쪽성 물질이다.
ㄴ. (나)에서 CH_3NH_2의 짝산은 $CH_3NH_3^+$이다.
ㄷ. (다)에서 NaOH은 브뢴스테드·로리 염기이다.

① ㄱ ② ㄱ, ㄴ ③ ㄱ, ㄷ
④ ㄴ, ㄷ ⑤ ㄱ, ㄴ, ㄷ

15 다음 반응에서 환원제를 각각 쓰시오.

(1) $2Mg + O_2 \longrightarrow 2MgO$
(2) $Zn + H_2SO_4 \longrightarrow ZnSO_4 + H_2$

정답과 해설 78쪽

16 표는 몰 농도가 같은 산 수용액과 염기 수용액의 혼합 부피 비율과 BTB 용액의 색을 나타낸다.

혼합 용액	(가)	(나)	(다)
부피 비율			
BTB 색	노란색	초록색	파란색

이에 대한 설명으로 옳은 것만을 〈보기〉에서 있는 대로 고른 것은?

보기

ㄱ. 용액의 pH는 (가)가 가장 크다.
ㄴ. 생성되는 물 분자 수는 (나)에서 가장 많다.
ㄷ. 빗금친 부분은 염기 수용액의 부피를 나타낸다.

① ㄱ ② ㄴ ③ ㄱ, ㄷ
④ ㄴ, ㄷ ⑤ ㄱ, ㄴ, ㄷ

17 그림은 수산화 나트륨(NaOH) 수용액에 묽은 염산(HCl)을 넣을 때, 혼합 수용액 속의 이온 모형이다.

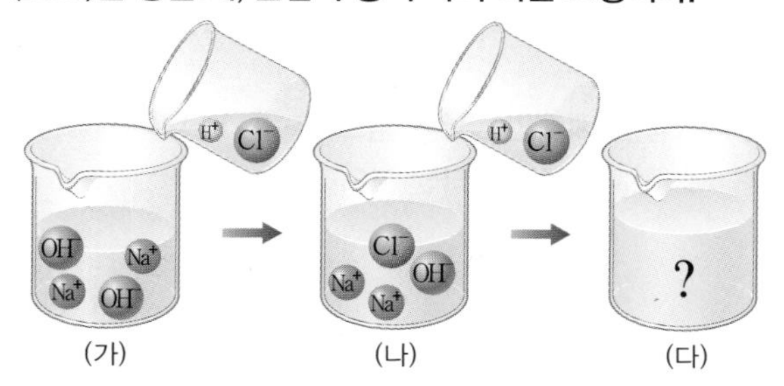

(다)에 대한 설명으로 옳은 것만을 〈보기〉에서 있는 대로 고른 것은?

보기

ㄱ. 온도는 (가)보다 높다.
ㄴ. (다)에서 $[Na^+]=[Cl^-]$이다.
ㄷ. 모두 반응하여 이온이 존재하지 않는다.

① ㄱ ② ㄷ ③ ㄱ, ㄴ
④ ㄴ, ㄷ ⑤ ㄱ, ㄴ, ㄷ

신경향

18 휴대용 냉각 팩은 제품을 쥐고 내부의 비닐봉지를 터뜨린 후 흔들어서 사용하며, 주성분이 질산 암모늄과 물이다. 이 냉각 팩에 대한 설명으로 옳은 것만을 〈보기〉에서 있는 대로 고른 것은?

보기

ㄱ. 냉각 팩 내부의 질량은 감소한다.
ㄴ. 냉각 팩 사용 시 주위의 온도가 올라간다.
ㄷ. NH_4NO_3의 용해 반응은 흡열 반응이다.

① ㄱ ② ㄷ ③ ㄱ, ㄴ
④ ㄱ, ㄷ ⑤ ㄴ, ㄷ

19 다음은 철광석을 제련하는 과정에서 일어나는 산화 환원 반응식의 계수를 맞추지 않은 반응식이다.

$$Fe_2O_3 + CO \longrightarrow Fe + CO_2$$

이에 대한 설명으로 옳은 것만을 〈보기〉에서 있는 대로 고른 것은?

보기

ㄱ. 산소의 산화수는 모두 -2이다.
ㄴ. 철의 산화수는 $+3$에서 0으로 감소한다.
ㄷ. Fe_2O_3과 CO는 2 : 3의 몰비로 반응하면 증가한 산화수와 감소한 산화수가 같아진다.

① ㄱ ② ㄴ ③ ㄱ, ㄴ
④ ㄴ, ㄷ ⑤ ㄱ, ㄴ, ㄷ

20 25 ℃ 0.1 M NaOH(*aq*) 300 g에 25 ℃ 0.1 M HCl(*aq*) 300 g을 넣어 완전히 중화시켰더니 혼합 용액의 최고 온도가 33 ℃가 되었다. 이때 발생한 중화열(kJ)을 구하시오. (단, 용액의 비열은 4 J/g·℃이다.)

학교시험 기본 테스트

신경향

1 **다음과 같은 성질을 나타내는 물질이 아닌 것은?**

- 힘을 가하면 부스러지고, 극성 용매에 잘 녹는다.
- 고체 상태에서는 전기를 통하지 않으나 액체 상태에서는 전기 전도성을 나타낸다.

① NaCl ② KI ③ $MgCl_2$
④ SiO_2 ⑤ KF

2 **화학 결합의 종류에 따른 물질의 성질로 옳지 않은 것은?**

① HCl는 극성 분자로 물에 잘 녹는다.
② 고체 $CaCl_2$은 힘을 가하면 부서진다.
③ 흑연은 공유 결합 물질로 전기 전도성이 없다.
④ 고체 NaCl은 정전기적 인력으로 이루어져 있다.
⑤ 다이아몬드는 모든 원자가 공유 결합으로 연결되어 있다.

3 **그림은 금속 결합을 모형으로 나타낸 것이다. A에 의한 성질로 옳은 것만을 〈보기〉에서 있는 대로 고른 것은?**

A

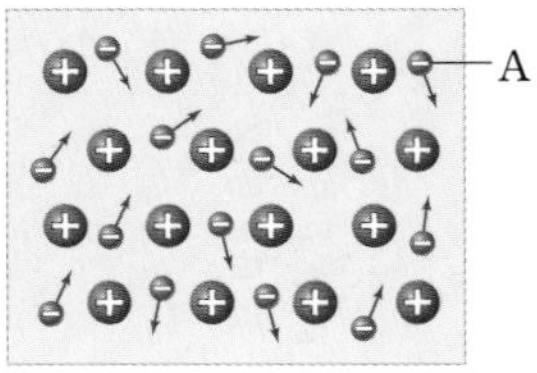

보기

ㄱ. 금속성 광택을 띤다.
ㄴ. 고체와 액체 상태에서 전기가 잘 통한다.
ㄷ. 구리 전선, 알루미늄 포일과 같이 변형할 수 있다.

① ㄱ ② ㄴ ③ ㄱ, ㄴ
④ ㄴ, ㄷ ⑤ ㄱ, ㄴ, ㄷ

4 **그림은 물질 (가)~(다)의 결정 구조를 나타낸 것이다.**

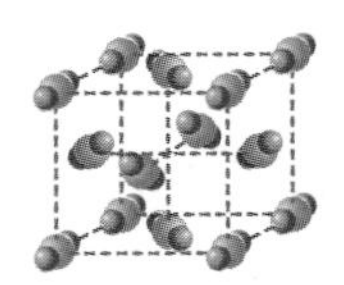
(가)

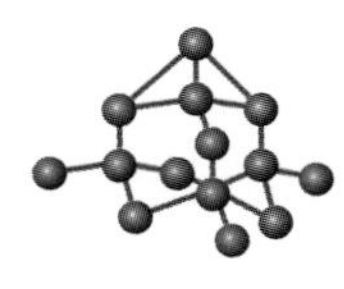
(나)

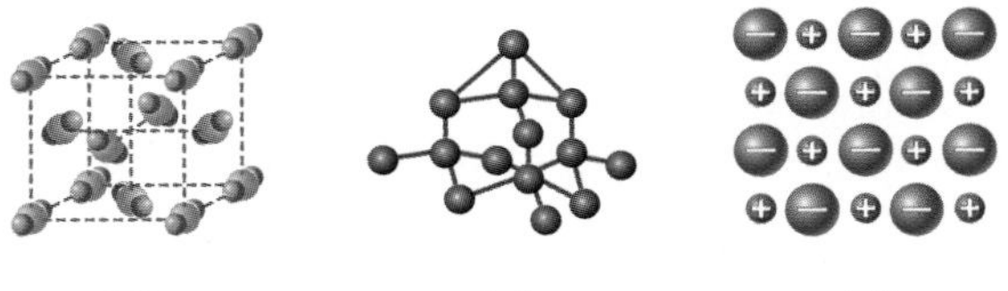

(다)

이에 대한 설명으로 옳은 것만을 〈보기〉에서 있는 대로 고른 것은?

보기

ㄱ. 드라이아이스는 (가)와 같은 구조이다.
ㄴ. (나)는 원자간 강한 공유 결합으로 이루어져 녹는점이 매우 높다.
ㄷ. (다)는 힘을 가해도 결합이 유지된다.

① ㄱ ② ㄴ ③ ㄱ, ㄴ
④ ㄴ, ㄷ ⑤ ㄱ, ㄴ, ㄷ

5 **그림은 메테인(CH_4), 암모니아(NH_3), 물(H_2O)의 루이스 전자점식을 나타낸 것이다.**

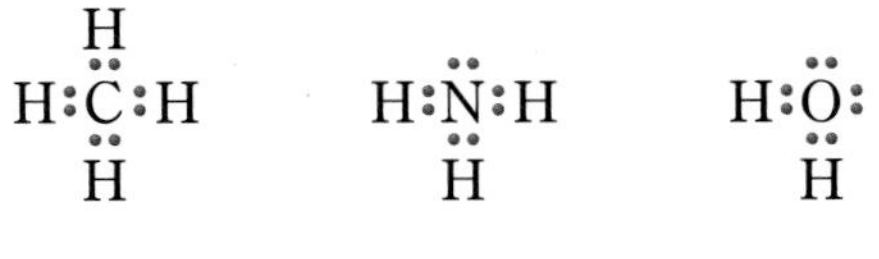

H:C:H (위아래 H), H:N:H (아래 H), H:O: (아래 H)

이에 대한 설명으로 옳은 것만을 〈보기〉에서 있는 대로 고른 것은?

보기

ㄱ. 결합각은 H_2O이 가장 크다.
ㄴ. CH_4은 평면 사각형 구조이다.
ㄷ. 중심 원자는 모두 옥텟 규칙을 만족한다.

① ㄱ ② ㄷ ③ ㄱ, ㄴ
④ ㄴ, ㄷ ⑤ ㄱ, ㄴ, ㄷ

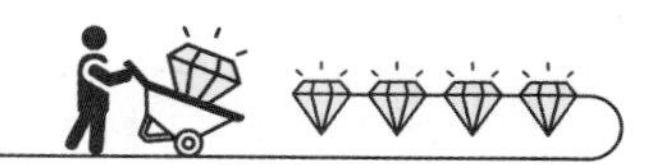

정답과 해설 80쪽

신경향

6 다음은 쌍극자에 대한 세 학생의 대화이다.

HCl에서 Cl가 부분적인 (−)전하야!
쌍극자 모멘트는 전하량에 비례해!
무극성 공유 결합은 쌍극자 모멘트가 0이야.
철수
지은
민수

옳게 설명한 학생만을 있는 대로 고른 것은?

① 철수 ② 지은 ③ 철수, 지은
④ 지은, 민수 ⑤ 철수, 지은, 민수

7 전자쌍 반발 이론에 대한 설명으로 옳은 것은?

① 전자쌍은 양전하를 띤다.
② 전자쌍들은 반발력이 최대가 되는 방향으로 배치된다.
③ 중심 원자 주위의 전자쌍 수가 같으면 분자 모양이 같다.
④ 공유 전자쌍 사이의 반발력은 비공유 전자쌍 사이의 반발력보다 크다.
⑤ 중심 원자 주위에 공유 전자쌍만 4개 있으면 분자는 정사면체 구조를 이룬다.

8 가역 반응에 대한 설명으로 옳은 것만을 〈보기〉에서 있는 대로 고르시오.

보기
ㄱ. 화학 반응식에서 기호 ⇄로 표시한다.
ㄴ. 충분한 시간이 지나면 반응이 멈춘다.
ㄷ. 동적 평형에 도달하면 정반응 속도보다 역반응 속도가 빠르다.

9 다음은 두 가지 분자를 모형으로 나타낸 것이다.

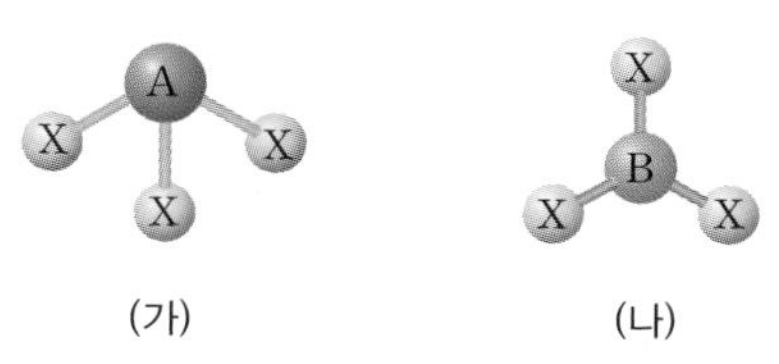

(가) (나)

이에 대한 설명으로 옳은 것만을 〈보기〉에서 있는 대로 고른 것은? (단, A, B는 2주기 임의의 원소 기호이다.)

보기
ㄱ. 결합각은 (나)가 (가)보다 더 크다.
ㄴ. 둘다 공유 전자쌍만 존재한다.
ㄷ. 물에 대한 용해도는 (가)가 (나)보다 크다.

① ㄱ ② ㄴ ③ ㄱ, ㄷ
④ ㄴ, ㄷ ⑤ ㄱ, ㄴ, ㄷ

7일

10 그림은 분자 (가)~(마)를 모형으로 나타낸 것이다.

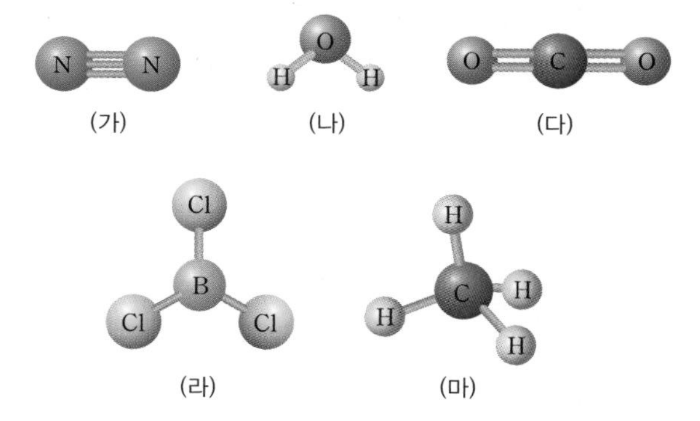

(가) (나) (다)
(라) (마)

(가)~(마)에 대한 설명으로 옳은 것만을 〈보기〉에서 있는 대로 고른 것은?

보기
ㄱ. 입체 구조는 2가지이다.
ㄴ. 무극성 공유 결합 분자는 1가지이다.
ㄷ. 기체 분자가 전기장 안에서 일정한 방향으로 배열하는 것은 2가지이다.

① ㄱ ② ㄴ ③ ㄱ, ㄴ
④ ㄴ, ㄷ ⑤ ㄱ, ㄴ, ㄷ

11 그림은 밀폐된 용기 속에서 일어나는 물의 증발과 응축 현상을 모형으로 나타낸 것이다.

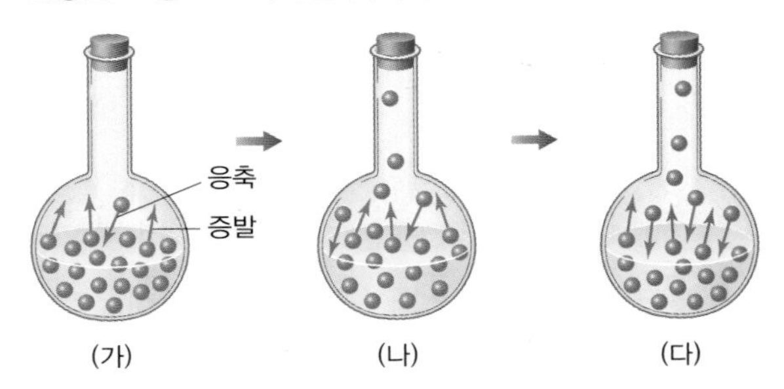

이에 대한 설명으로 옳은 것만을 〈보기〉에서 있는 대로 고른 것은?

보기

ㄱ. 응축 속도는 (가)<(나)이다.
ㄴ. 증발 속도는 (나)<(다)이다.
ㄷ. (다)에서 증발 속도=응축 속도이다.

① ㄱ ② ㄷ ③ ㄱ, ㄷ
④ ㄴ, ㄷ ⑤ ㄱ, ㄴ, ㄷ

신경향

12 다음은 민지가 생활 속에서 산과 염기와 관련한 예를 조사한 자료이다.

(가) 생선회에 레몬즙을 뿌린다.
(나) 산성화된 호수에 석회 가루를 뿌린다.
(다) 위산 과다로 속이 쓰릴 때 제산제를 먹는다.

레몬즙, 석회 가루, 제산제가 각각 산인지 염기인지 쓰시오.

13 그림은 물의 자동 이온화 반응과 물의 이온화 상수를 나타낸 것이다.

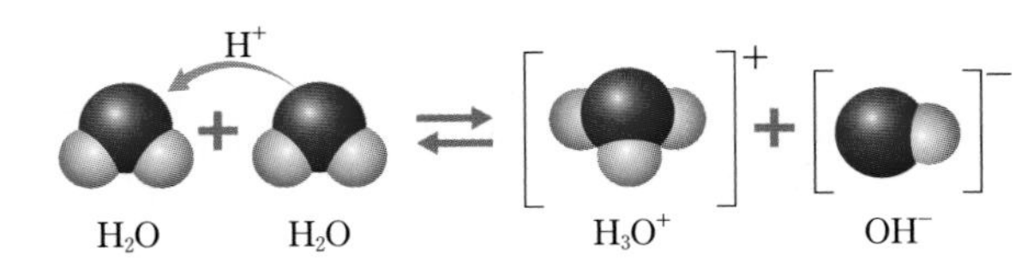

$K_w = 1.0 \times 10^{-14}$ (25 ℃)

이에 대한 설명으로 옳은 것만을 〈보기〉에서 있는 대로 고른 것은?

보기

ㄱ. 25 ℃에서 물은 pH=7로 중성이다.
ㄴ. $[H_3O^+]$와 $[OH^-]$의 곱은 일정한 상수다.
ㄷ. H_2O은 브뢴스테드·로리 산, 염기로 작용한다.

① ㄱ ② ㄷ ③ ㄱ, ㄴ
④ ㄴ, ㄷ ⑤ ㄱ, ㄴ, ㄷ

14 다음 중 산화 환원 반응이 아닌 것은?

① $3S + 2H_2O \longrightarrow 2H_2S + SO_2$
② $Mg + 2HCl \longrightarrow MgCl_2 + H_2$
③ $CuO + H_2 \longrightarrow Cu + H_2O$
④ $Cl_2 + H_2O \longrightarrow HCl + HClO$
⑤ $KOH + HNO_3 \longrightarrow H_2O + KNO_3$

15 다음 밑줄 친 원소의 산화수의 합은?

$\underline{N}O$	$\underline{O}F_2$	$H_2\underline{O}_2$
$Na_2\underline{S}O_4$	$K_2\underline{Cr}_2O_7$	$Na\underline{H}$

① 12 ② 13 ③ 14
④ 15 ⑤ 16

16 다음 반응에 대한 설명으로 옳은 것은?

$$2HCl + Ca(OH)_2 \longrightarrow CaCl_2 + 2H_2O$$

① 반응 후 온도가 내려간다.
② 알짜 이온은 Ca^{2+}과 Cl^-이다.
③ 산 염기 중화 반응으로 물이 생성된다.
④ H^+과 OH^-은 2 : 1의 몰비로 반응한다.
⑤ 0.2 M 염산 100 mL는 0.1 M 수산화 칼슘 수용액 200 mL와 완전히 중화 반응한다.

신경향

17 그림은 금속 A 이온이 들어 있는 용액에 금속 B와 금속 C를 차례로 넣었을 때의 이온 변화이다.

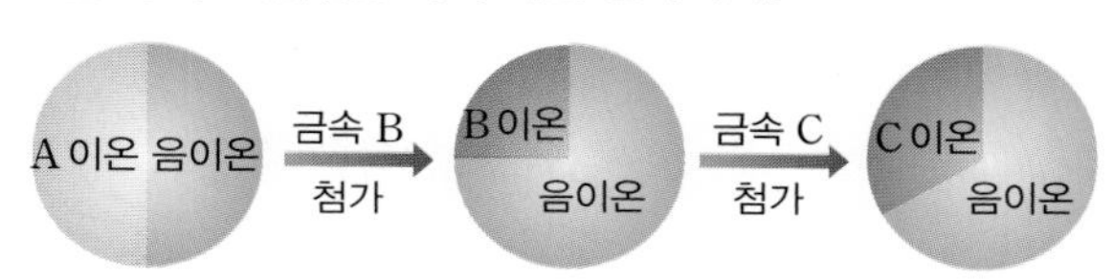

이에 대한 설명으로 옳은 것만을 〈보기〉에서 있는 대로 고르시오.

보기
ㄱ. A 이온은 환원되었다.
ㄴ. B 이온은 산화되었다.
ㄷ. A 이온이 든 용액에 금속 C를 넣으면 금속 A가 석출될 것이다.

18 염소(Cl_2) 기체를 물에 용해시키면 염화 수소(HCl)와 하이포염소산(HClO)이 생성된다. 이 반응에 대한 설명으로 옳지 않은 것은?

① 산화 환원 반응이다.
② H_2O은 환원제로 사용되었다.
③ Cl_2에서 Cl의 산화수는 0이다.
④ HClO에서 Cl의 산화수는 +1이다.
⑤ 반응식은 $Cl_2 + H_2O \longrightarrow HCl + HClO$이다.

19 그림과 같이 질산 은($AgNO_3$) 수용액에 구리(Cu)줄을 넣었더니 구리선 표면에 은이 석출되었다.

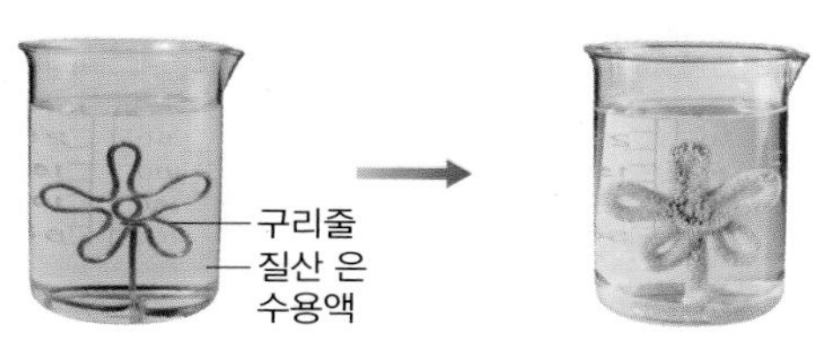

이에 대한 설명으로 옳은 것만을 〈보기〉에서 있는 대로 고른 것은? (단, 원자량은 Cu 64, Ag 108이다.)

보기
ㄱ. 용액의 색이 푸른색으로 변한다.
ㄴ. 전자는 구리에서 은 이온으로 이동한다.
ㄷ. 구리 6.4 g이 모두 반응할 때 은은 10.8 g 석출된다.

① ㄱ ② ㄴ ③ ㄱ, ㄴ
④ ㄴ, ㄷ ⑤ ㄱ, ㄴ, ㄷ

20 그림과 같이 나무판 위에 물을 떨어뜨린 후 삼각 플라스크 안의 고체 질산 암모늄과 수산화 바륨 팔수화물을 유리 막대로 저어준 후 플라스크를 들어올렸다.

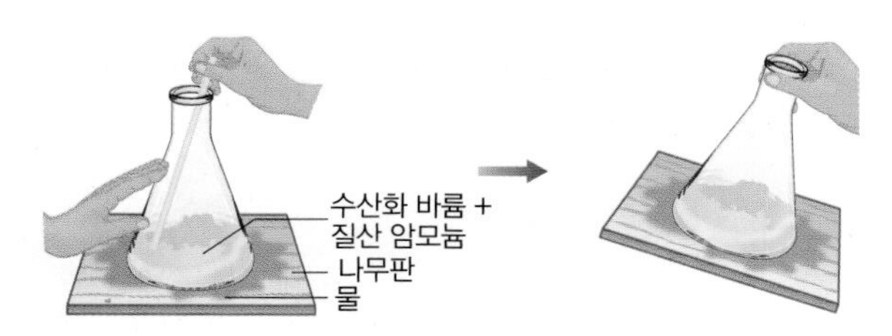

열의 출입이 위와 같은 반응이 아닌 것은?

① 광합성
② 물의 전기 분해
③ 질산 암모늄의 용해 반응
④ 진한 황산을 묽히는 반응
⑤ 탄산수소 나트륨의 열분해

매일 산화 환원 반응을 선보이는 헤어디자이너

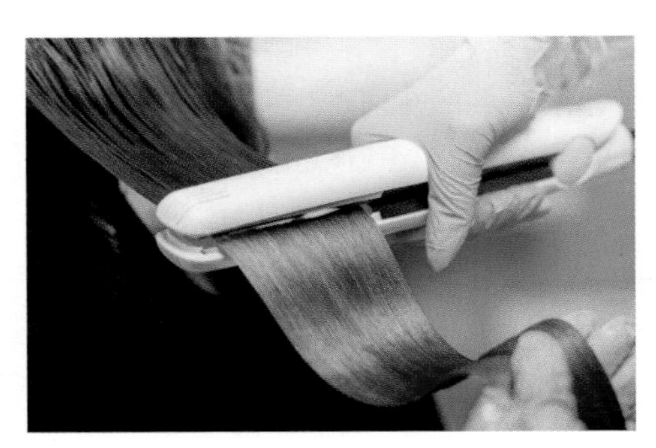

머리 모양을 다양하게 할 수 있는 것 중 하나가 퍼머넌트(permanent wave) 또는 펌으로 불리는 파마이다. 파마는 헤어디자이너가 몇 가지 약을 사용하여 일일이 손으로 작업하는 좀 복잡해 보이는 과정을 거치지만 그 기본 원리는 산화 환원 반응이다.

머리카락은 '케라틴'이라는 섬유 같은 단백질로 이루어져 있다. 단백질은 열에 의해 변형되기 쉬워 집에서도 젖은 머리를 드라이나 고데기 등을 이용해 원하는 형태의 웨이브를 만들 수 있다. 이때 수분과 열을 가하는 시간에 따라 곱슬곱슬한 컬(curl)의 모양이 다르게 나타난다. 케라틴에는 황(S) 원자 2개가 -S-S- 형태의 결합을 하고 있다. 그런데 이 -S-S- 결합은 상당히 강한 결합이므로 이 상태에서는 머리카락의 모양을 바꾸기 어렵기 때문에 파마약과 같은 화학약품을 이용해 이 결합을 끊어 줘야 한다.

먼저 머리카락에 파마약을 바르면 머리카락의 -S-S- 결합에 수소가 붙으면서 결합이 끊어지면서 환원 반응이 일어난다. 이 상태에서 머리카락을 원하는 형태로 만든 다음 열처리를 한다. 그리고 다시 산화제인 중화제로 수소를 떼어 다시 -S-S- 결합을 생성시키는데 이렇게 되면 산화되는 것이다. 즉 파마의 과정은 산화 환원 반응이다.

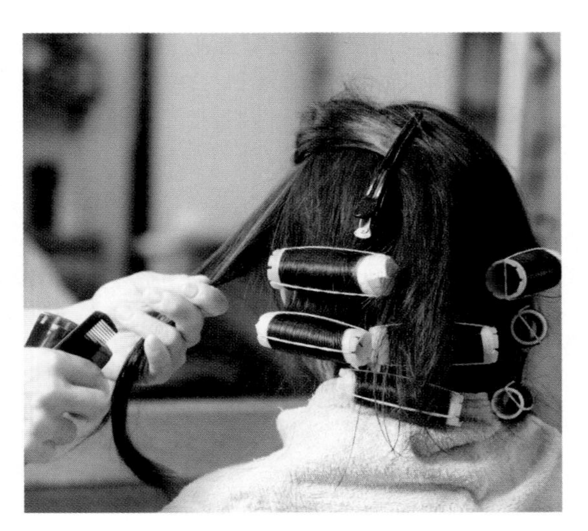

물질이 산소와 결합하면 산화, 산소를 잃으면 환원 반응이듯이, 반대로 수소와 결합하면 환원 반응, 수소를 떼어내면 산화되는 것이다.

헤어디자이너는 케라틴의 -S-S- 결합을 끊었다 붙였다를 반복하며 하루에도 수없이 많은 산화 환원 반응을 진행하고 있다.

7일 끝!

정답과 해설

정답과 해설 활용 안내

- 정답 박스로 **빠르게 정답 확인하기!**
- 정답과 오답의 이유, **한 번 더 짚고 넘어가기!**
- **서술형** 답안의 **채점 기준**은 직접 **체크**해 보며, **주관식** 문제 꼼꼼히 **대비하기!**

7일 끝! 2학기 중간·기말

1일 기초 확인 문제 9~11쪽

• 1. 화학 결합

1 (1) 2, 1 (2) 수소 (3) 전자 **2** ㉠ 비활성 기체 ㉡ 전자 배치 ㉢ 옥텟 규칙 **3** (b) **4** (1) 전해질 (2) 산소 **5** ⑤ **6** ㉠ 공유 ㉡ 단일 ㉢ 3 **7** (1) 얼음 (2) 흑연 (3) 흑연, 다이아몬드 **8** ⑤ **9** (1) 양이온, 자유 전자 (2) 자유 전자 (3) 고체 **10** ㉠ 반발력 ㉡ 인력 ㉢ 결합 길이

1 (1), (2) 물을 전기 분해하면 (−)극에서 수소 기체가 발생하고, (+)극에서 산소 기체가 발생한다.

(−)극: $2H_2O(l) + 2e^- \longrightarrow H_2(g) + 2OH^-(aq)$

(+)극: $H_2O(l) \longrightarrow \frac{1}{2}O_2(g) + 2H^+(aq) + 2e^-$

이때 수소와 산소는 2 : 1의 부피비로 발생한다.

(3) 물을 전기 분해할 때 각각의 성분으로 분해되는 것은 원소 간의 결합에 전자가 관여하기 때문이다.

2 비활성 기체는 가장 바깥 전자 껍질에 전자가 모두 채워진 안정한 전자 배치를 이룬다. 원자들은 옥텟 규칙을 만족하면서 화학 결합을 이룬다.

3 이온 결합은 양이온과 음이온 사이의 인력과 반발력이 균형을 이루어 에너지가 가장 낮아지는 지점 (b)에서 형성된다.

4 (1) 순수한 물은 전류가 흐르지 않으므로 전기 분해할 때는 수산화 나트륨과 같은 전해질을 녹여 전류가 흐르게 해야 한다.

(2) 물을 전기 분해하면 (+)극에서는 산소 기체가, (−)극에서는 수소 기체가 발생한다.

5 ⑤ 이온 결합 물질은 양이온과 음이온이 정전기적 인력으로 단단하게 결합되어 있어 녹는점과 끓는점이 비교적 높다. 특히, 이온 사이의 거리가 가까울수록, 양이온과 음이온의 전하량이 클수록 녹는점이 높다.

6 2개 이상의 원자들이 전자쌍을 공유하면서 형성되는 화학 결합을 공유 결합이라고 한다. 두 원자 사이에 전자쌍 1개를 공유하면 단일 결합, 전자쌍 2개를 공유하면 2중 결합, 전자쌍 3개를 공유하면 3중 결합이라고 한다.

7 (1) 얼음은 분자를 이루는 원자들은 강한 공유 결합을 하지만, 분자 사이에는 약한 인력이 작용해 녹는점과 끓는점이 낮다.

(2) 흑연은 탄소 원자 1개에 다른 탄소 원자 3개가 평면에서 정육각형 모양으로 결합한 층상 구조를 이루고 나머지 1개의 원자가 전자가 층 사이를 자유롭게 이동하므로 고체 상태에서 전기 전도성이 있다.

(3) 원자가 연속적으로 공유 결합하여 그물 구조를 이루어 녹는점이 매우 높은 것은 공유 결정에 대한 설명이다. 공유 결정에는 흑연, 다이아몬드, 석영 등이 있다.

8 금속 결합에서 자유 전자는 금속 양이온 사이를 자유롭게 이동할 수 있으므로 열전도성과 전기 전도성이 좋으며 외력을 받았을 때 금속 결합을 유지시켜 준다.

오답 풀이

⑤ 금속 결합 물질은 액체 상태에서도 전기가 통한다.

9 (2) 금속 결합 물질은 힘을 가해도 자유 전자들이 이동하여 자유 전자와 금속 원자 사이의 결합을 유지시키므로 부서지지 않고 얇게 펴지거나 늘어난다.

10 공유 결합을 생성하여 안정한 에너지 상태가 되는 핵 사이의 거리를 결합 길이라고 한다.

원자핵 사이의 거리가 결합 길이보다 더 가까워지면 원자핵 사이의 반발력과 전자 사이의 반발력이 작용하여 에너지가 급격히 증가하여 불안정해진다.

1일 내신 기출 베스트 12~13쪽

• 1. 화학 결합

1 ㄱ, ㄴ, ㄷ **2** ㄴ **3** ② **4** ⑤ **5** ㄱ, ㄷ **6** ③ **7** ① **8** ㄴ, ㄷ

1 ㄱ. 물을 전기 분해하면 (+)극에서는 산소 기체가, (−)극에서는 수소 기체가 생성된다.

ㄴ, ㄷ. 순수한 물은 전기가 잘 통하지 않으므로 황산 나트륨, 수산화 나트륨과 같은 전해질을 넣고 전기 분해한다.

2 ㄴ. 이온 결합은 양이온과 음이온 사이의 인력과 반발력이 균형을 이루어 에너지가 가장 낮아지는 지점 B에서 형성된다.

오답 풀이

ㄱ. r_0보다 이온 사이의 거리가 짧아지면 Na^+과 Cl^- 사이에는 반발력의 영향이 커져 에너지가 높은 불안정한 상태가 된다.
ㄷ. C에서는 인력이 우세하다.

자료 분석 + 이온 결합

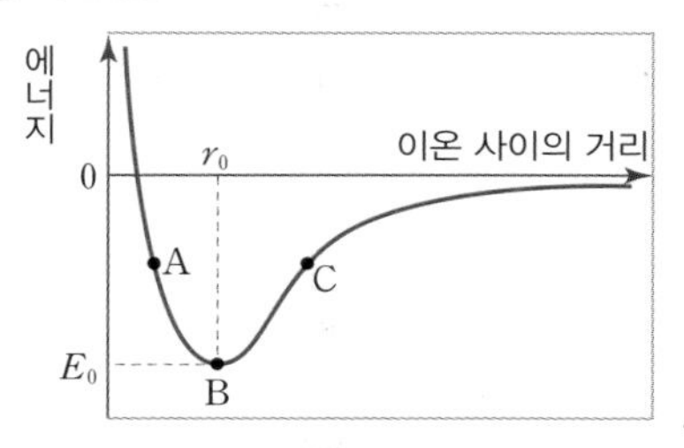

A: 이온 사이의 거리가 너무 가까워지면 반발력이 커져 에너지가 높은 불안정한 상태가 된다.
B: 양이온과 음이온은 인력과 반발력이 균형을 이루어 에너지가 가장 낮은 상태의 거리(r_0)에서 가장 안정한 상태가 되며, 이때 이온 결합이 형성된다.
C: 이온 사이의 인력이 반발력보다 우세하여 거리가 가까워질수록 에너지가 낮아진다.

3 이온 결합 물질은 (+)전하와 (−)전하의 양이 같아서 전기적으로 중성이다. 따라서 이온 결합을 형성하는 이온의 종류에 따라 결합하는 이온의 개수가 달라진다.
① KF은 K^+과 F^- 사이의 이온 결합이다.
③ MgO은 Mg^{2+}과 O^{2-} 사이의 이온 결합이다.
④ NaCl은 Na^+과 Cl^- 사이의 이온 결합이다.
⑤ Al_2O_3은 Al^{3+}과 O^{2-} 사이의 이온 결합이다.

오답 풀이

② CH_4은 비금속 원소 사이의 공유 결합으로 이루어진 공유 결합 물질이다.

4 이온 결합 물질은 고체 상태에서는 이온이 정전기적 인력으로 단단히 결합하고 있어 이동할 수 없으므로 전기 전도성을 나타내지 않는다. 그러나 수용액 상태나 액체 상태에서는 양이온과 음이온이 자유롭게 움직일 수 있어 전기 전도성을 나타낸다.

5 ㄱ, ㄷ. 1개의 O 원자와 2개의 H 원자가 각각 전자 1개씩을 내놓아 전자쌍 2개를 만들고, 이를 공유하여 물(H_2O)이 생성된다. 이때 옥텟을 만족한다. 물 분자에는 공유 전자쌍이 2개 있다.

오답 풀이

ㄴ. H와 O 사이에는 단일 결합이 형성된다.

자료 분석 + 수소와 산소의 공유 결합

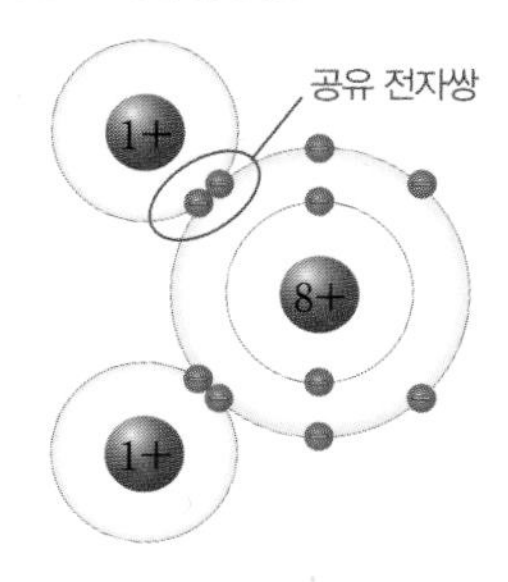

- 산소 원자가 전자 2개를, 2개의 수소 원자가 전자 1개씩을 내놓아 각각 전자쌍을 만든다.
- 물 분자에서 공유 전자쌍은 2개이다.
- 수소의 가장 바깥 전자 껍질의 전자 수가 2개로 되어 헬륨의 전자 배치와 같아진다.
- 산소의 가장 바깥 전자 껍질의 전자 수가 8개로 되어 네온의 전자 배치와 같아진다.

6 ② 공유 결합 물질은 원자 사이의 결합은 강하지만 분자 사이에 작용하는 인력은 약하므로 상대적으로 녹는점과 끓는점이 낮다.
⑤ 다이아몬드와 같이 모든 원자들이 공유 결합으로 3차원적으로 연결된 물질도 있다.

오답 풀이

③ 흑연을 제외한 대부분의 공유 결합 물질은 전하를 운반시킬 수 있는 입자가 없기 때문에 전기 전도성을 나타내지 않는다.

7 ②, ③, ⑤ 금속 결합에서 자유 전자는 금속 양이온 사이를 자유롭게 이동할 수 있으므로 열전도성과 전기 전도성이 좋고 외부에서 힘을 받았을 때 금속 결합을 유지시켜 연성과 전성이 크다.
④ 대부분의 금속이 갖는 은백색의 광택은 자유 전자가 에너지를 흡수하여 들뜬상태로 되었다가 다시 바닥상태로 돌아오면서 거의 모든 파장의 가시광선을 방출하기 때문에 나타난다.

오답 풀이

① 금속의 밀도는 원자의 질량과 금속 원자들이 얼마나 밀집된 배열을 갖느냐에 의해 결정되는 것으로, 자유 전자와 직접적인 관련이 없다.

8 ㄴ. (나)는 고체에서는 전기 전도성이 없지만 액체에서 전기 전도성이 나타나므로 이온 결합 물질이다. 이온 결합 물질은 양이온과 음이온의 정전기적 인력에 의해 결합한 물질이다.
ㄷ. (다)는 고체와 액체 상태에서 전기가 통하지 않으므로 공유 결합 물질이다.

오답 풀이

ㄱ. (가)는 고체와 액체에서 모두 전기 전도성을 나타내므로 금속 결합 물질이다.

2일 기초 확인 문제 17~19쪽

• 2. 분자의 구조와 성질

1 (1) 증가 (2) 극성 (3) 플루오린 **2** (1) 무극성 (2) 쌍극자 (3) 극성 **3** ④ **4** ㉠ 2 ㉡ 18 ㉢ 비공유 전자쌍
5 (1) :Ö::Ö: (2) :N⋮⋮N: (3) :F̤̈:F̤̈:
6 (1) ㄱ (2) ㄷ (3) ㄴ **7** >, > **8** (1) 정사면체 (2) 공유 전자쌍 수와 비공유 전자쌍 수 (3) 삼각뿔형 **9** (1) (가), (다) (2) (나) (3) (가) (4) (나) **10** (1) 0 (2) 휜 (3) 높 (4) 극성, 무극성

1 (1) 전기 음성도는 같은 주기에서 원자 번호가 증가할수록 유효 핵전하가 증가하고 원자핵과 전자 사이의 인력이 증가하여 공유 전자쌍을 끌어당기는 힘이 증가한다. 같은 족에서는 원자 번호가 증가할수록 전자 껍질 수가 증가하여 원자핵과 전자 사이의 인력이 감소하여 공유 전자쌍을 끌어당기는 힘이 감소한다. 따라서 전기 음성도는 대체로 주기율표의 오른쪽 위로 갈수록 증가하고 왼쪽 아래로 갈수록 감소한다.
(2) 공유 결합에서의 전자의 치우침을 결합의 극성이라고 하는데 결합의 극성은 전기 음성도 차이가 클수록 대체로 증가한다.
(3) 미국의 화학자 폴링은 모든 원자 중에서 전기 음성도가 가장 큰 원자인 플루오린(F)의 전기 음성도를 4.0으로 정하고, 이를 기준으로 하여 나머지 원소의 전기 음성도 값을 상대적으로 정하였다.

2 (1) 공유 결합에 사용된 전자쌍이 어느 한쪽으로 끌려가지 않고 똑같이 공유하는 결합을 무극성 공유 결합이라고 하며, 부분 전하를 띠지 않으므로 결합의 쌍극자 모멘트는 0이다.
(2) 쌍극자 모멘트는 분리된 전하량(q)과 두 전하 사이의 거리(r)의 곱에 비례한다.
(3) 전기 음성도의 차이로 공유 전자쌍이 한 원자 쪽으로 치우친 결합을 극성 공유 결합이라고 한다.

3 같은 원소로 이루어진 수소(H_2), 산소(O_2)는 무극성 공유 결합으로 이루어진 분자이다.

4 결합에 참여하는 두 원자가 서로 공유하는 전자쌍을 공유 전자쌍, 공유 결합에 참여하지 않고 한 원자에만 속해 있는 전자쌍을 비공유 전자쌍이라고 한다.

5 (1) 2개의 O 원자는 전자 2개씩을 내놓아 전자쌍 2개를 공유하여 O_2 분자를 형성한다.
(2) 2개의 N 원자는 전자 3개씩을 내놓아 전자쌍 3개를 공유하여 N_2 분자를 형성한다.
(3) 2개의 F 원자는 전자 1개씩을 내놓아 전자쌍 1개를 공유하여 F_2 분자를 형성한다.

6 (1) 중심 원자 주위에 공유 전자쌍이 2개일 때 전자쌍은 정반대편에 놓이므로 선형 구조를 이룬다.
(2) 중심 원자 주위에 3개의 공유 전자쌍이 있으면 전자쌍은 정삼각형의 꼭짓점에 놓일 때 가장 안정하므로 분자 모양은 평면 삼각형이 된다.
(3) 중심 원자 주위에 4개의 전자쌍이 있으면 전자쌍이 정사면체의 꼭짓점 위치에 놓이면서 정사면체가 된다.

7 공유 결합 분자에서 비공유 전자쌍은 한 원자의 핵에 의한 인력을 받지만, 공유 전자쌍은 두 원자의 핵에 의한 인력을 받는다. 따라서 비공유 전자쌍은 공유 전자쌍보다 주변의 공간을 더 많이 차지한다. 전자쌍이 차지하는 공간이 크면 반발력이 세게 작용한다. 비공유－비공유 전자쌍 사이의 반발력은 공유－비공유 전자쌍 사이의 반발력보다 크고 공유－비공유 전자쌍 사이의 반발력은 공유－공유 전자쌍 사이의 반발력보다 크다.

8 (1) 중심 원자에 공유 전자쌍만 존재할 경우 공유 전자쌍 사이의 반발력에 의해 구조가 결정되며 공유 전자쌍이 4개이면 정사면체형이다.
(2) 중심 원자에 비공유 전자쌍이 존재하는 분자의 구조는 비공유 전자쌍에 의한 반발력이 더 크므로 두 전자쌍을 같이 고려해야 한다.
(3) 암모니아 분자는 중심 원자인 질소(N) 원자 주변에 공유 전자쌍 3개와 비공유 전자쌍 1개가 있으므로 분자 구조는 삼각뿔형이다.

9 (가) 플루오린화 베릴륨(BeF_2) 분자는 베릴륨(Be) 원자 주변에 2개의 공유 전자쌍이 존재하므로, 분자 구조는 선형이고 F－Be－F의 결합각은 180°가 된다.
(나) 물 분자(H_2O)는 중심 원자인 산소(O) 원자 주변에 공

유 전자쌍 2개와 비공유 전자쌍 2개가 있으므로 분자 구조는 굽은 형이다. 물 분자의 H—O—H 결합각은 104.5°이다.

(다) 삼염화 붕소(BCl_3) 분자는 중심 원자인 붕소(B) 원자 주변에 3개의 전자쌍이 존재하므로, 분자 구조는 평면 삼각형이 되고 Cl—B—Cl의 결합각은 120°가 된다.

(가)와 (다)는 대칭 구조로 쌍극자 모멘트의 합이 0이고 (나)는 쌍극자 모멘트의 합이 0이 아닌 극성 분자이다.

자료 분석 + 분자 구조

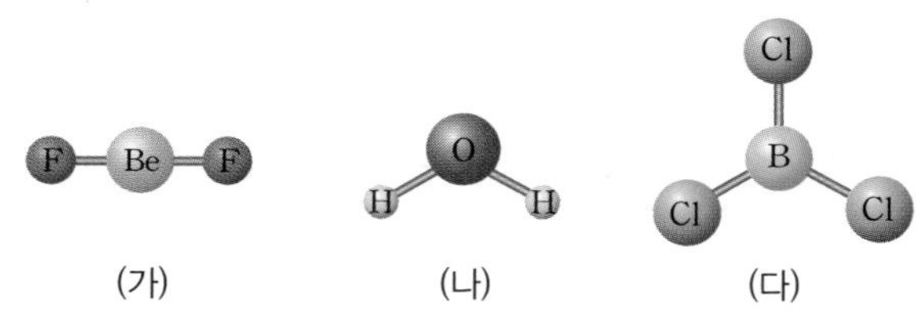

- 쌍극자 모멘트의 합이 0인 무극성 분자: (가), (다)
- 쌍극자 모멘트의 합이 0인 아닌 극성 분자: (나)
- 결합각은 (가)는 180°, (나)는 104.5°, (다)는 120°로 (가)가 가장 크다.
- (나)의 중심 원자인 산소에는 비공유 전자쌍이 2개 있다.

10 (1) 극성 공유 결합을 하더라도 대칭 구조를 이루어 쌍극자 모멘트의 합이 0이 되면 무극성 분자이다.

(2) 물 분자는 부분 (+)전하를 띠는 수소 원자와 부분 (−)전하를 띠는 산소 원자로 이루어진 극성 분자이다. 따라서 물줄기에 대전체를 가까이 가져가면 물 분자에서 대전체와 반대 전하를 띤 부분이 대전체 쪽으로 끌리면서 물줄기가 휘어진다.

(3) 분자량이 비슷한 경우 극성 분자는 무극성 분자보다 녹는점과 끓는점이 높다.

(4) 물질은 극성에 따라 용해성이 달라지는데, 극성 물질은 극성 용매에 잘 녹고 무극성 물질은 무극성 용매에 잘 녹는다.

2일 내신 기출 베스트 20~21쪽

• 2. 분자의 구조와 성질

1 ③ **2** ㄱ, ㄴ, ㄷ **3** ㄱ, ㄷ **4** ㄴ, ㄷ **5** ④ **6** ①
7 ⑤ **8** ③

1 결합의 극성은 전기 음성도 차이가 클수록 대체로 증가한다.

2 ㄱ. 각 원자에 포함된 원자가 전자 중 쌍을 이루지 않은 전자를 홀전자라고 한다. 따라서 B는 홀전자가 3개 있다.
ㄴ. $C_2(O_2)$에는 2중 결합이 존재한다.
ㄷ. A는 다른 원자와 4개의 공유 결합이, B는 3개, C는 2개의 결합이 가능하다.

3 ㄱ. 수소(H_2)는 두 수소 원자가 같은 원소이기 때문에 전기 음성도에 차이가 없다. 이렇게 전기 음성도에 차이가 없어 공유 결합에 사용된 전자쌍이 어느 한쪽으로 끌려가지 않는 결합을 무극성 공유 결합이라고 한다.
ㄷ. 쌍극자에서 발생한 전자의 치우침은 화살표로 나타내며, 부분 (+)전하에서 부분 (−)전하 방향으로 표시한다.

오답 풀이
ㄴ. HCl에서전기 음성도는 Cl이 H보다 더 크다.

4 ㄴ. (나)의 산소(O_2) 분자는 2개의 전자쌍을 공유하므로 2중 결합이 있고 (다)의 질소(N_2) 분자는 3개의 전자쌍을 공유하므로 3중 결합이 있다.
ㄷ. (라)는 C와 O 사이의 결합이므로 극성 공유 결합이다.

오답 풀이
ㄱ. (가)에는 공유 전자쌍이 1개, 비공유 전자쌍이 6개 있다.

자료 분석 + 공유 전자쌍과 비공유 전자쌍

공유 전자쌍
:F:F: (가)
:O::O: — 비공유 전자쌍 (나)
극성 공유 결합, 3중 결합
:N:::N: (다)
극성 공유 결합, 2중 결합
:O=C=O: (라)

- (가): 공유 전자쌍 1개, 비공유 전자쌍 6개
  (나): 공유 전자쌍 2개, 비공유 전자쌍 4개
  (다): 공유 전자쌍 3개, 비공유 전자쌍 2개
  (라): 공유 전자쌍 4개, 비공유 전자쌍 4개

5 ② 전자쌍의 수에 따라 전자쌍의 배치가 달라지며, 이에 따라 분자의 모양이 결정된다.
③ 같은 족 원소는 원자가 전자 수가 같으므로 결합한 원자의 종류가 같은 경우 분자의 모양이 같다.
⑤ 비공유 전자쌍은 공유 전자쌍보다 더 넓은 공간을 차지하므로 비공유 전자쌍 사이의 반발력은 공유 전자쌍 사이의 반발력보다 크다.

오답 풀이

④ 분자의 모양은 중심 원자 주위의 전자쌍의 총 수와 공유 전자쌍인지 비공유 전자쌍인지에 의해 결정된다.

6 CO_2와 HF는 선형, BCl_3는 평면 삼각형, CCl_4는 정사면체형, NH_3는 삼각뿔형이다.

7 ① NH_3는 삼각뿔형이므로 입체 구조이다.
② CH_4는 무극성 분자, NH_3과 H_2O는 극성 분자이므로 무극성 분자는 1개이다.
③ H_2O은 굽은 형으로 쌍극자 모멘트의 합이 0이 아니므로 극성 분자이다.
④ CH_4은 전기 음성도의 차이가 나는 C와 H의 결합이므로 극성 공유 결합이다.

오답 풀이

⑤ 주어질 물질에서 중심 원자의 비공유 전자쌍 수가 많을수록 결합각이 작아진다.

8 ㄱ. 극성 분자인 에탄올은 극성 용매인 물에 잘 녹는다.
ㄴ. 극성 분자는 분자량이 비슷한 무극성 분자보다 녹는점이나 끓는점이 높다.

오답 풀이

ㄷ. 물줄기에 (−)로 대전된 물체를 가까이하면 물 분자의 부분 (+) 전하를 띠는 수소 원자가 대전체에 끌린다.

3일 기초 확인 문제 25~27쪽

• 1. 동적 평형과 물의 자동 이온화

1 (1) 가역 반응 (2) 동적 평형 (3) 비가역 반응 (4) 농도 **2** ⑤
3 (가) > (나) = **4** ① **5** ㉠ 용해 ㉡ 석출 ㉢ 용해
6 (1) 이온화 (2) 같 (3) 하이드로늄 **7** ④ **8** (1) > (2) <
9 (1) 작아진다 (2) 염기성 (3) $\frac{1}{10}$ **10** ⑤

1 (1) 정반응과 역반응, 즉 양쪽 방향으로 일어날 수 있는 반응을 가역 반응이라고 한다.
(2), (4) 가역적으로 일어나는 화학 반응은 충분한 시간이 지나면 동적 평형에 도달한다. 동적 평형에서는 정반응과 역반응이 같은 속도로 일어나 반응물과 생성물의 농도가 일정하게 유지된다.
(3) 비가역 반응은 한쪽 방향으로만 일어나는 반응으로, 역반응이 거의 일어나지 않는 반응이다. 연소 반응, 기체 발생 반응, 앙금 생성 반응 등이 있다.

2 ⑤ 충분한 시간이 흐른 뒤에 물의 증발 속도와 수증기의 응축 속도가 같아서 물의 양이 일정하게 유지된다.

오답 풀이

① 수증기의 응축도 일어난다.
②, ④ 닫힌 용기에 물을 넣으면 시간이 지날수록 수증기 분자 수가 증가하며, 동시에 물로 응축되는 분자 수도 증가하여 증발 속도와 응축 속도가 같아진다.
③ 시간이 지나면 겉보기에 증발과 응축이 같은 속도로 일어나 반응이 멈춘 것처럼 보이는 것이다.

3 (가)는 물의 증발 속도가 응축 속도보다 빠르다.
(나)는 충분한 시간이 지난 후 증발과 응축이 같은 속도로 일어나는 동적 평형 상태이다.

4 ① 동적 평형에 도달하면 정반응과 역반응이 같은 속도로 일어나므로 반응물과 생성물이 모두 존재한다.

5 설탕의 용해와 석출은 가역 반응으로 충분한 시간이 지난 후 동적 평형에 도달한다. 동적 평형에서는 설탕의 용해 속도와 석출 속도가 같다.
용질이 용매에 용해되는 속도와 용해되어 있던 용질이 석출되는 속도가 같아서 겉보기에 용해가 일어나지 않는 것처럼 보이는 동적 평형 상태를 용해 평형이라고 한다.

6 (3) 물 분자가 수소 이온을 주면 수산화 이온(OH^-)이 되고, 수소 이온을 얻으면 하이드로늄 이온(H_3O^+)이 된다.

7 ①, ③ $K_w = [H_3O^+][OH^-]$이므로 25 ℃ 순수한 물에서 $[H_3O^+] = [OH^-] = 1.0 \times 10^{-7}$ M이다.

오답 풀이

④ 일정한 온도에서 K_w는 $[H_3O^+]$나 $[OH^-]$에 관계없이 일정한 값을 갖는다.

8 25 ℃에서 $K_w = 1 \times 10^{-14}$이다. $[H_3O^+]$가 $[OH^-]$보다 크므로 $[H_3O^+] > 1 \times 10^{-7}$ M이고 $[OH^-] < 1 \times 10^{-7}$ M이다.

9 (1) $[H_3O^+]$가 클수록 수용액의 산성이 강해지므로 pH가 작아진다.
(2) 25 ℃에서 용액의 pH=7이면 중성, pH<7이면 산성 용액, pH>7이면 염기성 용액이다.
(3) 수용액의 pH가 1씩 커지면 수용액 속의 $[H_3O^+]$는 $\frac{1}{10}$씩 감소한다.

10 pOH는 수용액에 존재하는 $[OH^-]$의 역수에 상용로그를 취한 값이다. $pOH = -\log[OH^-]$
수산화 나트륨 수용액의 몰 농도가 0.01 M이므로 $[OH^-] = 1 \times 10^{-2}$ M이다. 25 ℃에서 pH+pOH=14이므로 pOH=2이고, pH=12이다.

3일 내신 기출 베스트 28~29쪽

• 1. 동적 평형과 물의 자동 이온화

1 ⑤ **2** ㄱ, ㄴ **3** ㄱ, ㄷ **4** ③ **5** ② **6** ㄱ, ㄴ, ㄷ
7 ④ **8** ㄱ, ㄷ

1 ①, ② 물의 증발과 응축, 자동 이온화 반응은 가역 반응이다.
③ 암모니아(NH_3)를 염화 수소(HCl)와 반응시키면 염화 암모늄(NH_4Cl)이 생성되고 염화 암모늄을 가열하면 염화 수소와 암모니아로 분해된다.
④ 석회암 지대에서 이산화 탄소가 녹아 있는 지하수가 석회암을 녹이면 석회동굴이 생성되고, 석회동굴 안에서는 역반응으로 종유석과 석순이 생성된다. 따라서 가역 반응이다.

오답 풀이
⑤ 강산과 강염기의 중화 반응은 비가역 반응이다.

2 ㄱ. 염화 코발트 수화물이 생성되고 분해되는 반응은 가역 반응이다.
ㄴ. 푸른색 염화 코발트 종이는 수분을 흡수하면 붉게 변한다.

오답 풀이
ㄷ. 붉은색의 염화 코발트 수화물은 가열하면 물을 잃고 푸른색의 염화 코발트가 된다.

3 ㄱ. 물이 증발하고 수증기가 응축하므로 액체와 기체 사이의 상평형이다.
ㄷ. 동적 평형 상태에서는 증발 속도와 응축 속도가 같다.

오답 풀이
ㄴ. 동적 평형 상태에서는 증발과 응축이 끊임없이 일어난다.

4 ㄱ, ㄴ. 용해 평형 상태에서는 용질이 용매에 용해되는 속도와 용해되어 있던 용질이 석출되는 속도가 같다.

오답 풀이
ㄷ. 포화 용액은 용해 평형 상태로 용해 속도가 0이 아니다.

5 25 ℃ 순수한 물에서 $[H_3O^+] = [OH^-] = 1.0 \times 10^{-7}$ M로 pH=7인 중성이다.

6 ㄱ. 물의 자동 이온화 반응은 가역 반응이다.
ㄴ, ㄷ. 물은 자동 이온화하여 H_3O^+과 OH^-의 농도비가 1 : 1로 일정하게 유지되므로 두 농도의 곱은 일정한 값을 갖는다.

7 ① 25 ℃에서 물의 이온화 상수는 1.0×10^{-14}로 일정하므로 pH가 10인 NaOH 수용액은 염기성이다.
② pH는 수용액 속 수소 이온 농도의 역수의 상용로그 값이므로 농도가 클수록 pH는 작다.
⑤ pH 1이 감소하면 H_3O^+ 농도가 10배 증가하므로 pH 2인 수용액은 pH 4인 수용액보다 $[H_3O^+]$가 100배이다.

오답 풀이
④ 25 ℃에서 $[OH^-] = 1.0 \times 10^{-5}$ M인 용액은 pOH가 5, 즉 pH=9로 염기성이다.

8 ㄱ. pH가 작을수록 산성이 강하고 pH가 클수록 염기성이 강하므로 산성이 가장 강한 것은 (가)이다.
ㄷ. pH가 작을수록 $[H_3O^+]$가 크므로 (가)가 (나)보다 크다.

오답 풀이
ㄴ. 일정한 온도에서 pH+pOH는 일정하므로 pH가 작을수록 pOH가 크다. 따라서 pOH가 가장 큰 것은 (가)이다.

자료 분석 + pH

물질	(가)	(나)	(다)
pH	4.0	6.0	12.0

pH 크기: (가)<(나)<(다)
pOH 크기: (가)>(나)>(다)
$[H_3O^+]$ 크기: (가)>(나)>(다)
산성이 가장 큰 것은 (가)이다.
(가)는 (나)보다 $[H_3O^+]$가 100배이다.

4일 기초 확인 문제 33~35쪽

• 2. 산 염기와 중화 반응

1 (1) 수소 (2) 수소 (3) 붉은 (4) 붉은 **2** ⑤
3 (1) H_2O (2) HCN (3) H_2CO_3 **4** ① **5** ② **6** (1) 물 (2) 몰비 (3) 알짜 이온 (4) 구경꾼 이온 **7** ㉠ 2 ㉡ 2 ㉢ 50 **8** ④
9 (가) 산성, (나) 산성, (다) 중성, (라) 염기성

2학기 중간·기말

1 (1) 염산과 황산은 산으로, 공통적으로 수소 이온을 낸다.
$HCl(aq) \longrightarrow H^+(aq) + Cl^-(aq)$
$H_2SO_4(aq) \longrightarrow 2H^+(aq) + SO_4^{2-}(aq)$
(2) 묽은 염산에 마그네슘을 넣으면 $2HCl + Mg \longrightarrow MgCl_2 + H_2$의 반응이 일어나 수소 기체가 발생한다.
(3) 산은 푸른색 리트머스 종이를 붉게 변색시킨다.
(4) 페놀프탈레인 용액은 산성에서 무색, 염기성에서 붉은색을 나타낸다.

2 HCl, H_2SO_4, CH_3COOH은 수용액에서 H^+을 내놓는 산이고, NaOH과 $Ca(OH)_2$은 수용액에서 OH^-을 내놓는 염기이다.
⑤ 아세트산은 다음과 같이 이온화한다.
$CH_3COOH \longrightarrow H^+ + CH_3COO^-$

3 (1) H_2O은 NH_3에 H^+을 주므로 브뢴스테드·로리 산이다.
(2) HCN는 H_2O에 H^+을 주므로 브뢴스테드·로리 산이다.
(3) H_2CO_3은 H_2O에 H^+을 주므로 브뢴스테드·로리 산이다.

4 H^+을 주거나 받으면서 만들어지는 한 쌍의 산과 염기를 짝산-짝염기라고 한다. HCl의 짝염기는 Cl^-이다.

5 ① H_2O은 (가)에서 H^+을 받는 염기로 작용했다.
③ H^+을 주거나 받으면서 만들어지는 한 쌍의 산과 염기를 짝산-짝염기라고 한다. (나)에서 NH_3의 짝산은 NH_4^+이다.
④, ⑤ (나)에서 브뢴스테드·로리 정의에 의하면 H^+을 주는 물질은 산, H^+을 받는 물질은 염기이다.

오답 풀이
⑤ (나)에서 H_2O은 NH_3에 H^+을 주는 산으로 작용한다.

자료 분석 + **브뢴스테드·로리 산 염기**

H_2O은 (가)에서는 수소 이온을 받는 염기로 작용, (나)에서는 수소 이온을 주는 산으로 작용한다.

(가) $HF + \boxed{H_2O} \rightleftharpoons H_3O^+ + F^-$
(나) $\boxed{NH_3} + \boxed{H_2O} \rightleftharpoons NH_4^+ + OH^-$
(다) $HCl + \boxed{NH_3} \rightleftharpoons NH_4^+ + Cl^-$

NH_3는 (나)와 (다)에서 수소 이온을 받는 브뢴스테드·로리 염기로 작용한다.

6 H^+과 OH^-은 1 : 1의 몰비로 반응하며, 중화 반응의 알짜 이온 반응식은 $H^+ + OH^- \longrightarrow H_2O$이다.

7 황산(H_2SO_4) 1몰은 물에 녹아 2몰의 수소 이온(H^+)을 내놓을 수 있다. 산과 염기의 중화 반응이 완결되려면 산이 내놓는 H^+과 염기가 내놓는 OH^-의 양(mol)이 같아야 한다. NaOH 수용액의 부피를 x라고 하면 중화 반응의 양적 관계는 $n_1M_1V_1 = n_2M_2V_2$로 구할 수 있다.
$2 \times 0.1\ M \times 50\ mL = 1 \times 0.2\ M \times x,\ x = 50\ mL$

8 ④ 페놀프탈레인 용액은 산성에서 무색, 염기성에서 붉은색을 나타내므로 삼각 플라스크를 흔들어도 붉은색이 사라지지 않는 순간이 중화점이다.

자료 분석 + **중화 적정**

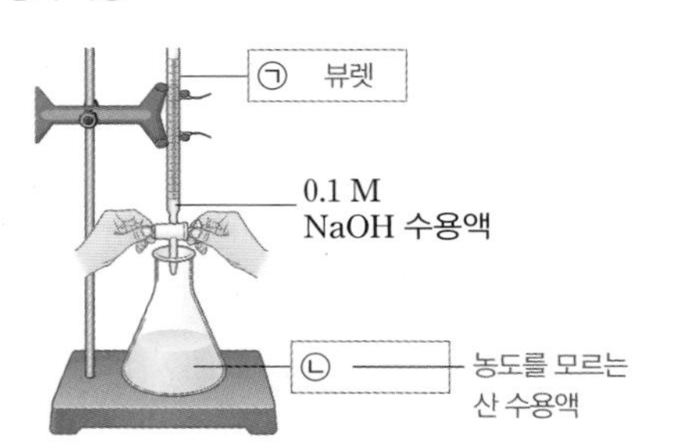

- 페놀프탈레인 용액은 산성에서 무색, 염기성에서 붉은색을 나타낸다.
- BTB 용액은 산성에서 노란색, 염기성에서 파란색을 나타낸다.

9 혼합 용액의 액성은 산성 → 중성 → 염기성으로 변한다. (가)와 (나)는 H^+이 존재하므로 산성, (다)는 H^+과 OH^-이 없으므로 중성, (라)는 OH^-이 존재하므로 염기성을 나타낸다.

자료 분석 + **중화 적정 모형**

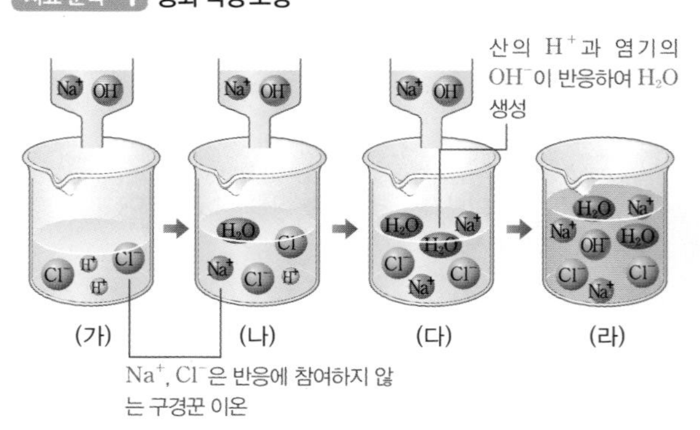

- (다)에서는 H^+과 OH^-이 모두 존재하지 않으므로 완전 중화되었다.
- (가)~(다)에서 전체 이온 수는 일정하지만, (가)에서 (다)로 진행될수록 용액의 부피가 증가하므로 단위 부피당 전체 이온 수가 가장 많은 것은 (가)이다.

4일 내신 기출 베스트 36~37쪽

• 2. 산 염기와 중화 반응

1 ㄴ, ㄷ **2** ㄱ **3** ㄱ, ㄴ **4** ⑤ **5** ② **6** ㄴ, ㄷ **7** ㄱ, ㄴ **8** ④

1 A와 B 수용액은 산 수용액이다. 산은 마그네슘, 아연, 철 등의 금속과 반응하여 수소 기체를 발생한다.
ㄴ. 산 수용액의 공통된 성질은 H^+ 때문이다.
ㄷ. 산은 탄산 칼슘과 반응하면 이산화 탄소 기체를 발생시킨다.

오답 풀이
ㄱ. 산은 pH가 7보다 작다.

2 ㄱ. 아레니우스 산과 염기 정의는 수용액에서 H^+이나 OH^-을 내놓는 물질에만 적용된다.

오답 풀이
ㄴ. 아레니우스 정의에 의하면 수용액에서 OH^-을 내놓는 물질이 염기이다.
ㄷ. 브뢴스테드·로리는 H^+의 이동으로 산과 염기를 정의하여 아레니우스 산 염기의 한계를 해결했다.

3 ㄱ. NH_3는 HCl로부터 H^+을 받으므로 브뢴스테드·로리 염기이다.
ㄴ. HCl는 NH_3에 H^+을 주므로 브뢴스테드·로리 산이다.

오답 풀이
ㄷ. 브뢴스테드·로리는 염기는 H^+을 받는 물질로, OH^-을 내놓지 않더라도 염기가 될 수 있다.

자료 분석 + 짝산·짝염기

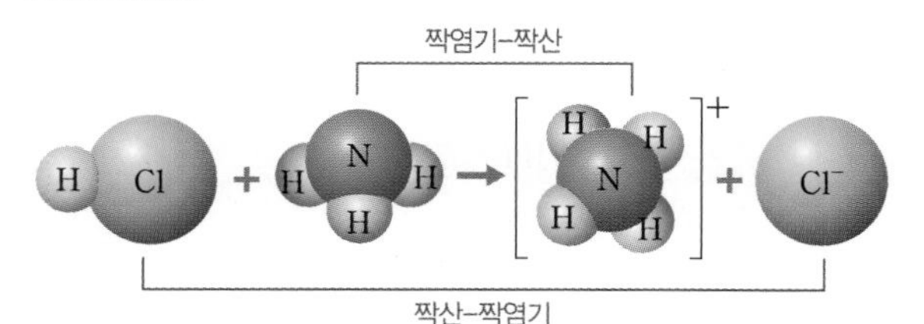

• 기체 상태의 HCl와 NH_3가 반응하여 흰색의 염화 암모늄 고체가 생성되는 반응에서 HCl은 H^+을 내놓으므로 산, NH_3는 H^+을 받으므로 염기이다. 즉 브뢴스테드·로리 정의로 수용액 이외의 상태에서 일어나는 반응에서도 산 염기 정의를 적용할 수 있다.

4 ①, ②, ③ H_2O은 (가)에서는 H^+을 얻는 염기로, (나)에서는 H^+을 내놓는 산으로 작용하였으므로 양쪽성 물질이다.
④ (나)에서 NH_3의 짝산은 NH_4^+이다.

오답 풀이
⑤ (가)에서 H_2CO_3의 짝염기는 HCO_3^-이다.

5 ④ 완전히 중화 반응하기 위해서는 반응하는 H^+과 OH^-의 양(mol)이 같아야 한다.

오답 풀이
② 중화 반응에서 H^+과 OH^-은 알짜 이온으로 알짜 이온 반응식은 $H^+ + OH^- \longrightarrow H_2O$이다.

6 ㄴ. 산의 음이온과 염기의 양이온이 반응하여 염이 된다. 생성된 염은 Na_2SO_4이다.
ㄷ. 화학 반응식에서 H_2SO_4 1몰을 완전히 중화시키려면 NaOH 2몰이 필요하다.

오답 풀이
ㄱ. Na^+과 SO_4^{2-}은 구경꾼 이온이다. 알짜 이온은 H^+과 OH^-이다.

7 ㄱ. 남아 있는 NaOH 수용액의 부피가 가장 큰 (가)에서 용액의 pH가 가장 크다.
ㄴ. $HCl(aq)$과 NaOH 수용액의 몰 농도가 같고 H^+과 OH^-은 1 : 1의 몰비로 반응한다. 따라서 $HCl(aq)$과 NaOH 수용액은 1 : 1의 부피비로 반응하므로 (나)에서 $HCl(aq)$과 NaOH 수용액 20 mL가 모두 반응하여 남아 있는 H^+이 없다.

오답 풀이
ㄷ. 생성되는 물 분자 수는 (나)가 가장 많다.

자료 분석 + 중화 반응

혼합 용액	(가)	(나)	(다)
$HCl(aq)$(mL)	10	20	30
$NaOH(aq)$(mL)	30	20	10

• 산과 염기의 몰 농도가 같으므로 혼합 용액 (가)는 염기성, (나)는 중성, (다)는 산성을 나타낸다.
• pH 크기: (가) >(나)>(다)
• 물이 가장 많이 생성되는 것은 가장 많이 중화된 (나)이다.

8 지시약으로 페놀프탈레인 용액을 넣었으므로 삼각 플라스크의 용액이 붉은색이 될 때까지 소모된 수산화 나트륨 수용액의 부피를 구한다.

5일 기초 확인 문제 41~43쪽

•3. 산화 환원 반응과 화학 반응에서 열의 출입

1 (1) ㉠ 환원 ㉡ 산화 (2) 산화수 (3) ㉠ 산화 ㉡ 환원 **2** (1) 0 (2) $+4$ (3) -1 (4) $+3$ (5) -1 (6) $+6$ **3** ㉠ 산화제 ㉡ 환원제 **4** (1) ㉠ 산화 ㉡ 환원 (2) ㉠ 환원 ㉡ 산화 (3) ㉠ 환원 ㉡ 산화 (4) ㉠ 환원 ㉡ 산화 **5** ③ **6** (1) ㉠ $+3$ ㉡ $+4$ (2) ㉠ $+3$ ㉡ 2 ㉢ $+4$ (3) ㉠ 2 ㉡ 2 **7** (1) 발 (2) 흡 (3) 발 (4) 흡 **8** ① **9** (1) 열량 (2) 통열량계 (3) 간이 열량계 (4) 비열 **10** ㉠ 비열 ㉡ 온도

1 화학 반응에서 산화수가 증가하는 것은 전자를 잃는 것을 뜻하고, 산화수가 감소하는 것은 전자를 얻는 것을 뜻한다. 따라서 산화수가 증가하면 산화, 산화수가 감소하면 환원이다.

2 (1) 원소를 구성하는 원자의 산화수는 0이다.
(2) 화합물에서 각 원자의 산화수 합은 0이고, 산소의 산화수는 -2이므로 C의 산화수는 $x+2\times(-2)=0$, $x=+4$이다.
(3) 산소의 산화수는 -2이지만 과산화물에서는 -1이므로, H_2O_2에서 O의 산화수는 -1이다.
(4) 이온의 산화수는 이온의 전하와 같으므로 Al^{3+}의 산화수는 $+3$이다.
(5) 금속의 수소 화합물에서 수소의 산화수는 -1이다.
(6) H_2SO_4에서 각 원자의 산화수의 합은 0이므로 S의 산화수는 $2\times(+1)+x+4\times(-2)=0$, $x=+6$이다.

3 산화 환원 반응에서 산화되는 물질은 다른 물질을 환원시키므로 환원제라 하고, 환원되는 물질은 다른 물질을 산화시키므로 산화제라고 한다.

4 (1) Na은 산화수가 0에서 $+1$로 증가하므로 산화, Cl는 산화수가 0에서 -1로 감소하므로 환원되었다.

$$2\underset{0}{\underline{Na}} + \underset{0}{\underline{Cl_2}} \longrightarrow 2\underset{+1}{\underline{Na}}\underset{-1}{\underline{Cl}}$$

(2) CuO에서 Cu의 산화수는 $+2$에서 0으로 감소하므로 환원되었다. C의 산화수는 0에서 $+4$로 증가하므로 산화되었다.

$$2\underset{+2}{\underline{Cu}}O + \underset{0}{\underline{C}} \longrightarrow 2\underset{0}{\underline{Cu}} + \underset{+4}{\underline{C}}O_2$$

(3) Fe_2O_3에서 Fe의 산화수는 $+3$에서 0으로 감소하므로 환원되었다. C의 산화수는 0에서 $+4$로 증가하므로 산화되었다.

$$2\underset{+3}{\underline{Fe_2}}O_3 + 3\underset{0}{\underline{C}} \longrightarrow 4\underset{0}{\underline{Fe}} + 3\underset{+4}{\underline{C}}O_2$$

(4) Cl_2의 산화수는 0이고 HCl에서 Cl은 -1, HClO에서 Cl은 $+1$이므로, Cl_2는 환원되기도 하고 산화되기도 한다.

$$\underset{0}{\underline{Cl_2}} + H_2O \longrightarrow H\underset{-1}{\underline{Cl}} + H\underset{+1}{\underline{Cl}}O$$

5 오답 풀이
③ 전기 음성도가 큰 원소는 전자를 얻어 환원되기 쉽다.

6 반응물을 화살표의 왼쪽에, 생성물을 화살표의 오른쪽에 쓰고 각 원자의 산화수를 구하고 반응 전후의 산화수 변화를 확인한다. 증가한 산화수와 감소한 산화수가 같도록 계수를 맞춘다. 산화수의 변화가 없는 원자들의 수가 같도록 계수를 맞추어 산화 환원 반응식을 완성한다.

7 금속과 산의 반응, 연소 반응은 발열 반응이고, 질산 암모늄의 용해와 열분해 반응은 흡열 반응이다.

8 물의 전기 분해는 흡열 반응이다.

9 물질 1 g의 온도를 1 ℃ 높이는 데 필요한 열량을 비열이라고 한다.

10 화학 반응에서 발생하는 열량은 간이 열량계 속의 용액이 흡수한 열량과 같다고 가정한다. 발생한 열량은 (용액의 비열)×(용액의 질량)×(용액의 온도 변화)로 구한다.

5일 내신 기출 베스트 44~45쪽

•3. 산화 환원 반응과 화학 반응에서 열의 출입

1 ③ **2** ① **3** ⑤ **4** ㄴ, ㄷ **5** ㄴ, ㄷ **6** ③ **7** ④ **8** ③

1 ③ 구리 이온은 전자를 얻고 환원되어 철못 표면에 금속 구리로 석출된다.

오답 풀이
① 철은 전자를 잃고 산화된다.
②, ⑤ 푸른색을 띠는 구리 이온이 환원되어 구리 이온 수가 감소하므로 용액의 푸른색은 옅어진다.
④ 황산 이온은 구경꾼 이온이므로 산화되지도 환원되지도 않는다.

자료 분석 + 전자 이동과 산화 환원

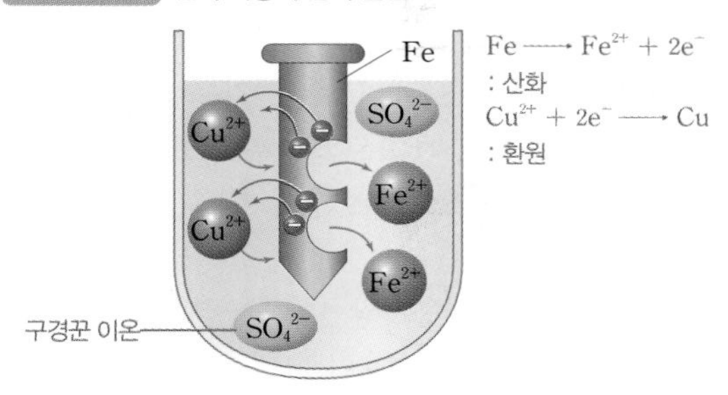

- 철의 산화: 철(Fe)은 전자를 잃고 철 이온(Fe^{2+})으로 산화되어 수용액에 녹아 들어간다.
- 구리 이온의 환원: 수용액 속 구리 이온(Cu^{2+})은 전자를 얻어 붉은색 구리(Cu)로 석출된다.
- 반응이 진행될수록 푸른색을 나타내는 구리 이온이 줄어들어 용액의 푸른색은 옅어진다.

2 ② 화합물에서 플루오린의 산화수는 항상 -1이다.
③ 알칼리 금속 원소(Li, Na, K 등)의 산화수는 $+1$이다.
④ 화합물에서 전기 음성도가 큰 원소 쪽으로 전자쌍이 이동하므로 전기 음성도가 큰 원소의 산화수는 (−), 전기 음성도가 작은 원소의 산화수는 (+)값이다.
⑤ 같은 원자라고 하더라도 결합한 원자와의 전기 음성도 차이에 따라 전자를 잃을 수도 있고 얻을 수도 있으므로 한 원자가 여러 가지 산화수를 가질 수 있다.

오답 풀이
① 원소를 구성하는 원자의 산화수는 0이다.

3 화학 반응 전후에 산화수가 변하는 원자가 있어야 산화 환원 반응이다. 앙금 생성 반응은 산화 환원 반응이 아니다.

4 자신이 환원되면서 다른 물질을 산화시키는 물질은 산화제, 자신이 산화되면서 다른 물질을 환원시키는 물질은 환원제이다.

$$\underline{S}O_2 + 2H_2\underline{S} \longrightarrow 2H_2O + 3\underline{S}$$
$$+4 \qquad -2 \qquad\qquad 0$$

ㄴ, ㄷ. SO_2에서 S은 산화수가 $+4$에서 0으로 감소하므로 환원된다. 환원되는 물질은 산화제로 작용한다.

오답 풀이
ㄱ. H_2S에서 S은 산화수가 -2에서 0으로 증가하므로 산화된다.

5 ㄴ. 반응 전후 원자의 종류와 수가 같고, 반응물의 전하량의 총합 = 생성물의 전하량의 총합이므로 산화 환원 반응식은 $H_2SO_3(aq) + I_2(s) + H_2O(l) \longrightarrow H_2SO_4(aq) + 2I^-(aq) + 2H^+$가 된다.
ㄷ. 산화 환원 반응의 화학 반응식에서 H_2SO_3과 I_2의 계수비가 1 : 1이므로 H_2SO_3과 I_2은 1 : 1의 몰비로 반응한다.

오답 풀이
ㄱ. I의 산화수는 I_2에서 0이고, HI에서 -1이다. 즉, 산화수가 감소하므로 I_2은 자신은 환원되면서 H_2SO_3을 산화시키는 산화제이다.

6 ① 여름철 마당에 물을 뿌리면 물이 수증기로 증발하면서 열(기화열)을 흡수하므로 주위의 온도가 낮아진다.
② 광합성은 식물이 빛에너지를 이용해 양분을 만드는 흡열 반응이다.
④ 질산 암모늄이 물에 용해될 때 주위에서 열을 흡수하므로 주위의 온도가 낮아진다.
⑤ 탄산수소 나트륨이 열분해될 때 발생하는 이산화 탄소에 의해 빵이 부풀어 오른다. 열분해는 흡열 반응이다.

오답 풀이
③ 염화 칼슘이 물에 용해될 때 열을 방출하므로 눈을 녹이는 제설제에 이용된다.

7 ④ 수산화 바륨과 염화 암모늄이 반응하면 주위에서 열을 흡수하는 흡열 반응이 일어나 주위의 온도가 낮아진다.

오답 풀이
메테인의 연소 반응, 물의 응고, 금속과 산의 반응, 중화 반응은 열이 발생하는 발열 반응이므로 주위의 온도가 높아진다.

8 염화 칼슘이 물에 녹을 때 방출한 열량은 간이 열량계 속의 용액이 흡수한 열량과 같다고 가정한다. 염화 칼슘의 용해열은 용액이 흡수한 열량과 같으므로 (용액의 비열)×(용액의 질량)×(용액의 온도 변화)로 구한다. 따라서 용액의 질량은 증류수의 질량과 염화 칼슘의 질량의 합이다. 반응 전 물의 온도와 반응 후 용액의 최고 온도를 측정해야 한다. 증류수의 밀도는 필요 없는 자료이다.

6일 누구나 100점 테스트 1회 46~47쪽

• 범위 | III. 화학 결합과 분자의 세계 ~ IV. 역동적인 화학 반응(1)

1 ③ **2** ② **3** ② **4** ④ **5** ⑤ **6** ④ **7** ③ **8** (가) O_2 (나) HF (다) NaCl **9** ⑤ **10** ④

1 물에 수산화 나트륨과 같은 전해질을 녹인 뒤 전류를 흘려주면 (−)극에서는 수소 기체가, (+)극에서는 산소 기체가 발생한다.

오답 풀이
③ 수소와 산소는 2 : 1의 부피비로 생성된다.

2 멀리 떨어져 있던 양이온과 음이온이 너무 가까워지면 반발력이 커지고 에너지가 높아져 불안정해진다.

오답 풀이
② b 지점에서 양이온과 음이온 사이의 인력과 반발력이 균형을 이루어 에너지가 가장 낮고 안정한 상태가 된다.

자료 분석 + 이온 결합의 형성과 에너지

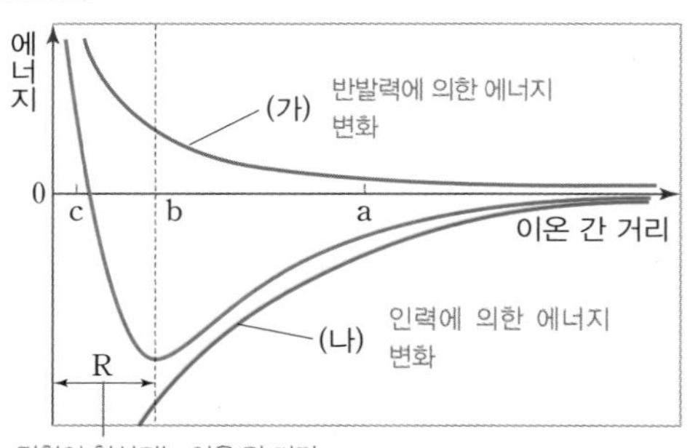

- a: 두 이온이 접근할수록 인력이 커져 안정해진다.
- b: 가장 안정한 상태
- c: 두 이온이 너무 가까이 접근하여 반발력이 커져 불안정해진다.

3 BF_3는 중심 원자인 B에 공유 전자쌍이 3개로 옥텟 규칙을 만족하지 않는다.

4 ① 공유 결합은 비금속 원자 사이에 전자쌍을 공유하는 결합이다.
② HCl은 전기 음성도 차이가 있으므로 극성 공유 결합을 한다.
③ 질소(N_2)는 3개의 전자쌍을 공유하는 3중 결합을 한다.
⑤ 드라이아이스는 공유 결합으로 이루어진 분자가 규칙적으로 배열되어 이루어진 분자 결정이다.

오답 풀이
④ 흑연을 제외한 대부분의 공유 결합 물질은 전하를 운반할 수 있는 입자가 없기 때문에 전기 전도성을 나타내지 않는다.

5 ①, ② A는 자유 전자, B는 금속 양이온이다.
④ 금속 결합은 금속 양이온과 자유 전자 사이의 정전기적 인력에 의한 결합이다.

오답 풀이
⑤ 금속 결정에 힘을 가하면 금속 양이온의 층이 미끄러져 변형이 일어나지만 자유 전자들이 이동하여 결합을 유지시켜 주므로 결정이 부서지지 않는다.

6 ㄴ. XH_4은 공유 전자쌍이 4개이므로 정사면체 구조로, 결합각은 109.5°이다. YH_3은 Y 주위에 공유 전자쌍이 3개, 비공유 전자쌍이 1개이므로 삼각뿔형 구조를 하고 결합각은 약 107°이다. H_2Z은 Z 주위에 공유 전자쌍이 2개, 비공유 전자쌍이 2개이므로 굽은 형 구조로, 결합각은 약 104.5°이다.
ㄷ. 비공유－비공유 전자쌍 사이의 반발력은 공유－비공유 전자쌍 사이의 반발력보다 크고, 공유－비공유 전자쌍 사이의 반발력은 공유－공유 전자쌍 사이의 반발력보다 크다.

오답 풀이
ㄱ. 결합각은 $\alpha > \beta > \gamma$이다.

7 분자 구조가 굽은 형인 것은 H_2O, 평면 구조인 것은 H_2O, CO_2, 다중 결합을 가진 것은 CO_2이다. CH_4, H_2O, CO_2 모두 극성 공유 결합을 가진다. (다)에 CO_2만 있어야 하므로 '다중 결합을 가진다'가 적절하다.

8 (가)는 무극성 공유 결합을 하는 물질, (나)는 극성 공유 결합을 하는 물질, (다)는 이온 결합을 하는 물질이다. O_2는 무극성 공유 결합, HF는 극성 공유 결합, NaCl은 이온 결합 물질이다.

자료 분석 + 전기 음성도와 결합의 극성

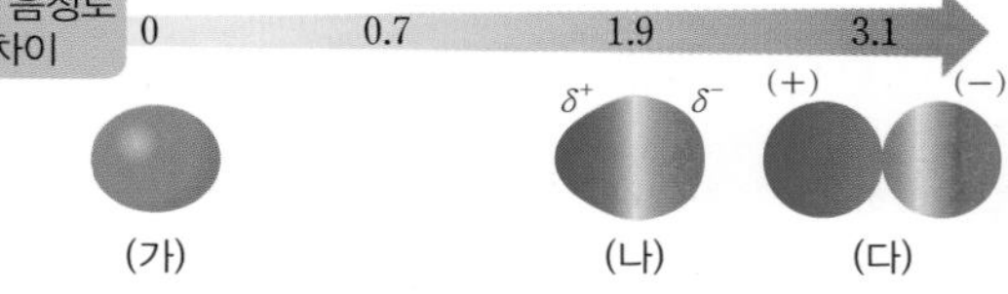

- (가): 같은 원자 사이에는 전기 음성도 차이가 0이므로 무극성 공유 결합이 형성된다. 산소 (O_2), 수소(H_2), 질소(N_2) 등의 분자가 해당된다.
- (나): 전기 음성도 차이가 약 2.0보다 작은 원자 사이에는 극성 공유 결합이 형성된다. 플루오린화 수소(HF), 염화 수소(HCl) 등의 분자가 해당된다.
- (다): 전기 음성도 차이가 약 2.0보다 큰 원자 사이에는 전자가 이동하여 이온 결합이 형성된다. 염화 나트륨(NaCl), 플루오린화 칼륨(KF) 등이 해당된다.

9 1~2주기에 속하는 비금속 원소라고 했으므로 루이스 전자 점식의 원자가 전자 수로 보아 A는 1족 원소인 수소(H), B는 13족 원소인 붕소(B), C는 14족 원소인 탄소(C), D는 16족 원소인 산소(O)이다.

ㄱ. D_2는 O_2로 2중 결합, 즉 다중 결합이 있다.
ㄴ. BA_3(=BH_3)와 CA_4(=CH_4)는 대칭 구조로 쌍극자 모멘트의 합이 0인 무극성 분자이다.
ㄷ. A(=H)와 D(=O)가 결합하면 A_2D(H_2O)가 된다.

10 정반응과 역반응이 같은 속도로 일어나서 겉보기에는 변화가 일어나지 않는 것처럼 보이는 상태를 동적 평형이라고 한다.

선택지 바로 보기

① 정반응의 속도가 0이다. (×)
→ 정반응 속도는 0이 아니고 역반응 속도와 같다.
② 비가역 반응에서도 일어난다. (×)
→ 가역 반응에서 일어난다.
③ 용기 속에는 반응물만 존재한다. (×)
→ 반응물과 생성물이 함께 존재
④ 정반응 속도와 역반응 속도가 같다. (○)
→ 동적 평형에서는 정반응과 역반응의 속도가 같아 아무 변화가 없는 것처럼 보인다.
⑤ 반응물과 생성물의 몰 농도가 항상 같다. (×)
→ 반응물과 생성물의 농도가 일정하게 유지된다.

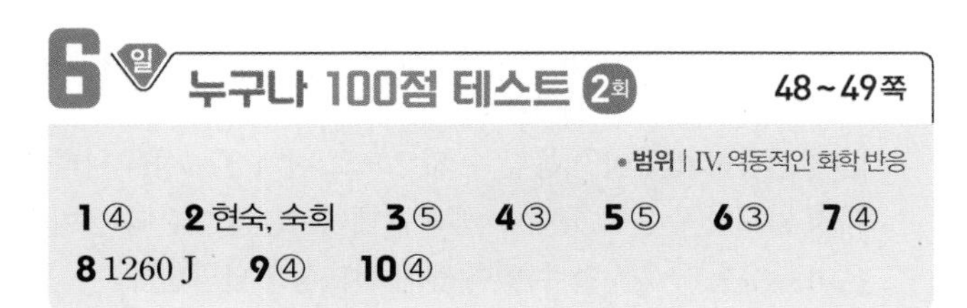
6일 누구나 100점 테스트 2회 48~49쪽

• 범위 | IV. 역동적인 화학 반응

1 ④ **2** 현숙, 숙희 **3** ⑤ **4** ③ **5** ⑤ **6** ③ **7** ④
8 1260 J **9** ④ **10** ④

1 A 수용액은 pH=13으로 염기성 용액이다. 따라서 $[OH^-]$이 $[H_3O^+]$보다 더 크다.

2 혼합 후에도 남아 있는 ■는 구경꾼 이온으로 Cl^-이다. 혼합 전의 ●는 H^+이다. 혼합 후 용액에 들어 있는 ▲는 Ca^{2+}이고, 혼합 후 H^+과 OH^-이 남아 있지 않으므로 수용액은 중성이다.

자료 분석 + 중화 반응

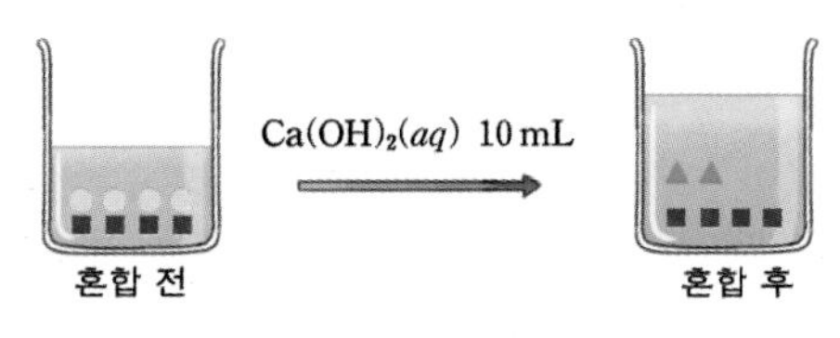

• 혼합 전후 입자가 그대로 ■인 것은 묽은 염산(HCl)에서 구경꾼 이온인 Cl^-이다. 따라서 혼합 전 용액의 ●은 H^+이다.
• 혼합 후 용액에 H^+과 OH^-이 없는 것으로 보아 완전 중화되었음을 알 수 있다.

3 ㄱ. HCl는 H^+을 내놓으므로 브뢴스테드·로리 산이다.
ㄴ. NH_3는 H_2O로부터 H^+을 받아들이므로 브뢴스테드·로리 염기이다.
ㄷ. HCO_3^-은 수용액에서 H^+을 내놓으므로 아레니우스 산이다.

4 중화 반응이 완결되기 위해서는 H^+의 양(mol)과 OH^-의 양(mol)이 같아야 한다. 묽은 염산의 몰 농도를 x라고 하면 중화 반응의 양적 관계는 다음과 같다.
$1 \times x\ M \times 0.2\ L = 1 \times 0.2\ M \times 0.1\ L$
$x = 0.1\ M$

5 N의 산화수는 NH_3에서 −3, N_2O에서 +1, NO에서 +2이다. O의 산화수는 H_2O에서 −2, H_2O_2에서 −1, OF_2에서 +2이다. 따라서 같은 값을 가지는 것은 (다)와 (바)이다.

6 ㄱ, ㄷ. 구리는 전자를 잃고 푸른색의 구리 이온으로 산화되어 용액이 푸른색이 된다.

오답 풀이
ㄴ. 은백색 물질은 용액 속의 은 이온(Ag^+)이 은(Ag)으로 환원되어 석출되는 것이다.

7 (가) 석회수에 날숨을 불어 넣으면 뿌옇게 흐려지는 것은 다음과 같이 염기인 석회수와 산성인 이산화 탄소의 중화 반응으로 탄산 칼슘이 생성되기 때문이다. 중화 반응은 산화 환원 반응이 아니다.
$Ca(OH)_2 + CO_2 \longrightarrow CaCO_3 + H_2O$
(나) 정수장의 물을 염소 기체로 소독하는 것은 $Cl_2 + H_2O \longrightarrow HCl + HClO$ 반응을 이용하는 것으로 산화 환원 반응이다.
(다) 철광석과 코크스(C)의 반응은 $2Fe_2O_3 + 3C \longrightarrow 4Fe + 3CO_2$로 철광석이 철로 환원되는 산화 환원 반응이다.

8 발생한 열의 양(Q)=용액의 비열(c)×용액의 질량(m)×온도 변화(Δt)
용액의 질량은 105(=100+5) g이고, 온도 변화는 3 ℃이므로 Q=(4 J/g·℃)×105 g×3 ℃=1260 J

9 ① (가)는 가해 준 $H_2SO_2(aq)$의 부피가 증가함에 따라 감소하므로 H^+과 반응하는 OH^-이다.
② (나)는 가해 준 $H_2SO_4(aq)$의 부피가 증가함에 따라 증가하므로 구경꾼 이온인 SO_4^{2-}이다.

2학기 중간·기말

③ 처음 KOH 수용액 20 mL에 들어 있는 K^+은 중화 반응이 일어나는 동안 그 개수가 변하지 않고 일정하게 유지되는 (다)로 구경꾼 이온이다.

⑤ $H_2SO_4(aq)$ 10 mL를 가했을 때 완전 중화되었으므로 20 mL를 가하면 혼합 용액은 산성 용액이 된다.

오답 풀이

④ 중화점까지 소모된 $H_2SO_4(aq)$의 부피가 10 mL이므로 $1 \times 0.2\ M \times 20\ mL = 2 \times x\ M \times 10\ mL$, $x = 0.2$ M이다.

자료 분석 + 중화 반응에서 이온 수 변화

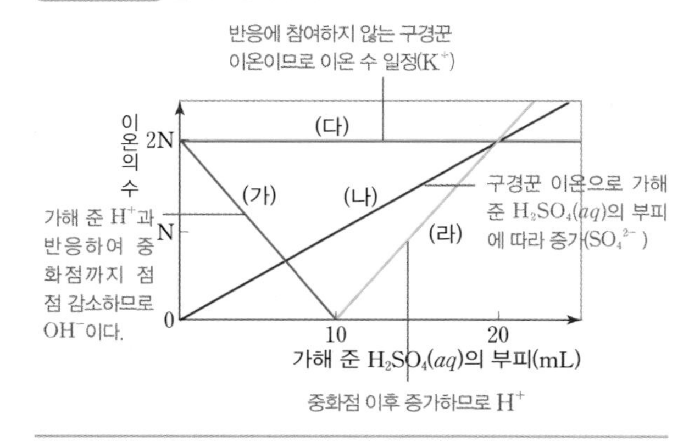

10 ㄴ. I의 산화수는 I_2에서 0이고, HI에서 −1이므로 산화수가 감소한다.

ㄷ. H_2SO_3에서 S의 산화수는 $2 \times (+1) + x + 3 \times (-2) = 0$, $x = +4$이다. H_2SO_4에서 S의 산화수는 $2 \times (+1) + x + 4 \times (-2) = 0$, $x = +6$이다.

오답 풀이

ㄱ. H_2SO_3은 S의 산화수가 +4에서 +6으로 증가하여 산화되었으므로 환원제로 작용한다.

6일 서술형·사고력 테스트 50~51쪽

• 범위 | III. 화학 결합과 분자의 세계 ~ IV. 역동적인 화학 반응

1 (1) (+)극: 산소, (−)극: 수소 (2) 해설 참조 **2** (1) 메테인 > 암모니아 > 물 (2) 해설 참조 **3** (1) 이온 결합 (2) 해설 참조 **4** 해설 참조 **5** 해설 참조 **6** 해설 참조 **7** (1) 산화: H_2S, 환원: SO_2 (2) SO_2 (3) 해설 참조

1 (1) (−)극에서는 수소 기체가, (+)극에서는 산소 기체가 2 : 1의 부피비로 생성된다.

(2) 모범 답안 **화학 결합이 형성될 때 전자가 관여하며, 화학 결합은 전기적 인력으로 이루어진다.**

물에 전기 에너지를 가하면 분해되는 것으로 보아 수소 원자와 산소 원자의 화학 결합에 전자가 관여함을 알 수 있다. 또 수소 원자와 산소 원자가 전기적 인력으로 결합되어 있음을 알 수 있다.

	채점 기준	배점(%)
(1)	발생하는 기체를 옳게 쓴 경우	40
(2)	화학 결합의 성질을 옳게 서술한 경우	60

2 (2) 모범 답안 **비공유 전자쌍에 의한 반발력이 공유 전자쌍에 의한 반발력보다 크므로 중심 원자에 비공유 전자쌍이 많을수록 결합각이 작아진다.**

전자쌍 사이의 반발력은 비공유−비공유 전자쌍 > 공유−비공유 전자쌍 > 공유−공유 전자쌍이다.

	채점 기준	배점(%)
(1)	세 분자의 결합각을 옳게 비교한 경우	40
(2)	까닭을 옳게 서술한 경우	60

3 (2) 모범 답안 **이온 결합 물질은 고체 상태에서는 전기 전도성이 없지만 액체 상태에서는 이온이 이동할 수 있으므로 녹는점 이후 액체가 되면 전기 전도성을 가지게 된다.**

고체 상태에서는 양이온과 음이온이 정전기적 인력으로 단단히 결합하고 있어 이동할 수 없으므로 전기 전도성을 나타내지 않으나 수용액 상태나 액체 상태에서는 양이온과 음이온이 자유롭게 움직일 수 있어 전기 전도성을 나타낸다.

	채점 기준	배점(%)
(1)	이온 결합이라고 쓴 경우	40
(2)	까닭을 옳게 서술한 경우	60

자료 분석 + 이온 결합 물질의 특성

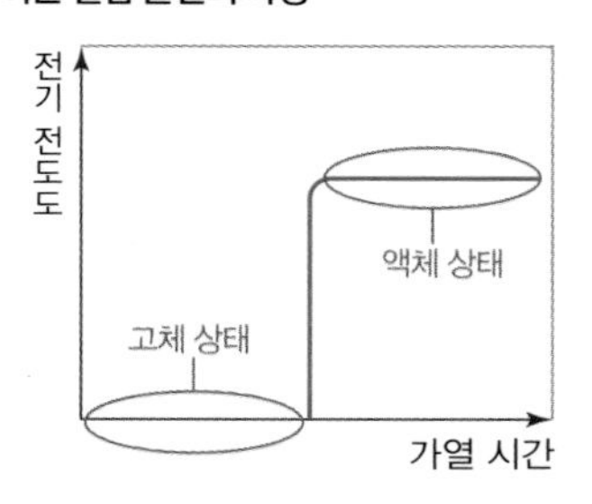

- 고체 상태에서는 이온이 이동할 수 없으므로 전기 전도성이 없다.
- 가열 시간이 지남에 따라 고체가 녹아 액체 상태가 되면 양이온과 음이온이 자유롭게 움직일 수 있어 전기 전도성을 나타낸다.

4 모범 답안 **극성 분자인 NH_3가 무극성 분자인 CH_4보다 분자**

사이의 인력이 더 크기 때문에 녹는점이나 끓는점이 더 높다.

극성 분자의 끓는점은 분자량이 비슷한 무극성 분자의 끓는점보다 높다.

채점 기준	배점(%)
까닭을 옳게 서술한 경우	100
까닭을 옳게 서술하지 못한 경우	0

5 모범 답안 **동적 평형 상태(용해 평형 상태), 염화 나트륨의 용해 속도와 석출 속도가 같아 겉보기에 아무런 변화가 없는 것처럼 보이는 상태이다.**

	채점 기준	배점(%)
(1)	동적 평형 또는 용해 평형을 옳게 쓴 경우	40
(2)	용해와 석출을 이용하여 옳게 서술한 경우	60

일정량의 물에 염화 나트륨이 더 녹지 않고 가라앉아 있는 상태에서는 물에 녹아 들어가는 염화 나트륨 입자의 수와 용액에서 고체 결정으로 되돌아가는 염화 나트륨 입자의 수가 같아서 염화 나트륨이 더 이상 녹지 않는 것처럼 보이는 것이다.

6 모범 답안 **(다), 중화 반응에서 산의 H^+과 OH^-은 항상 1 : 1의 몰비로 반응하여 물을 생성하므로 완전 중화되면 용액 속에 H^+, OH^-이 존재하지 않는다.**

	채점 기준	배점(%)
(1)	완전 중화된 (다)를 고른 경우	30
(2)	까닭을 옳게 서술한 경우	70

자료 분석 + 산 염기 중화 반응

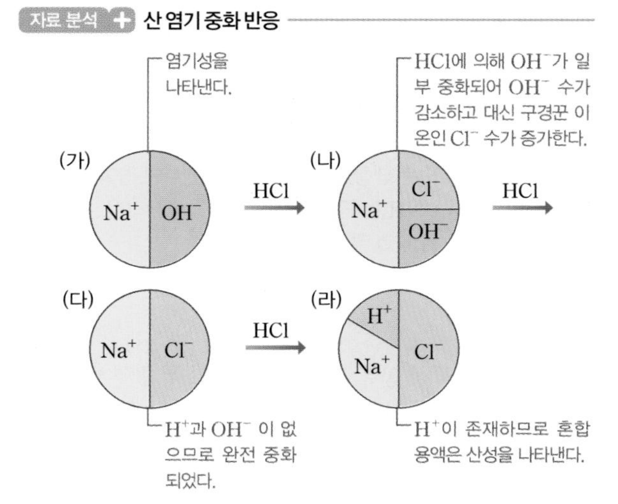
염기성을 나타낸다.
HCl에 의해 OH⁻가 일부 중화되어 OH⁻ 수가 감소하고 대신 구경꾼 이온인 Cl⁻ 수가 증가한다.
(가)
Na⁺
OH⁻
HCl
(나)
Na⁺
Cl⁻
OH⁻
HCl
(다)
Na⁺
Cl⁻
HCl
(라)
H⁺
Na⁺
Cl⁻
H⁺과 OH⁻ 이 없으므로 완전 중화되었다.
H⁺이 존재하므로 혼합 용액은 산성을 나타낸다.

7 (1) 산화수 변화를 표시하면 다음과 같다.

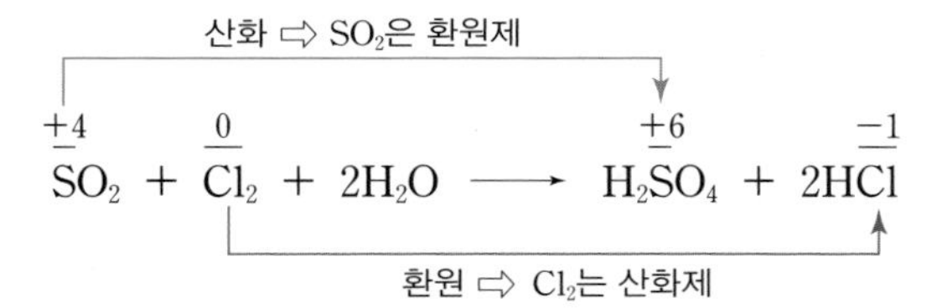
산화 ⇨ H₂S는 환원제
+4 −2 0
SO₂ + 2H₂S ⟶ 2H₂S + 3S
환원 ⇨ SO₂은 산화제

SO_2은 S의 산화수가 +4에서 0으로 감소하므로 환원되었고, H_2S에서 S의 산화수는 −2에서 0으로 증가하므로 산화되었다.

(2) (나)에서 SO_2은 S의 산화수가 +4에서 +6으로 증가하므로 산화되었다.

산화 ⇨ SO₂은 환원제
+4 0 +6 −1
SO₂ + Cl₂ + 2H₂O ⟶ H₂SO₄ + 2HCl
환원 ⇨ Cl₂는 산화제

(3) 모범 답안 **(가)에서는 SO_2가 자신은 환원되고 다른 물질(H_2S)을 산화시키므로 산화제이고, (나)에서는 자신은 산화되고 다른 물질(Cl_2)을 환원시키므로 환원제로 작용했다. 산화제와 환원제는 산화 환원 반응에서 상대적 세기에 따라 결정된다.**

SO_2은 (가)에서는 산화제로, (나)에서는 환원제로 작용한다. 즉 반응하는 물질에 따라 산화제로 작용할 수도 있고 환원제로 작용할 수도 있다.

	채점 기준	배점(%)
(1)	(가)에서 산화된 물질과 환원된 물질을 옳게 쓴 경우	25
(2)	(나)에서 산화된 물질을 옳게 쓴 경우	25
(3)	주어진 용어를 사용하여 옳게 서술한 경우	50

6일 창의·융합·코딩 테스트 52~53쪽

• 범위 | III. 화학 결합과 분자의 세계 ~ IV. 역동적인 화학 반응

1 ④ **2** ③ **3** ③ **4** ④ **5** (가) ㄷ (나) ㄹ **6** ③ **7** ⑤

1 이온 결합은 양이온의 총 전하량과 음이온의 총 전하량의 합이 0이 되는 개수비로 결합한다.

Al^{3+}이므로 PO_4^{3-} 모형 1개가 적당하다.

2 ㄱ. 분자 내에 전자가 골고루 분포하는 분자를 무극성 분자라고 하고, 전자가 한쪽으로 치우쳐 한 분자 내에 부분 (+)전하와 부분 (−)전하를 갖는 분자를 극성 분자라고 한다. 기름은 무극성 분자이다.

ㄷ. 극성인 물 분자는 부분 전하를 띠므로 (+)전하를 띤 대전체를 가까이하면 물 분자의 (−)전하를 띤 부분이 전기적 인력에 의해 끌려 휘어진다.

오답 풀이
ㄴ. 물 분자는 쌍극자 모멘트의 합이 0이 아닌 극성 분자이다.

3 ㄱ. 얼음과 다이아몬드는 원자 사이의 결합이 공유 결합으로 이루어진 공유 결합 물질이다.
ㄴ. 공유 결합 물질은 흑연을 제외하고 전기 전도성을 나타내지 않는다.

오답 풀이
ㄷ. 대부분의 공유 결합 물질은 녹는점과 끓는점이 낮아 상온에서 액체나 기체 상태로 존재하지만, 흑연이나 다이아몬드와 같이 모든 원자들이 3차원적으로 연결된 물질들은 녹는점이나 끓는점이 매우 높아 상온에서 고체 상태로 존재한다.

4 구리는 금속 결합으로 이루어진 금속이다.

5 입체 구조인 것은 CH_4, NH_3이고, 분자 구조가 굽은 형인 것은 H_2S, 평면 삼각형은 BCl_3, 쌍극자 모멘트의 합이 0인 것은 무극성 분자인 CH_4, BCl_3이다.
따라서 (가)의 질문으로 적합한 것은 '분자 구조가 평면 삼각형인가?'인 ㄷ이고, (나)의 질문으로 적합한 것은 '쌍극자 모멘트이 합이 0인가?'인 ㄹ이다.

6 (가)에서는 Ag^+이 Ag로, (나)에서는 Cl이 Cl^-로 환원된다.

7 묽은 염산과 수산화 나트륨 수용액은 다음과 같이 중화 반응한다.
$HCl(aq) + NaOH(aq) \longrightarrow NaCl(aq) + H_2O(l)$
0.1 M 묽은 염산 100 mL를 완전 중화하기 위해 필요한 NaOH 수용액의 부피는 $1 \times 0.1\ M \times 0.1\ L = 1 \times 0.2\ M \times x$, $x = 0.05\ L = 50\ mL$이다.

7일 학교시험 기본 테스트 1회 54~57쪽

• 범위 | III. 화학 결합과 분자의 세계 ~ IV. 역동적인 화학 반응

1 ③ **2** ④ **3** ① **4** ② **5** ③ **6** ① **7** ③ **8** ③
9 ④ **10** ① **11** ⑤ **12** ② **13** ① **14** ②
15 (1) Mg (2) Zn **16** ② **17** ③ **18** ② **19** ③
20 19.2 kJ

1 이온 결합은 양이온과 음이온 사이의 인력과 반발력이 균형을 이루어 에너지가 가장 낮아지는 지점에서 형성된다.

2 화합물 A는 외부 충격에 의해 이온들이 한 칸씩 밀리면 같은 전하를 띠는 이온 사이에 반발력이 작용하여 쉽게 부서지는 이온 결합 물질이다. C, CO_2와 SiO_2는 공유 결합 물질, Fe은 금속 결합, KCl은 이온 결합 물질이다.

3 ㄱ. CO_2와 BeF_2은 모두 선형이다.

오답 풀이
ㄴ. 분자 내에 다중 결합이 존재하는 것은 CO_2뿐이다.
ㄷ. CO_2와 BeF_2은 극성 공유 결합으로 이루어졌지만 대칭 구조로 쌍극자 모멘트의 합이 0이어서 무극성 분자이다.

4 물은 공유 결합, 소금은 이온 결합, 쇠는 금속 결합 물질이다.

5 ㄱ. 전기 음성도가 같은 원자 사이의 공유 결합은 무극성 공유 결합이다.
ㄴ. F_2는 단일 결합을 한다. 원자가 전자가 6개인 산소 원자는 다른 산소 원자와 2개의 전자쌍을 공유하여 2중 결합을 갖는 산소(O_2) 분자를 형성한다. 원자가 전자가 5개인 질소 원자는 3개의 전자쌍을 공유하여 3중 결합을 갖는 질소(N_2) 분자를 형성한다. 따라서 공유 전자쌍의 수는 N_2가 가장 많다.

오답 풀이
ㄷ. 원자 사이의 결합이 가장 강한 분자는 결합 에너지가 가장 큰 N_2이다.

6 ㄱ. BF_3는 평면 삼각형, H_2O은 굽은 형으로 평면 구조이다. CCl_4는 정사면체형, NH_3는 삼각뿔형으로 입체 구조이다.

오답 풀이
ㄴ. BF_3, CCl_4는 대칭 구조로 쌍극자 모멘트의 합이 0인 무극성 분자이고, H_2O, NH_3는 극성 분자이다. 따라서 무극성 분자인 CCl_4는 극성 분자인 H_2O과 잘 섞이지 않는다.
ㄷ. BF_3는 중심 원자인 B에 공유 전자쌍이 3개로 옥텟 규칙을 만족하지 않는다.

7 X−Y는 극성 공유 결합을 형성하고 Y가 부분 (−)전하를 띠므로 Y는 X보다 전기 음성도가 크다. 전기 음성도의 차이가 매우 크면 전자가 한쪽으로 이동하여 이온 결합을 형성한다. Y와 Z가 결합할 때는 전자가 Z에서 Y로 이동하여 이온 결합을 형성한다. 따라서 전기 음성도는 Y가 가장 크고 X가 Z보다 큼을 알 수 있다.

8 NH_3는 비공유 전자쌍이 1개, HCl는 3개, N_2는 2개로 총 6개이다.

$:NH_3$　　$H\ddot{C}l:$　　$:N\equiv N:$

9 메테인은 중심 원자인 C에 공유 전자쌍만 4개, 물은 중심 원자인 O에 공유 전자쌍 2개와 비공유 전자쌍 2개, 암모니아는 중심 원자인 N에 공유 전자쌍 3개와 비공유 전자쌍 1개가 있다.

10 ㄱ. 액체 A를 가늘게 흘러내리게 하여 (−)전하를 띤 풍선을 가까이할 때 휘는 것으로 보아 A는 극성 분자임을 알 수 있다.

오답 풀이

ㄴ. 기름은 무극성 분자로 휘어지지 않을 것이다.
ㄷ. (+)전하로 대전된 풍선을 가까이해도 액체 줄기는 풍선 쪽으로 휘어진다.

11 (가) pOH가 6인 암모니아수는 pH+pOH=14에서 pH=14−6=8이다.
(나) pH=3인 아세트산은 $[H_3O^+]=1\times10^{-3}$ M이다.
(다) $[H_3O^+]=1\times10^{-5}$ M이므로 pH=5이다. 따라서 pOH=9이다.

12 ㄱ. 산 수용액이 2가지이므로 (가)~(다)에서 (가)와 (나)에 공통으로 들어 있는 ☆가 H^+이다.
ㄴ. (가)에서 수소 이온이 2개일 때 ●는 1개이므로 전하량이 −2가임을 알 수 있다. 또한 (다)에서 OH^-은 −1가이므로 ♡가 OH^-임을 알 수 있고 ■는 +2가 이온임을 짐작할 수 있다. 따라서 ●와 ♡의 이온 1개당 전하량의 비는 2 : 1이다.

오답 풀이

ㄷ. (가)와 (나)를 합하면 수소 이온 모형(☆)은 5개가 되고 (다)는 수산화 이온 모형 ♡가 4개이므로 혼합 용액은 산성을 나타내게 된다.

자료 분석 + 산과 염기

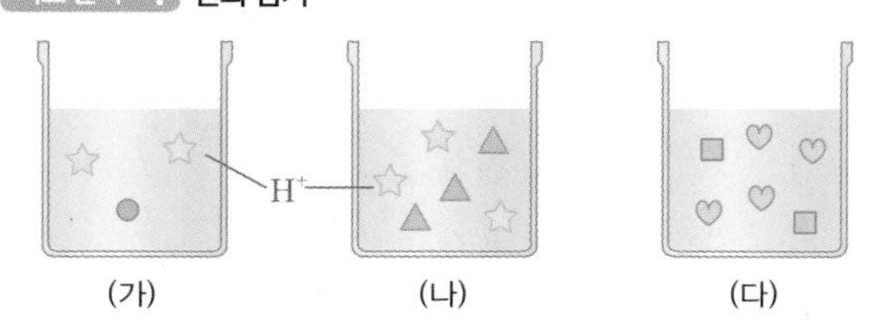

• (가)~(다)에서 산 수용액이 2가지이므로 공통 이온을 찾는다.
→ ☆가 H^+임을 알 수 있다.
• H^+과 OH^-은 1가 이온이다.

13 ㄱ. 25 ℃ 수용액에서 pH+pOH=14이므로 pH의 값이 클수록 pOH의 값은 작아진다.

오답 풀이

ㄴ. pH가 클수록 $[H_3O^+]$가 작고 염기성이 더 커지므로 하수구 세정제는 염기성이 가장 큰 물질이다.
ㄷ. pH가 작을수록 $[H_3O^+]$가 크며 pH 1 차이는 H_3O^+ 농도 10배 차이이다. 따라서 우유의 $[H_3O^+]$는 토마토의 $\frac{1}{100}$배이다.

14 ㄱ. H_2O은 (가)에서는 H^+을 받으므로 브뢴스테드·로리 염기이고 (나)에서는 H^+을 주므로 산으로 작용하는 양쪽성 물질이다.
ㄴ. H^+을 주거나 받으면서 만들어지는 한 쌍의 산과 염기를 짝산−짝염기라고 한다. (나)에서 CH_3NH_2의 짝산은 $CH_3NH_3^+$이다.

오답 풀이

ㄷ. 브뢴스테드·로리 염기는 다른 물질로부터 양성자를 받는 물질이다. 아레니우스 염기는 수용액 속에서 OH^-을 내놓는 물질이다.

15 자신이 환원되면서 다른 물질을 산화시키는 물질을 산화제, 자신이 산화되면서 다른 물질을 환원시키는 물질을 환원제라고 한다. (1)에서는 Mg이, (2)에서는 Zn이 산화되면서 다른 물질을 환원시키므로 환원제이다.

16 BTB 용액은 산성에서 노란색을 띠며 중성에서 초록색, 염기성에서 파란색을 띤다. 따라서 (가)는 산성, (나)는 중성, (다)는 염기성 용액이다.
ㄴ. (나) 용액은 부피가 1 : 1일 때 초록색을 띤 것으로 보아 완전 중화된 것임을 알 수 있다. 따라서 모두 중화되므로 생성되는 물 분자 수가 가장 많다.

오답 풀이

ㄱ. (다)는 염기성을 나타내므로 pH는 (다)가 가장 크다.
ㄷ. (가)는 산성이므로 빗금친 부분은 산 수용액의 부피 비율이다.

17 ㄱ. 산과 염기의 중화 반응에서 H^+과 OH^-은 1 : 1의 몰비로 반응한다. 같은 개수의 H^+과 OH^-이 반응할 때 중화 반응이 완전히 일어나며 중화 시 중화열이 발생하므로 (다)에서는 (가)에서보다 온도가 높다.
ㄴ, ㄷ. (다)에서는 완전 중화가 되므로 Na^+과 Cl^-의 구경꾼 이온이 존재하며 각각의 농도는 같다.

18 질산 암모늄이 물에 용해되는 반응은 흡열 반응이므로 주위의 온도가 낮아지는 성질을 냉각 팩에 이용한다. 냉각 팩 내부의 질량은 변화 없다.

19 주어진 반응의 계수를 맞추면

$Fe_2O_3 + 3CO \longrightarrow 2Fe + 3CO_2$이다.

ㄱ. 산소의 산화수는 모두 -2이다.

ㄴ. Fe_2O_3에서 Fe의 산화수는 $+3$이므로 Fe은 산화수가 $+3$에서 0으로 감소한다.

오답 풀이

ㄷ. Fe_2O_3과 CO는 1 : 3의 몰비로 반응할 때 증가한 산화수와 감소한 산화수가 같다.

20 중화 반응에서 방출한 열량은 용액이 얻은 열량과 같다.

용액이 얻은 열량$(Q)=c\times m\times \Delta t$

$=4\ J/(g\cdot ℃)\times 600\ g\times 8\ ℃=19200\ J=19.2\ kJ$

7일 학교시험 기본 테스트 2회 58~61쪽

• 범위 | III. 화학 결합과 분자의 세계 ~ IV. 역동적인 화학 반응

1 ④ **2** ③ **3** ⑤ **4** ③ **5** ② **6** ⑤ **7** ⑤ **8** ㄱ **9** ③ **10** ② **11** ③ **12** 레몬즙: 산, 석회 가루: 염기, 제산제: 염기 **13** ⑤ **14** ⑤ **15** ③ **16** ③ **17** ㄱ, ㄷ **18** ② **19** ③ **20** ④

1 석영(SiO_2)은 원자들 사이의 공유 결합이 확장되어 그물 구조를 이루는데, 이러한 고체를 공유 결정이라고 한다.

2 흑연은 탄소 원자 1개에 다른 탄소 원자 3개가 평면에서 정육각형 모양으로 결합한 층상 구조를 이루고 나머지 1개의 원자가 전자가 층 사이를 자유롭게 이동하므로 고체 상태에서 전기 전도성이 있다.

3 ㄱ, ㄴ. A는 자유 전자이다. 자유 전자로 인해 금속 광택과 전기 전도성이 나타난다.

ㄷ. 금속 결정에 힘을 가하면 금속 양이온의 층이 미끄러져 변형이 일어나지만 자유 전자들이 이동하여 결합을 유지시켜 주므로 부서지지 않고 얇게 펴지거나 늘어난다.

4 ㄱ. 드라이아이스는 (가)와 같은 결정 구조로, 분자를 이루는 원자들은 강한 공유 결합을 하지만, 분자 사이에는 약한 인력이 작용한다.

ㄴ. (나)는 다이아몬드와 같이 원자간 강한 공유 결합으로 이루어져 녹는점이 매우 높다.

오답 풀이

ㄷ. (다)는 이온 결정으로, 양이온과 음이온이 규칙적으로 배열되어 강한 인력이 작용하여 매우 단단하지만, 외부 충격에 의해 이온들이 한 칸씩 밀리게 되면 같은 전하를 띠는 이온 사이에 반발력이 작용하므로 쉽게 부스러진다.

5 ㄷ. 중심 원자 주위의 전자쌍의 총 수는 CH_4, NH_3, H_2O에서 모두 4개이므로 옥텟 규칙을 만족한다.

오답 풀이

ㄱ, ㄴ. CH_4은 공유 전자쌍이 4개이므로 정사면체 구조를 하고 결합각은 109.5°이다. NH_3은 N 주위에 공유 전자쌍이 3개, 비공유 전자쌍이 1개이므로 삼각뿔형 구조를 하고 결합각은 약 107°이다. H_2O은 O 주위에 공유 전자쌍이 2개, 비공유 전자쌍이 2개이므로 굽은 형 구조를 하고 결합각은 약 104.5°이다. 따라서 결합각은 CH_4이 가장 크다.

6 쌍극자 모멘트는 분리된 전하량(q)과 두 전하 사이의 거리(r)의 곱에 비례한다.

7 중심 원자 주위에 4개의 공유 전자쌍만 있으면 전자쌍들이 각각 정사면체의 꼭짓점 위치에 놓인다.

선택지 바로 보기

① 전자쌍은 양전하를 띤다. (×)
→ 음전하를 띤다.

② 전자쌍들은 반발력이 최대가 되는 방향으로 배치된다. (×)
→ 반발이 최소가 되게 배치

③ 중심 원자 주위의 전자쌍 수가 같으면 분자 모양이 같다. (×)
→ 전자쌍이 공유 전자쌍인지 비공유 전자쌍인지에 따라 모양이 달라진다.

④ 공유 전자쌍 사이의 반발력은 비공유 전자쌍 사이의 반발력보다 크다. (×)
→ 비공유 전자쌍 사이의 반발력이 공유 전자쌍 사이의 반발력보다 크다.

⑤ 중심 원자 주위에 공유 전자쌍만 4개 있으면 분자는 정사면체 구조를 이룬다. (○)
→ 중심 원자 주위에 4개의 전자쌍이 있으면 전자쌍들이 각각 정사면체의 꼭짓점 위치에 놓이면서 109.5°의 각을 이룬다.

8 화학 반응에서의 가역 반응은 $\rightleftarrows$로 표시하며, 충분한 시간이 지나 동적 평형에 도달하며 반응이 멈추는 것이 아니라 정반응과 역반응이 같은 속도로 일어난다.

9 ㄱ. (가)는 삼각뿔형으로 결합각은 109.5°보다 작고, (나)는 평면 삼각형으로 결합각은 120°이다.

ㄴ, ㄷ. (가)는 비공유 전자쌍이 존재하고 비대칭 구조로 극성 물질, (나)는 대칭 구조로 쌍극자 모멘트의 합이 0인 무극성 물질이므로 물에 대한 용해도는 (가)가 (나)보다 크다.

10 ㄴ. 같은 종류의 비금속 원자 사이에서 형성되는 결합은 무극성 공유 결합이다. 무극성 공유 결합은 N_2 1가지이다.

오답 풀이

ㄱ. (마)는 정사면체형으로 입체 구조이고 나머지는 평면 구조이다.
ㄷ. 기체 상태의 물질을 전기장에 넣었을 때 일정한 방향으로 배열하는 것은 극성 물질인 H_2O뿐이다.

11 물의 증발과 응축은 가역적으로 일어난다.
ㄱ. 밀폐된 용기에 액체를 넣으면 시간이 지날수록 기체 분자 수가 증가하며, 동시에 액체로 응축되는 분자 수도 증가하므로 응축 속도는 (가)<(나)이다.
ㄷ. 일정한 온도에서 증발 속도는 일정하지만 응축 속도가 점차 빨라져 증발 속도와 응축 속도가 같은 동적 평형에 도달한다.

오답 풀이

ㄴ. 증발 속도는 (나)=(다)이다.

12 레몬즙은 산성, 석회 가루와 제산제는 염기성을 나타낸다.

13 ㄱ, ㄴ. 순수한 물에서 생성된 하이드로늄 이온(H_3O^+)과 수산화 이온(OH^-)의 농도 곱을 물의 이온화 상수(K_w)라고 한다. 물이 자동 이온화될 때 H_3O^+과 OH^-의 농도는 각각 1×10^{-7} M로 일정하다. 따라서 H_3O^+과 OH^-의 농도비가 1 : 1이므로 순수한 물의 액성은 중성이다.
ㄷ. H_2O은 H^+을 주기도 하고 받기도 하므로 브뢴스테드·로리 산과 염기로 작용한다.

14 ⑤ 중화 반응은 산화수의 변화가 없어 산화 환원 반응이 아니다.

자료 분석 + **산화 환원 반응**

① $3\underset{0}{\underline{S}} + 2\underset{+1\ -2}{\underline{H_2O}} \longrightarrow 2\underset{+1\ -2}{\underline{H_2S}} + \underset{+4\ -2}{\underline{SO_2}}$
② $\underset{0}{\underline{Mg}} + 2\underset{+1\ -1}{\underline{HCl}} \longrightarrow \underset{+2\ -1}{\underline{MgCl_2}} + \underset{0}{\underline{H_2}}$
③ $\underset{+2\ -2}{\underline{CuO}} + \underset{0}{\underline{H_2}} \longrightarrow \underset{0}{\underline{Cu}} + \underset{+1\ -2}{\underline{H_2O}}$
④ $\underset{0}{\underline{Cl_2}} + \underset{+1\ -2}{\underline{H_2O}} \longrightarrow \underset{+1\ -1}{\underline{HCl}} + \underset{+1\ +1\ -2}{\underline{HClO}}$
⑤ $\underset{+1\ -2\ +1}{\underline{KOH}} + \underset{+1\ +5\ -2}{\underline{HNO_3}} \longrightarrow \underset{+1\ -2}{\underline{H_2O}} + \underset{+1\ +5\ -2}{\underline{KNO_3}}$

- 산화수가 증가하면 산화, 산화수가 감소하면 환원되는 것이다.
- 산화수의 변화가 없는 반응은 산화 환원 반응이 아니다. 따라서 산과 염기의 중화 반응은 산화수 변화가 없어 산화 환원 반응이 아니다.

15 NO에서 N의 산화수는 +2이다. OF_2에서 O의 산화수는 +2이고 H_2O_2에서는 O의 산화수는 −1이다. Na_2SO_4에서 S의 산화수는 +6이다. $K_2Cr_2O_7$에서 Cr의 산화수는 +6이다. NaH과 같이 금속 수소화물에서 H의 산화수는 −1이다.
따라서 $+2+2+(-1)+6+6+(-1)=14$이다.

16 오답 풀이

① 중화 반응이 일어나면 중화열이 발생하여 온도가 올라간다.
② 알짜 이온은 H^+과 OH^-이다.
④ H^+과 OH^-은 1 : 1의 몰비로 반응한다.
⑤ $nMV = n'M'V'$이므로 $1 \times 0.2 \times 0.1 = 2 \times 0.1 \times x$, $x = 0.1$ (=100 mL)이다. 즉 0.2 M 염산 100 mL는 0.1 M 수산화 칼슘 수용액 100 mL와 완전히 중화 반응한다.

17 ㄱ. A 이온이 들어 있는 용액에 금속 B를 넣었을 때 B 이온이 생성되므로 금속 B는 산화되고 A 이온이 금속 A로 환원된다. 마찬가지로 B 이온이 든 용액에 금속 C를 넣었을 때 C 이온이 생성되므로 금속 C는 산화되고 B 이온은 환원된다.
ㄷ. 다른 물질을 환원시키는 능력은 금속 C가 B와 A보다 크므로 A 이온이 든 용액에 금속 C를 넣으면 금속 A가 석출될 것이다.

오답 풀이

ㄴ. B 이온은 금속 B로 환원된다.

자료 분석 + **금속과 금속 이온의 반응**

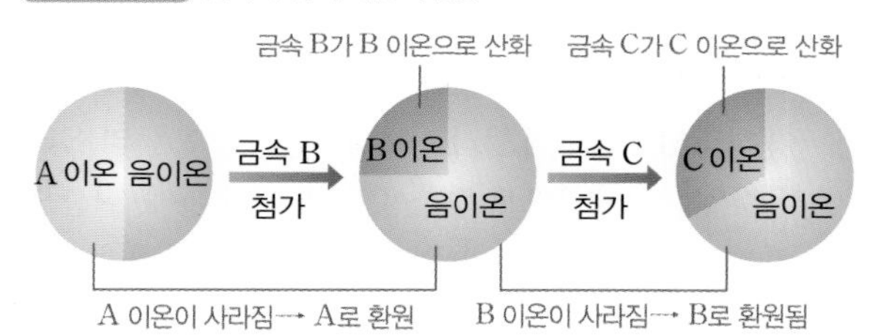

- 다른 물질을 환원시키는 능력이 B>A, C>B이므로 C>B>A 순이다.

18 ①, ⑤ 염소(Cl_2) 기체를 물(H_2O)에 용해시킬 때 염화 수소(HCl)와 함께 하이포염소산(HClO)이 생성되므로 화학 반응식은 $Cl_2 + H_2O \longrightarrow HCl + HClO$이다.
③, ④ Cl_2는 산화되는 물질이면서 동시에 환원되는 물질이다. Cl_2에서 Cl의 산화수는 0이다. HClO으로 될 때 Cl의 산화수가 0에서 +1로 증가하므로 산화되고, HCl로 될 때 Cl의 산화수가 0에서 −1로 감소하므로 환원된다.

오답 풀이

② H_2O은 산화되지도 환원되지도 않으므로 산화제도 환원제도 아니다.

19 ㄱ. 질산 은($AgNO_3$) 수용액에 금속 구리(Cu)를 넣으면 구리는 전자를 잃고 구리 이온(Cu^{2+})으로 수용액 속에 녹아 들어가므로 용액의 색은 푸른색으로 변한다.
ㄴ. 수용액 속의 은 이온은 구리로부터 전자를 얻어 금속 은으로 된다.

오답 풀이
ㄷ. $Cu + 2Ag^+ \longrightarrow Cu^{2+} + 2Ag$의 반응에서 Cu와 Ag의 계수비가 1 : 2이므로 1몰의 Cu는 2몰의 Ag^+을 환원시킨다. Cu 6.4 g은 0.1몰이므로 모두 반응하면 Ag^+ 0.2몰이 환원된다. 따라서 $0.2 \times 108 = 21.6$ (g)이 생성된다.

자료 분석 + 구리와 질산 은 수용액의 반응

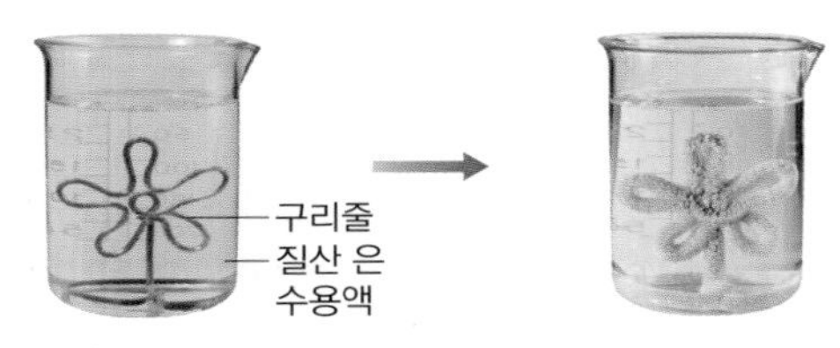

- 구리의 산화: 구리(Cu)는 전자를 잃고 구리 이온(Cu^{2+})으로 산화되어 수용액에 녹아 들어간다.
- 은 이온의 환원: 수용액 속 은 이온(Ag^+)은 전자를 얻어 은(Ag)으로 환원되어 석출된다.
- Cu^{2+} 1개가 생성될 때 Ag^+ 2개가 소모되므로 용액 속 양이온 수는 감소한다.

20 질산 암모늄과 수산화 바륨 팔수화물이 반응이면 열을 흡수하므로 주위의 온도가 낮아져 나무판 위의 물이 얼어 나무판이 삼각 플라스크에 달라붙어 나무판이 같이 들려 올라온다. 이것은 흡열 반응으로 광합성, 물의 전기 분해, 질산 암모늄의 용해, 탄산수소 나트륨의 열분해 등이 해당된다.

오답 풀이
④ 진한 황산이 용해될 때는 많은 열이 발생하므로 물에 진한 황산을 조금씩 넣으면서 저어 준다.

중학에 나오는 과학 용어 풀이

01 분자 | 나눌 分, 아들 子

분자는 독립된 입자로 존재하여 물질의 ❶ [　　] 을 나타내는 ❷ [　　] 입자이다.

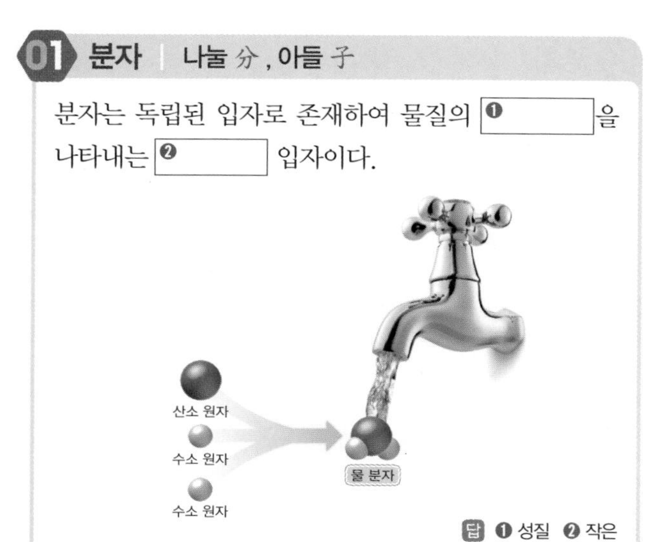

답 ❶ 성질 ❷ 작은

예 1 산소 원자 2개가 산소 분자를 이루면 비로소 산소 기체의 성질을 나타낸다.

예 2 이산화 탄소는 산소 원자 2개와 탄소 원자 1개로 이루어진 3원자 분자이다.

02 분해 | 나눌 分, 풀 解

한 종류의 ❶ [　　] 이 두 가지 이상의 간단한 물질로 변화하거나 그런 ❷ [　　]

답 ❶ 화합물 ❷ 반응

예 1 물을 분해하면 물을 이루고 있는 성분을 알 수 있다.

예 2 라부아지에는 물을 매우 높은 온도로 가열하여 분해하면 다른 물질이 생긴다는 사실을 실험으로 알아냈다.

03 이온식 | ion, 법 式

이온을 원소 기호를 사용하여 나타낸 식으로, 원소 기호의 오른쪽 위에 잃거나 얻은 전자의 ❶ [　　] 와 전하의 ❷ [　　] 를 함께 나타낸다.

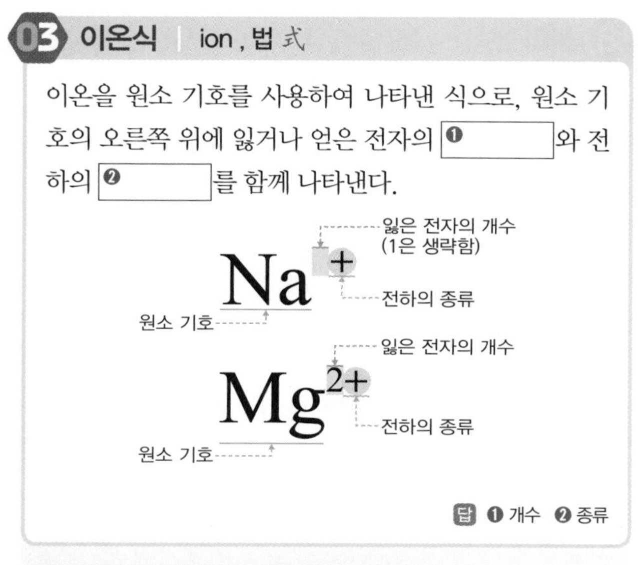

답 ❶ 개수 ❷ 종류

예 1 이온식 O^{2-}은 산화 이온을 나타낸다.

예 2 황산 이온은 이온식으로 SO_4^{2-}로 나타낸다.

04 끓는점 | 끓는, 점 點

액체 물질이 끓어 ❶ [　　] 가 되는 동안 ❷ [　　] 하게 유지되는 온도

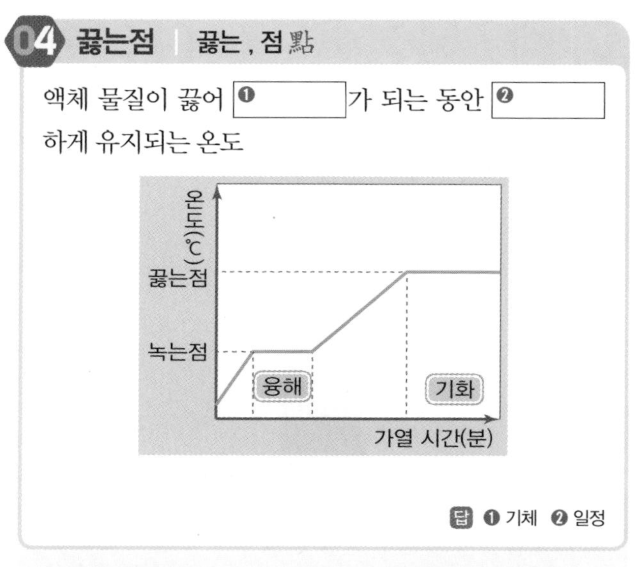

답 ❶ 기체 ❷ 일정

예 1 순물질은 끓는점이 일정하지만 혼합물은 끓는점이 일정하지 않다.

예 2 물은 1기압일 때 끓는점이 100 ℃로 일정하다.

과학 용어

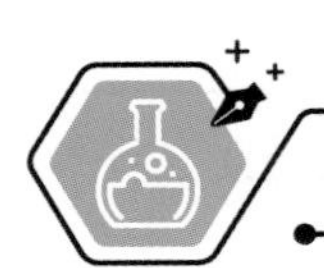

중학에 나오는 과학 용어 풀이

05 용해 | 녹을 溶, 풀 解

물질이 액체 속에서 ❶ [　　　]하게 녹아 ❷ [　　　]이 만들어지는 과정

물 분자
용해 중
설탕 분자

답 ❶ 균일 ❷ 용액

예 1 설탕은 물에 잘 용해된다.

예 2 기름은 물에 용해되지 않는다.

06 승화 | 오를 昇, 빛날 華

고체 상태에서 ❶ [　　　] 상태를 거치지 않고 기체 상태로 변하거나, 기체 상태에서 바로 ❷ [　　　] 상태로 변하는 현상

답 ❶ 액체 ❷ 고체

예 1 나프탈렌은 시간이 지날수록 승화하여 크기가 작아진다.

예 2 드라이아이스가 승화하면서 열에너지를 흡수하므로 아이스크림이 잘 녹지 않는다.

07 혼합물 | 섞을 混, 합할 合, 물건 物

두 가지 이상의 ❶ [　　　]이 섞여 있는 물질로, 순물질이 본래의 성질을 잃지 않고 ❷ [　　　] 있다.

답 ❶ 순물질 ❷ 섞여

예 1 간장은 아미노산, 알코올, 유기산, 소금, 물 등이 섞여 있는 혼합물이다.

예 2 공기는 산소, 질소 등의 기체 혼합물이다.

08 물리 변화 | 물건 物, 다스릴 理, 변할 變, 될 化

물질의 ❶ [　　　]이나 크기 등의 겉모습만 달라질 뿐 그 물질이 가진 고유한 ❷ [　　　]은 유지되는 변화

답 ❶ 모양 ❷ 성질

예 1 물을 가열하면 물리 변화인 상태 변화만 일어나 수증기로 된다.

예 2 종이를 접거나 잘라도 종이 성질이 유지되므로 물리 변화이다.

09 화학 변화 | 될 化, 배울 學, 변할 變, 될 化

어떤 물질이 전혀 다른 ❶ [ ] 의 새로운 물질로 바뀌는 ❷ [ ]

답 ❶ 성질 ❷ 변화

예 1 철이 녹스는 것은 화학 변화이다.

예 2 마그네슘을 태운 재는 마그네슘과는 성질이 다른 새로운 물질로 화학 변화했음을 알 수 있다.

10 상태 변화 | 형상 狀, 모습 態, 변할 變, 될 化

온도가 높아지거나 낮아지면서 물질이 다른 ❶ [ ] 로 변하는 현상

답 ❶ 상태

예 1 고체에서 액체로의 상태 변화를 융해라고 한다.

예 2 액체에서 고체로의 상태 변화를 응고라고 한다.

11 증발 | 찔 蒸, 필 發

액체의 ❶ [ ] 에서 액체가 ❷ [ ] 로 변하여 공기 중으로 날아가는 현상

답 ❶ 표면 ❷ 기체

예 1 어항 속의 물이 증발했다.

예 2 이른 아침 풀잎에 맺힌 이슬은 한낮이 되면 증발하여 사라진다.

12 불포화 용액 | 아닐 不, 배부를 飽, 화할 和, 녹을 溶, 진 液

포화 용액보다 ❶ [ ] 양의 용질이 녹아 있는 용액

답 ❶ 적은

예 1 불포화 용액의 설탕 수용액의 온도를 낮추면 포화 용액을 만들 수 있다.

예 2 불포화 용액에는 용질을 더 녹일 수 있다.

과학 용어

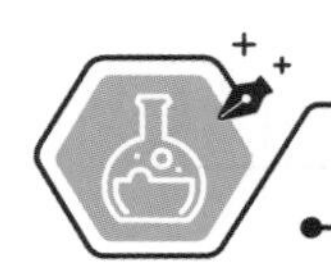

중학에 나오는 과학 용어 풀이

13 포화 용액 | 배부를 飽, 화할 和, 녹을 溶, 진 液

어떤 온도에서 일정한 양의 ❶ [   ]에 용질이 ❷ [   ]로 녹아 있는 용액

답 ❶ 용매 ❷ 최대

예 1 포화 용액의 온도를 변화시키면 불포화 용액을 만들 수 있다.

예 2 포화 용액에서는 더 이상 녹지 못하는 물질이 가라앉는다.

14 화학 반응 | 될 化, 배울 學, 돌이킬 反, 응할 應

화학 변화가 일어나 어떤 물질이 전혀 다른 ❶ [   ]의 새로운 물질로 변하는 반응

답 ❶ 성질

예 1 질산 은 수용액에 구리줄을 넣으면 화학 반응이 일어나 구리가 구리 이온이 된다.

예 2 메테인이 연소하면 화학 반응이 일어나 이산화 탄소와 수증기가 생성된다.

15 연소 | 탈 燃, 불사를 燒

물질이 ❶ [   ]와 반응할 때에 많은 빛과 ❷ [   ]을 내는 현상

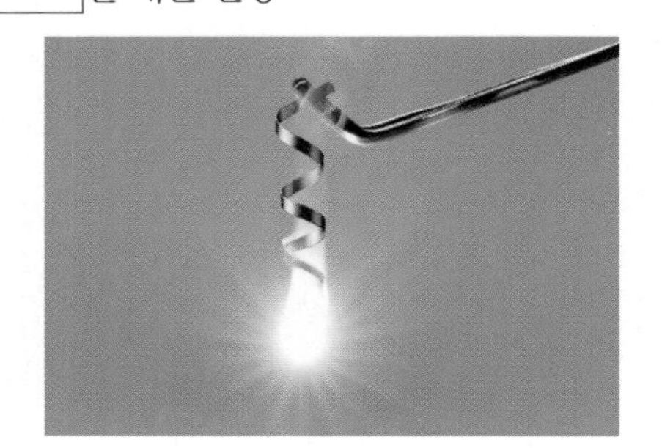

답 ❶ 산소 ❷ 열

예 1 마그네슘(Mg)을 연소시키면 산소(O_2)와 결합하여 산화 마그네슘(MgO)이 만들어진다.

예 2 탄소가 불완전 연소하면 일산화 탄소가 된다.

16 열에너지 | 더울 熱, energy

온도가 높은 물질에서 ❶ [   ] 물질로 이동하는 에너지로, 물질의 온도나 ❷ [   ]를 변화시킨다.

답 ❶ 낮은 ❷ 상태

예 1 물질이 주위로부터 열에너지를 흡수하므로 주위 온도가 낮아진다.

예 2 물질이 주위로 열에너지를 방출하므로 주위 온도가 높아진다.

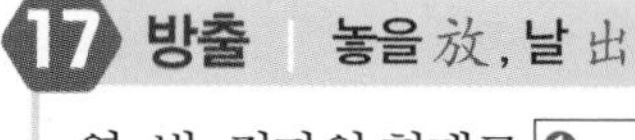

17 방출 | 놓을 放, 날 出

열, 빛, 전파의 형태로 ❶ [ ] 를 내보내는 것

답 ❶ 에너지

예 1 천연가스가 연소할 때 방출하는 열에너지로 난방이나 요리를 한다.

예 2 오렌지 나무에 물을 뿌리면 물이 얼 때 열에너지를 방출하므로 갑작스러운 한파에도 오렌지가 얼지 않는다.

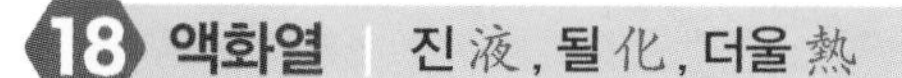

18 액화열 | 진 液, 될 化, 더울 熱

물질이 기체에서 ❶ [ ] 로 액화할 때 방출하는 ❷ [ ]

답 ❶ 액체 ❷ 열에너지

예 1 커피 전문점에서는 수증기가 물로 액화될 때 방출하는 액화열을 이용하여 우유를 데운다.

예 2 수증기가 이슬이 될 때 액화열을 방출한다.

19 응고열 | 엉길 凝, 굳을 固, 더울 熱

물질이 액체에서 고체로 ❶ [ ] 할 때 ❷ [ ] 하는 열에너지

답 ❶ 응고 ❷ 방출

예 1 물이 얼 때 응고열을 방출한다.

예 2 액체 파라핀의 응고열을 이용하여 온열 치료를 할 수 있다.

20 발열 반응 | 필 發, 더울 熱, 돌이킬 반 反, 응할 應

화학 반응이 일어날 때 ❶ [ ] 로 열에너지를 ❷ [ ] 하는 반응

답 ❶ 주위 ❷ 방출

예 1 발열 반응이 일어나면 주위의 온도가 높아진다.

예 2 연료의 연소 반응은 발열 반응이다.

과학 용어

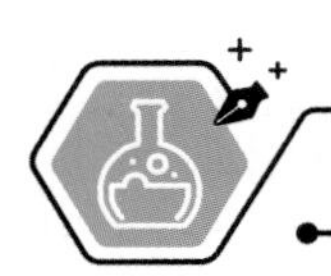

중학에 나오는 과학 용어 풀이

21 융해열 | 녹을 融, 풀 解, 더울 熱

물질이 ❶ ______ 상태에서 액체 상태로 융해할 때 흡수하는 ❷ ______

답 ❶ 고체 ❷ 열에너지

예 1 아이스크림이 녹을 때 융해열을 흡수한다.

예 2 버터에 열을 가하면 버터가 융해열을 흡수하여 녹는다.

22 기화열 | 기운 氣, 될 化, 더울 熱

물질이 액체 상태에서 ❶ ______ 상태로 기화할 때 ❷ ______ 하는 열에너지

답 ❶ 기체 ❷ 흡수

예 1 물은 수증기로 될 때 기화열을 흡수한다.

예 2 젖은 빨래는 기화열을 흡수하여 마르게 된다.

23 흡수 | 마실 吸, 거둘 收

외부의 ❶ ______ 이 다른 ❷ ______ 속으로 들어가는 일 또는 물질을 빨아들이는 것

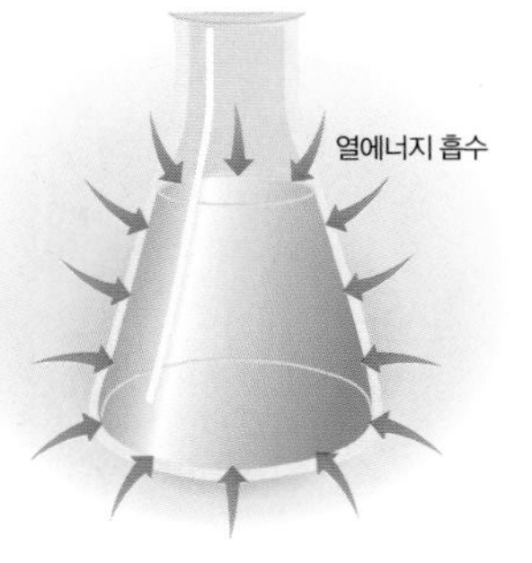

답 ❶ 물질 ❷ 물질

예 1 얼음은 열에너지를 흡수하여 녹는다.

예 2 거름종이의 끝에 물이 닿으면 물이 거름종이에 흡수되면서 위로 이동한다.

24 흡열 반응 | 마실 吸, 더울 熱, 돌이킬 반 反, 응할 應

화학 반응이 일어날 때 ❶ ______ 로부터 열에너지를 ❷ ______ 하는 반응

답 ❶ 주위 ❷ 흡수

예 1 흡열 반응이 일어나면 주위의 온도가 낮아진다.

예 2 삼각 플라스크에 수산화 바륨과 염화 암모늄을 넣고 섞으면 흡열 반응이 일어난다.

핵심 정리 01 화학 결합의 원리

- 물을 전기 분해하면 (+)극에서 산소 기체가, (−)극에서 수소 기체가 1 : 2의 부피비로 발생한다.
- **화학 결합과 전자:** 물을 전기 분해하면 전자를 잃거나 얻는 반응이 일어나 성분 물질로 분해된다. → 화학 결합에는 ❶ ______ 가 관여하며, 화학 결합은 전기적 인력으로 이루어진다.
- **옥텟 규칙:** 원자가 가장 바깥 전자 껍질에 전자 8개를 가져 ❷ ______ 기체(He은 2개)와 같은 전자 배치를 가지려는 경향
- 금속 원소의 원자는 전자를 잃어 양이온을 형성하고 비금속 원소의 원자는 전자를 얻어 음이온을 형성한다.

답 ❶ 전자 ❷ 비활성

핵심 정리 02 이온 결합

- **이온 결합:** 양이온과 음이온 사이의 정전기적 인력에 의한 결합
- 이온 결합은 전자를 잃기 쉬운 금속 원소와 전자를 얻기 쉬운 비금속 원소 사이에 잘 형성된다.
- **이온 결합 형성:** 양이온과 음이온 사이의 인력과 반발력이 균형을 이루어 에너지가 가장 ❶ ______ 거리에서 이온 결합이 형성된다.
- **이온 결합 물질의 성질**
  - 외부에서 힘을 가하면 쪼개지거나 부서지기 쉽다.
  - 고체 상태에서는 전기 전도성이 없으나 액체와 수용액 상태에서는 전기 전도성이 있다.
- 이온 사이의 거리가 가까울수록, 이온의 전하량이 클수록 녹는점이 ❷ ______.

답 ❶ 낮은 ❷ 높다

핵심 정리 03 공유 결합

- **공유 결합:** 비금속 원소의 원자들은 전자를 내놓아 전자쌍을 공유하여 결합함으로써 각 원자는 ❶ ______ 기체와 같은 전자 배치를 이룬다.
- **공유 결합 물질**
  - 분자 사이에 작용하는 인력에 의해 이루어진 결정으로, 녹는점이나 끓는점이 낮아 상온에서 대부분 액체나 기체 상태이다.
  - 다이아몬드, 흑연, 석영과 같이 물질을 구성하고 있는 모든 ❷ ______ 가 연속적으로 공유 결합을 형성하는 물질은 그물처럼 연결되어 녹는점이 매우 높다.
  - 흑연을 제외한 대부분의 공유 결합 물질은 전기 전도성을 나타내지 않는다.

답 ❶ 비활성 ❷ 원자

핵심 정리 04 금속 결합

- **자유 전자:** 금속 양이온 사이를 자유롭게 움직이면서 광택, 열 및 전기 전도성 등 금속의 특성을 나타낸다.
- **금속 결합:** 금속 양이온과 ❶ ______ 사이에 작용하는 정전기적 인력으로 형성되는 결합

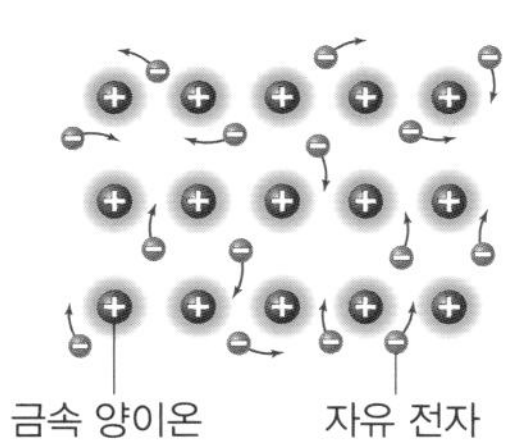

- **금속 결합 물질의 성질**
  - 고체 상태뿐만 아니라 액체 상태에서도 ❷ ______ 전도성이 있으며 열 전도성이 매우 크다.
  - 연성과 전성이 크고, 대부분 녹는점과 끓는점이 높다.

답 ❶ 자유 전자 ❷ 전기

자르는 선

01 이것만은 꼭! 화학 결합의 원리

예제 **황산 나트륨(Na_2SO_4)을 소량 넣은 증류수를 전기 분해하여 수소 기체와 산소 기체를 얻었다. 이에 대한 설명으로 옳은 것만을 〈보기〉에서 있는 대로 고르시오.**

보기

ㄱ. (+)극에서 수소 기체가 발생한다.

✓ㄴ. 생성되는 기체의 부피비는 (+)극 : (−)극 =1 : 2이다.

✓ㄷ. 수소 원자와 산소 원자의 화학 결합에 전자가 관여함을 알 수 있다.

★기억해요!

순수한 물은 전기를 통하지 않기 때문에 ______을 넣으면 쉽게 전기 분해되는데, 이로써 화학 결합에 ______가 관여함을 알 수 있다.

답 전해질, 전자

02 이것만은 꼭! 이온 결합

예제 **다음 중 이온 결합에 대한 설명으로 옳지 <u>않은</u> 것은?**

① 이온 결합 물질은 전기적으로 중성이다.

② 이온 결합력은 두 이온의 전하량에 비례한다.

③ 이온 결합력은 두 이온 사이의 거리에 반비례한다.

④ 양이온과 음이온 사이의 정전기적 인력으로 형성된다.

✓⑤ 고체 상태에서도 이온이 이동할 수 있어 전기가 통한다.

★기억해요!

이온 결정에 힘을 가하면 이온 층이 밀리면서 두 층의 경계면에서 ______ 전하를 띤 이온들이 만나게 되어 ______력이 작용한다.

답 같은, 반발

03 이것만은 꼭! 공유 결합

예제 **다음 중 공유 결합에 대한 설명으로 옳지 <u>않은</u> 것은?**

① 비금속 원소 사이의 결합이다.

② 공유 결합 물질은 대부분 녹는점과 끓는점이 낮다.

✓③ 공유 결합 물질인 물과 흑연은 전기 전도성이 없다.

④ 공유 전자쌍이 2쌍 이상 있는 결합을 다중 결합이라고 한다.

⑤ 모든 원자가 3차원으로 연결된 공유 결합 물질들은 녹는점이나 끓는점이 매우 높다.

★기억해요!

다이아몬드는 탄소 원자 1개가 다른 탄소 원자 4개와 ______ 모양으로 강하게 결합한 3차원 ______ 구조의 물질로 녹는점이 매우 높고 단단하다.

답 정사면체, 그물

04 이것만은 꼭! 금속 결합

예제 **다음 중 금속 결합 물질에 대한 설명으로 옳지 <u>않은</u> 것은?**

① 연성과 전성이 좋은 편이다.

② 정전기적 인력에 의한 결합이다.

③ 대부분 은백색의 광택을 가지고 있다.

④ 외부의 힘을 받아도 결합이 유지된다.

✓⑤ 금속 양이온이 있어 전기와 열이 잘 통한다.

★기억해요!

전자의 바다 속에 금속 ______이 규칙적으로 배열된 구조를 ______ 모형이라고 한다.

답 양이온, 전자 바다

자르는 선

핵심 정리 05 쌍극자 모멘트와 결합의 극성

- **무극성 공유 결합:** 전기 음성도 차이가 없는 두 원자 사이에 이루어지는 결합
- **극성 공유 결합:** 전기 음성도 차이로 공유 전자쌍이 어느 한 원자 쪽으로 치우쳐 부분적인 전하가 생기는 결합
- **쌍극자:** 한 분자 내에서 두 원자 사이에 크기가 같고 부호가 ❶ [　　] 부분 전하를 나타내는 것
- **쌍극자 모멘트:** 분리된 전하량(q)과 두 전하 사이의 ❷ [　　]의 곱에 비례한다.
- 쌍극자 모멘트가 0이면 무극성 공유 결합이고, 0이 아니면 극성 공유 결합이다.

답 ❶ 다른 ❷ 거리(r)

핵심 정리 06 분자의 구조

- **중심 원자에 공유 전자쌍만 있을 때:** 전자쌍 수가 2개면 선형, 3개면 평면 삼각형, 4개면 정사면체형이다.
- 비공유 전자쌍 사이의 반발력은 공유 전자쌍 사이의 반발력보다 ❶ [　　].
- 메테인 분자는 중심 원자인 탄소(C) 원자 주변에 4개의 공유 전자쌍만 존재하고, 암모니아 분자는 질소(N) 원자 주변에 공유 전자쌍 3개와 비공유 전자쌍 1개가, 물 분자는 산소(O) 원자 주변에 공유 전자쌍 2개와 비공유 전자쌍 ❷ [　　]가 있다.

메테인(CH_4)	암모니아(NH_3)	물(H_2O)
정사면체	삼각뿔형	굽은형
109.5°	107°	104.5°

답 ❶ 크다 ❷ 2개

핵심 정리 07 분자의 극성

- **무극성 분자:** 쌍극자 모멘트의 합이 0인 분자
- **극성 분자:** 쌍극자 모멘트의 합이 0이 아닌 분자

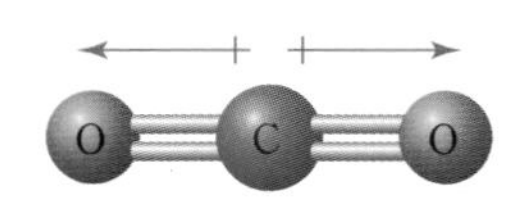

이산화 탄소(무극성 분자)

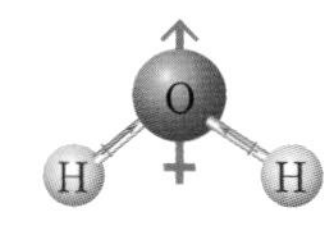

물 분자(극성 분자)

- 극성 분자는 극성 용매에, ❶ [　　] 분자는 무극성 용매에 잘 용해
- 극성 분자는 전기장에서 일정하게 배열되며, 대전체 종류에 관계없이 대전체에 끌린다.
- 극성 분자의 끓는점은 분자량이 비슷한 무극성 분자의 끓는점보다 ❷ [　　].

답 ❶ 무극성 ❷ 높다

핵심 정리 08 동적 평형

- **동적 평형 상태:** 가역 반응에서 정반응 속도와 역반응 속도가 같아서 겉보기에 변화가 없는 것처럼 보이는 상태
- 동적 평형 상태에서는 반응물과 생성물이 함께 존재하고, 반응물과 생성물의 ❶ [　　]가 일정하게 유지된다.
- **물의 증발과 응축**

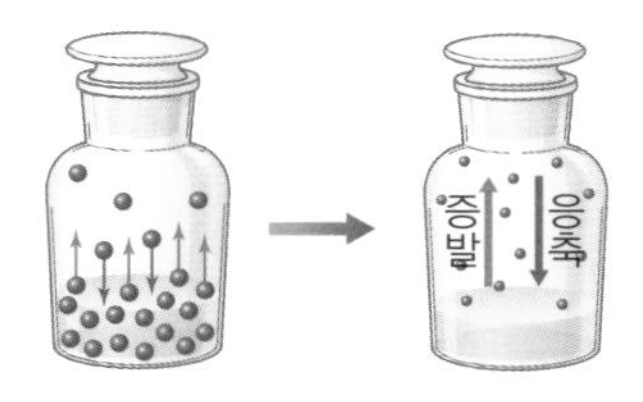

· 증발 속도 > 응축 속도: 물의 양 감소
· 증발 속도 = 응축 속도: 동적 평형 상태

답 ❶ 농도

06 이것만은 꼭! 분자의 구조

예제 전자쌍 반발 이론과 이로부터 분자의 구조를 예측할 때에 대한 설명으로 옳지 않은 것은?

① 전자쌍은 (−)전하를 띤다.
② 암모니아는 삼각뿔 구조이다.
③ 중심 원자에 공유 전자쌍만 2개 있으면 선형이다.
④ 전자쌍들은 반발력이 최소가 되는 방향으로 배치된다.
✓⑤ 공유 전자쌍 사이의 반발력은 비공유 전자쌍 사이의 반발력보다 크다.

★기억해요!

분자의 구조를 예측할 때에는 다중 결합에 포함된 □ 전자쌍을 □ 결합과 같이 공유 전자쌍 1개로 취급한다.

답 공유, 단일

05 이것만은 꼭! 쌍극자 모멘트와 결합의 극성

예제 결합의 극성과 쌍극자 모멘트에 대한 설명으로 옳은 것만을 〈보기〉에서 있는 대로 고르시오.

보기

✓ㄱ. 공유 결합에서 전기 음성도가 큰 원소는 부분 (−)전하를 띤다.
✓ㄴ. 쌍극자 모멘트는 부분 (+)전하에서 부분 (−)전하 쪽으로 향하는 화살표로 표시한다.
ㄷ. 서로 다른 두 원자가 결합하면 결합의 쌍극자 모멘트는 0이다.

★기억해요!

HCl에서 □ 전자쌍은 전기 음성도가 큰 □ 원자 쪽으로 치우쳐서 염소 원자는 δ^-, 수소 원자는 δ^+를 띤다.

답 공유, 염소

08 이것만은 꼭! 동적 평형

예제 동적 평형에 대한 설명으로 옳은 것만을 〈보기〉에서 있는 대로 고른 것은?

보기

ㄱ. 생성물만 존재한다.
ㄴ. 반응물과 생성물의 농도가 항상 같다.
ㄷ. 정반응의 속도와 역반응의 속도가 같다.

① ㄱ ② ㄴ ✓③ ㄷ
④ ㄱ, ㄷ ⑤ ㄴ, ㄷ

★기억해요!

용질의 용해 속도와 □ 속도가 같아서 겉보기에 용해가 일어나지 않는 것처럼 보이는 동적 평형 상태를 □ 평형이라고 한다.

답 석출, 용해

07 이것만은 꼭! 분자의 극성

예제 몇 가지 분자에 대한 설명으로 옳은 것만을 〈보기〉에서 있는 대로 고른 것은?

보기

ㄱ. 삼염화 붕소(BCl_3)는 무극성 분자이다.
ㄴ. 에탄올은 사염화 탄소보다 물과 잘 섞인다.
ㄷ. 암모니아는 전기장 안에서 전류를 흘려주었을 때 일정한 배열을 이룬다.

① ㄴ ② ㄷ ③ ㄱ, ㄴ
④ ㄱ, ㄷ ✓⑤ ㄱ, ㄴ, ㄷ

★기억해요!

물줄기에 대전체를 가까이 가져가면 물 분자에서 대전체와 □ 전하를 띤 부분이 대전체 쪽으로 끌리면서 물줄기가 □.

답 반대, 휘어진다

자르는 선

핵심 정리 09 물의 자동 이온화

- **물의 자동 이온화:** 순수한 물에서 매우 적은 양의 물 분자끼리 ❶ ______ 을 주고받아 H_3O^+과 OH^-으로 이온화하는 현상

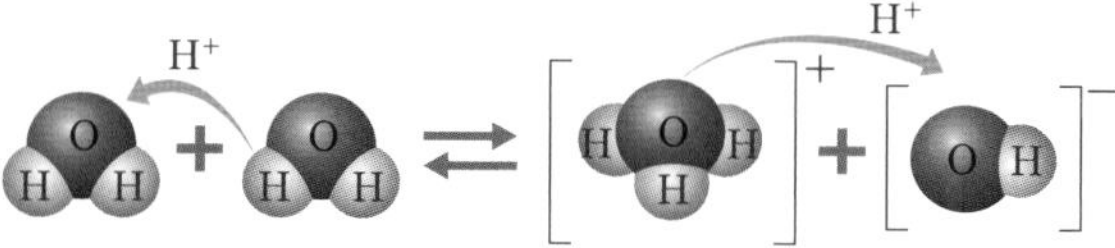

- **물의 이온화 상수(K_w):** 물이 자동 이온화하여 동적 평형을 이루었을 때 ❷ ______ 과 OH^-의 농도 곱
- 25 ℃에서 물의 이온화 상수는 1.0×10^{-14}으로 일정하다.

$$K_w = [H_3O^+][OH^-] = 1.0 \times 10^{-14} \ (25\ ℃)$$

답 ❶ H^+ ❷ H_3O^+

핵심 정리 10 수소 이온 농도 지수

- **수소 이온 농도 지수(pH):** 수용액 속 ❶ ______ 의 농도를 간단히 나타내기 위해 사용하는 값

$$pH = \log \frac{1}{[H_3O^+]} = -\log[H_3O^+]$$

- **pH와 pOH의 관계:** pH + pOH = 14 (25 ℃에서)
- pH가 작을수록 수용액의 산성이 강해지고 염기성이 약해지므로 pOH는 ❷ ______ 진다.
- 25 ℃에서 산성, 중성, 염기성 수용액 속의 $[H_3O^+]$와 $[OH^-]$ 비교

액성	$[H_3O^+]$와 $[OH^-]$의 농도	pH
산성	$[H_3O^+] > 1.0 \times 10^{-7}$ M $> [OH^-]$	pH<7
중성	$[H_3O^+] = 1.0 \times 10^{-7}$ M $= [OH^-]$	pH=7
염기성	$[H_3O^+] < 1.0 \times 10^{-7}$ M $< [OH^-]$	pH>7

답 ❶ H_3O^+ ❷ 커

핵심 정리 11 산과 염기의 정의

- **브뢴스테드·로리 산:** 다른 물질에게 H^+을 ❶ ______ 물질(양성자 주개)
- **브뢴스테드·로리 염기:** 다른 물질로부터 H^+을 받는 물질(양성자 받개)
- **양쪽성 물질:** 조건에 따라 산으로 작용할 수도 있고, 염기로 작용할 수도 있는 물질
  예 H_2O, HCO_3^- 등
- **짝산-짝염기:** ❷ ______ 의 이동으로 산과 염기가 되는 한 쌍의 물질

짝염기―짝산

$$\underset{\text{산}}{HF} + \underset{\text{염기}}{H_2O} \rightleftharpoons \underset{\text{염기}}{F^-} + \underset{\text{산}}{H_3O^+}$$

짝산―짝염기

답 ❶ 주는 ❷ H^+

핵심 정리 12 중화 반응의 양적 관계

- **중화 반응:** 산과 염기가 반응하여 ❶ ______ 과 염을 생성하는 반응

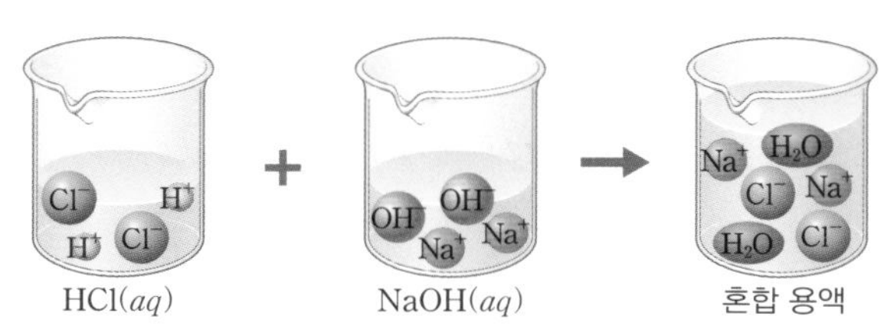

- H^+과 OH^-은 ❷ ______ 의 몰비로 반응하여 물을 생성한다.
- 산과 염기가 완전히 중화하려면 산이 내놓은 H^+의 양(mol)과 염기가 내놓은 OH^-의 양(mol)이 같아야 한다.

$$n_1M_1V_1 = n_2M_2V_2$$

(1: 산, 2: 염기, n: 가수, M: 몰 농도, V: 부피)

답 ❶ 물 ❷ 1 : 1

자르는 선

10 이것만은 꼭! 수소 이온 농도 지수

예제 25 ℃에서 세 물질의 pH가 다음과 같을 때 이에 대한 설명으로 옳지 않은 것은? (단, 25 ℃에서 물의 이온곱 상수는 1×10^{-14}이다.)

수용액	레몬즙	우유	제산제
pH	2	6	10

① 제산제는 염기성을 나타낸다.
② 산성이 가장 강한 것은 레몬즙이다.
✓③ $[H_3O^+]$는 우유가 레몬즙보다 크다.
④ 레몬즙의 $[H_3O^+]$는 1×10^{-2} M이다.
⑤ 25 ℃에서 제산제의 pOH는 4이다.

★기억해요!

수용액의 pH가 1씩 작아질수록 수용액 속의 $[H_3O^+]$는 ☐배씩 ☐진다.

답 10, 커

09 이것만은 꼭! 물의 자동 이온화

예제 물의 자동 이온화에 대한 설명으로 옳은 것만을 〈보기〉에서 있는 대로 고른 것은?

보기
ㄱ. 물 분자끼리 H^+을 주고받아 이온화한다.
ㄴ. 순수한 물은 H_3O^+의 몰 농도가 OH^-보다 크다.
ㄷ. 물의 이온화 상수는 온도에 상관없이 일정하다.

✓① ㄱ ② ㄴ ③ ㄱ, ㄴ
④ ㄱ, ㄷ ⑤ ㄴ, ㄷ

★기억해요!

물의 이온화 상수는 온도가 일정하면 ☐하고, 온도가 높을수록 ☐진다.

답 일정, 커

12 이것만은 꼭! 중화 반응의 양적 관계

예제 농도를 모르는 $H_2SO_4(aq)$ 20 mL를 완전히 중화시키는 데 0.1 M KOH(aq) 120 mL가 필요하다. $H_2SO_4(aq)$의 몰 농도는?

① 0.1 M ② 0.2 M
✓③ 0.3 M ④ 0.4 M
⑤ 0.5 M

★기억해요!

중화 반응에 참여할 수 있는 H^+이나 OH^-의 양(mol)은 산이나 염기의 ☐(n)와 수용액의 ☐(M) 및 수용액의 부피(V)의 곱과 같다.

답 가수, 몰 농도

11 이것만은 꼭! 산과 염기의 정의

예제 〈보기〉는 몇 가지 산 염기 화학 반응식이다. 밑줄 친 물질이 브뢴스테드·로리 산인 것만을 있는 대로 고른 것은?

보기
ㄱ. $NH_3 + \underline{H_2O} \rightleftarrows NH_4^+ + OH^-$
ㄴ. $\underline{HCN} + H_2O \rightleftarrows H_3O^+ + CN^-$
ㄷ. $\underline{CH_3COO^-} + H_2O \rightleftarrows CH_3COOH + OH^-$

① ㄱ ② ㄴ ✓③ ㄱ, ㄴ
④ ㄱ, ㄷ ⑤ ㄴ, ㄷ

★기억해요!

아레니우스는 수용액에서 이온화하여 수소 이온(H^+)을 내놓는 물질을 ☐, 수산화 이온(OH^-)을 내놓는 물질을 ☐라고 정의하였다.

답 산, 염기

자르는 선

핵심 정리 13 중화 적정

- **중화 적정:** 중화 반응의 양적 관계를 이용하여 농도를 모르는 산이나 염기의 농도를 알아내는 방법
- **표준 용액:** 중화 적정에서 농도를 알고 있는 산 수용액이나 염기 수용액
- **중화점: 산의 H^+과 염기의 OH^-의 몰비가** 1 : 1로 같아 완전히 중화되는 지점 → ❶ [ ]을 이용하여 알 수 있다.
- $HCl(aq)$을 NaOH 수용액으로 중화 적정할 때 Na^+과 Cl^-은 구경꾼 이온이고 H^+과 OH^-은 ❷ [ ] 이온이다.

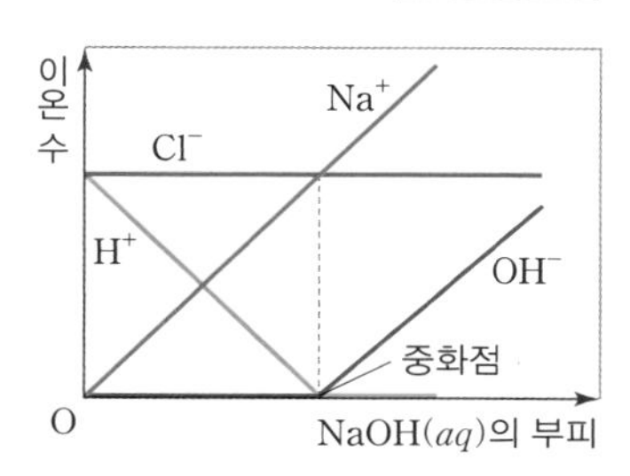

답 ❶ 지시약 ❷ 알짜

핵심 정리 14 전자 이동과 산화 환원

- 산화 환원 반응

산화	환원
어떤 물질이 산소를 얻는 반응	어떤 물질이 산소를 잃는 반응
어떤 물질이 전자를 ❶ [ ] 반응	어떤 물질이 전자를 ❷ [ ] 반응

예 아연과 황산 구리(Ⅱ) 수용액의 산화 환원 반응

$$Zn(aq) + Cu^{2+}(aq) \longrightarrow Zn^{2+}(aq) + Cu(s)$$

(Zn → Zn^{2+}: 산화, Cu^{2+} → Cu: 환원)

- **산화 환원 반응의 동시성:** 한 반응에서 전자를 잃는 물질이 있으면 반드시 전자를 얻는 물질이 있어야 한다.

답 ❶ 잃는 ❷ 얻는

핵심 정리 15 산화수와 산화 환원

- **산화수:** 어떤 물질에서 각 원자가 어느 정도 산화되었는지를 나타내는 가상적인 전하
  예 NaCl에서 Na의 산화수는 +1, Cl의 산화수는 −1
- 원소를 구성하는 원자의 산화수는 0이고, 화합물에서 플루오린(F)의 산화수는 항상 −1이다.
- 산화수가 ❶ [ ]하면 산화, ❷ [ ]하면 환원이다.

$$2KI(aq) + Cl_2(g) \longrightarrow 2KCl(aq) + I_2(s)$$

산화수: I −1 → 0 (산화수 증가: 산화), Cl 0 → −1 (산화수 감소: 환원)

- 자신은 환원되면서 다른 물질을 산화시키는 물질을 산화제, 자신은 산화되면서 다른 물질을 환원시키는 물질을 환원제라고 한다.

답 ❶ 증가 ❷ 감소

핵심 정리 16 화학 반응에서 열의 출입

- **발열 반응:** 화학 반응 시 열을 ❶ [ ]하는 반응 → 주위의 온도가 높아짐 예 중화 반응, 산과 금속의 반응
- **흡열 반응:** 화학 반응 시 열을 ❷ [ ]하는 반응 → 주위의 온도가 낮아짐 예 탄산수소 나트륨의 열분해, 질산 암모늄의 용해
- **열량계:** 화학 반응에서 출입하는 열량을 측정하는 장치
- 간이 열량계를 이용한 열량의 측정

> **발생한 열량(Q)=용액이 흡수한 열량=$c \times m \times \Delta t$**
> (c: 용액의 비열, m: 용액의 질량, Δt: 용액의 온도 변화)

답 ❶ 방출 ❷ 흡수

14 이것만은 꼭! 전자 이동과 산화 환원

예제 황산 구리(Ⅱ) 수용액에 아연판을 담갔더니 아연판 표면에 금속이 석출되었다. 이에 대한 설명으로 옳은 것만을 〈보기〉에서 있는 대로 고른 것은?

보기

ㄱ. 아연은 전자를 잃고 산화된다.

ㄴ. 구리 이온은 전자를 얻어 환원된다.

ㄷ. 반응이 일어나는 동안 용액의 푸른색이 점점 짙어진다.

① ㄱ ② ㄴ ③ ㄱ, ㄴ ④ ㄱ, ㄷ ⑤ ㄴ, ㄷ

★기억해요!

황산 구리(Ⅱ)($CuSO_4$) 수용액에 아연판을 넣으면 수용액의 푸른색은 점점 [ ] 지고, 아연판의 표면은 붉은색 [ ] 로 석출된다.

답 옅어, 구리

13 이것만은 꼭! 중화 적정

예제 그림은 $HCl(aq)$ 50 mL에 같은 농도의 $NaOH(aq)$을 조금씩 가해 줄 때, 혼합 용액 속에 존재하는 어떤 이온 (가)의 개수 변화를 나타낸 것이다. 이에 대한 설명으로 옳은 것만을 〈보기〉에서 있는 대로 고르시오.

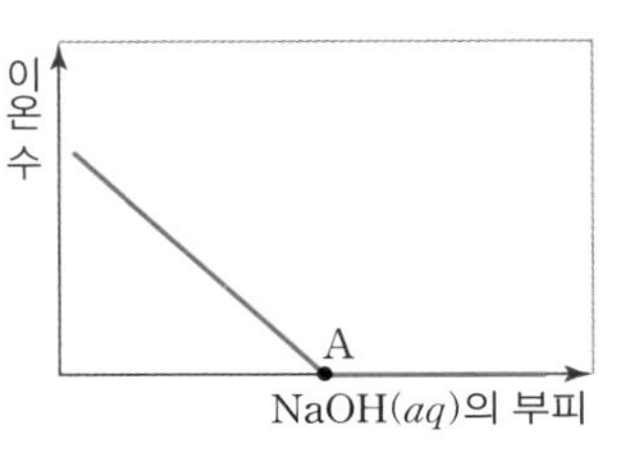

보기

ㄱ. (가)는 수소 이온이다.

ㄴ. Cl^-의 이온 수는 일정할 것이다.

ㄷ. A점 이후 더 이상 물 분자가 생성되지 않는다.

★기억해요!

염산에 페놀프탈레인 용액을 떨어뜨리면 [ ] 이지만, 이 용액에 수산화 나트륨 수용액을 계속 가해 중화하면 중화점을 지나는 순간 [ ] 을 띤다.

답 무색, 붉은색

16 이것만은 꼭! 화학 반응에서 열의 출입

예제 화학 반응에서의 열 출입에 대한 설명으로 옳은 것만을 〈보기〉에서 있는 대로 고른 것은?

보기

ㄱ. 질산 암모늄이 물에 용해되면 열을 방출한다.

ㄴ. 흡열 반응이 일어나면 주위의 온도가 낮아진다.

ㄷ. 휴대용 손난로는 철가루가 산소와 반응할 때 열을 방출하는 것을 이용한 것이다.

① ㄱ ② ㄴ ③ ㄱ, ㄴ ④ ㄱ, ㄷ ⑤ ㄴ, ㄷ

★기억해요!

탄산수소 나트륨의 열분해, 물의 전기 분해, 식물의 [ ] 등과 같이 에너지를 소모하는 반응들은 [ ] 반응이다.

답 광합성, 흡열

15 이것만은 꼭! 산화수와 산화 환원

예제 다음은 두 가지 산화 환원 반응을 나타낸 것이다.

(가) $2Na + Cl_2 \longrightarrow 2NaCl$

(나) $2NaCl + F_2 \longrightarrow 2NaF + Cl_2$

이에 대한 설명으로 옳은 것만을 〈보기〉에서 있는 대로 고르시오.

보기

ㄱ. (가)에서 Cl_2는 산화제이다.

ㄴ. (나)에서 NaCl은 환원제이다.

ㄷ. (나)에서 Na의 산화수는 증가했다.

★기억해요!

수소의 산화수는 H_2O에서 +1이고, NaH에서 [ ] 이며 산소의 산화수는 H_2O에서 −2이고, H_2O_2에서 [ ] 이다.

답 −1, −1

자르는 선